LE CAMP DES FEMMES

DU MÊME AUTEUR
AUX ÉDITIONS FRANCE-EMPIRE

L'Exécution de Budapest (mai 1966).

Les Médecins de l'Impossible. Prix Littré (octobre 1968).

Les Sorciers du Ciel (octobre 1969).

Le Train de la Mort. Prix Malherbe (novembre 1970).

Les Mannequins Nus (octobre 1971).

Les Médecins Maudits (septembre 1967. Coédité en 1979 par Les Éditions Québecor).

Christian BERNADAC

LE CAMP DES FEMMES

RAVENSBRUCK

EDITIONS
Quebecor

LES ÉDITIONS QUEBECOR
225, rue Roy est
Montréal, Qué.
H2W 2N6
Tél. : (514) 282-9600

Distributeur exclusif :
AGENCE DE DISTRIBUTION POPULAIRE INC.
955, rue Amherst
Montréal, Qué.
H2L 3K4
Tél. : (514) 523-1182

© ÉDITIONS FRANCE-EMPIRE 1972
© LES ÉDITIONS QUEBECOR 1980, pour le Canada
Dépôts légaux, deuxième trimestre 1980 :
Bibliothèque nationale du Québec et
Bibliothèque nationale du Canada
ISBN 2-89089-065-1
Tous droits réservés.

Ce livre est dédié aux femmes de Ravensbruck, à toutes les femmes de Ravensbruck.

A ma mère qui aurait dû suivre mon père en déportation et qui de peu, de très peu, a « évité » Ravensbruck.

A André Malraux parce qu'il sait « le poids de la Mort en l'homme ».

« ... Les Morts gouvernent les vivants. »

Auguste COMTE.

Samedi soir! Encore une semaine close,
Une de plus hélas! qui n'a rien apporté;
Le mois s'use déjà, vide autant que morose
Que tous ces mois sans fleurs couchés dans le passé.

❧

Tout le jour ils en ont tué
Et les derniers à coup de crosse;
Blessés et morts se sont couchés
Ensemble, dans la même fosse.

Et le matin la terre encor
Palpitait de vie opiniâtre, si fort
Qu'ils passèrent
Et repassèrent
Un rouleau pesant et rageur
Pour que le crime fut vainqueur.

Françoise BABILLOT

(poèmes inédits composés à Ravensbruck)

— Ils ont retrouvé Odette!

— Je l'avais bien dit.

— Peut-être! Peut-être! Mais Odette a eu le courage d'essayer. Elle est même la première Française à avoir essayé et sa tentative donnera des idées à d'autres qui réussiront. Elle a prouvé que l'on pouvait s'évader de Ravensbruck.

— Pour trois jours!

— Pour trois jours, oui. Et trois jours de liberté ça compte...

— Surtout pour elle car « ses trois jours » auront été les derniers. En attendant, ton Odette : cinquante coups de gummi sur les fesses et si elle n'est pas morte après ça, le bunker! Dix ou quinze jours, nue, sans nourriture, dans un fond de cave. Si par miracle « après » elle a encore un souffle : compagnie disciplinaire... Enfin quoi, elle est foutue! Bien foutue. Il vaudrait mieux qu'ils la gazent tout de suite.

— Je la connais : elle tiendra.

⁂

Déshabillée [1], je suis attachée par les poignets, le cou et les chevilles sur une sorte de « table de torture ». Les officiers m'entourent; l'un d'eux, vêtu d'une cape, porte monocle. On a fait appel à des volontaires pour remplir l'office de bourreaux, trois se sont présentées : fortes et solides filles tentées par des soupes supplémentaires. Depuis ma détention, je garde mon alliance et, dans les moments critiques, pour la dissimuler, je la mets dans ma bouche. Je ne peux donc pas crier. Un officier, médecin, se détache du groupe tous les dix coups et prend mon pouls afin de vérifier mes pulsations et, sans doute, l'état de mon cœur. Il prie, à chaque interruption, une interprète polonaise, seule personne autorisée à assister à cette scène incroyable, si incroyable que je vivais dans une sorte de dédoublement tellement irréel que la souffrance me fût épargnée, de me demander si j'ai quelque chose à dire pour expliquer mon geste...

Ma seule réponse, toujours la même, est qu'un retour dans mon foyer libéré m'a brusquement tenté davantage qu'une prolongation de séjour au milieu de forcenés et de mourantes.

A la fin, quand on me relève, le S.S. me dit : « Vous n'avez pas crié Madame. » Tout ce que je trouve à répondre c'est : « Mais je suis Française », ce qui me vaut des coups de botte. Alors je m'évanouis.

— Et Odette! Elle a tenu?
— Oui, elle a tenu. Elle n'a pas crié et comme on lui demandait « pourquoi? », elle a simplement répondu : « Je suis Française! »
— Je suis Française! Si elle a dit ça, elle supportera le bunker.

---

1. Manuscrit inédit Odette Fabius. Janvier 1970-avril 1970.

Je [1] me réveille de mon évanouissement, nue, étendue sur la terre. Combien de temps suis-je demeurée là? Je ne sais. J'entrevois une sorte de lavabo, comme à Fresnes, avec un robinet, un tabouret enchaîné et un lit retourné, accroché et fermé à clé. Je reste couchée sur le sol pendant dix jours sans manger. Je dois hurler et gémir. C'est l'eau que je peux boire qui me permet de tenir le coup. Je délire et je vois le Lord-Maire de Cork (réminiscence d'une histoire contée dans mon enfance) faisant la grève de la faim et résistant. Et je vois Gandhi. Mais surtout, dans ma demi-conscience, un papier blanc vole devant mes yeux. C'est le mot que, du train, j'avais pu faire passer à ma fille de douze ans, en lui promettant de revenir. Au bout de dix jours, on me jette une robe rayée et une lettre... C'est une carte de ma fille, la seule que je recevrai au camp... Un érésipèle géant s'est formé sur l'une de mes jambes, sans doute à la suite des plaies, dues au « chat à neuf queues », qui s'infectaient faute de soins.

— Odette a tenu. Elle n'est pas belle à voir, mais elle est vivante. Vivante!

— Une drôle de bonne femme! Tu la connais bien?

— Tu sais, ici personne ne se « connaît » bien... Elle s'appelle Odette Fabius.

Depuis [1] vingt-cinq ans, ces événements se sont fixés peu à peu en moi comme des images sur un kaléidoscope, dans un bouillonnement intense de contradictions; il reste maintenant l'essence même de mes sensations...

Mes souvenirs remontent à juin 1940. Par moment,

---

1. Odette Fabius. Déjà citée.

je me demande si ma vraie naissance à la vie ne se
situe pas à cette époque. Avant, je vivais sans doute...
mais... que savais-je de la liberté? du devoir? du respect de soi?

J'avais eu ce qu'il est convenu d'appeler « une jeunesse dorée », sans problème. Fille d'avocat à la Cour,
mariée à dix-huit ans, mère à dix-neuf ans d'une
petite fille, d'une situation aisée, je ne m'intéressais
pas à la politique en général, ni à celle de mon pays
en particulier... Mais seulement aux problèmes quotidiens d'une vie facile, mais sans ferveur.

Je me suis éveillée en juin 1940 en entendant le
maréchal Pétain proclamer l'Armistice. J'avais vingt-
huit ans. J'étais dans une section motorisée de la
Croix-Rouge. Tout s'effondrait pour moi. La notion
de Patrie que cette « drôle de guerre » éclair avait
éveillée en moi se révoltait avec une intensité qui me
submerge encore maintenant, trente ans après.

A quoi allait me servir cet apprentissage au travail qui datait seulement de quelques mois, lorsque
j'avais été « appelée » par Suzanne Crémieux, amie
de ma famille (maintenant Sénateur du Gard) mais
alors présidente d'un service au ministère de la Santé
Publique, afin de l'aider dans ce service consacré
depuis le mois de mars à l'évacuation des enfants
de Paris. Je m'étais également engagée dans les Sec-
tions Sanitaires Automobiles et j'avais participé aux
évacuations de Rethel, Soissons, Sedan, Laon, Châ-
teau-Thierry.

Je me sentais incapable de reprendre la vie semi-
oisive qui avait été la mienne jusqu'au drame de
1939. Dans cet état d'esprit, je me suis consacrée au
service des S.S.A. avec une sorte d'acharnement et de
défi, aux visites des camps provisoires de prisonniers :
à Châteaubriant, Savenay, Saint-Lô, etc. même à
certains camps de prisonniers noirs dans le Bordelais.

Cette activité m'a, un beau jour de 1941, mise en présence à Marseille, par l'intermédiaire du commandant Raynal, du commandant Faye qui débarquait de Londres. Le commandant Faye, à son tour, m'a mise en rapport avec le colonel Alamichel, puis un peu plus tard avec Marie-Madeleine. Le réseau « Alliance », puis le réseau « Centurie » ont fait de moi une nouvelle Odette Fabius, qui allait être arrêtée le 23 avril 1943 chez un monsieur Amphoux, marchand de charbon à Marseille, dont le bureau servait de « boîte aux lettres » et que je venais avertir du démantèlement de notre réseau. Trois résistants corses de Marseille, Pierre Ferri Pisani, Jean Secco et Mathieu Anfriani, avaient été arrêtés à notre P.C. chez moi, le matin même. Malheureusement, la Gestapo était avant moi au rendez-vous!

Après deux mois passés à la prison Saint-Pierre de Marseille, neuf mois à Fresnes, dont cinq mois au secret, un mois au fort de Romainville, un mois à la prison de Compiègne, puis trois jours au camp de Royallieu à Compiègne, je me suis trouvée, à 5 heures du matin, le 29 janvier 1944, chantant la *Marseillaise* et le *Chant du départ*, dans une charrette de la Révolution, me rendant à la gare de Compiègne pour le grand départ... vers Ravensbruck.

Nous étions 1 000, celles que notre matricule a fait appeler « les 27 000 ».

Le voyage, en wagons à bestiaux plombés, pendant trois jours et quatre nuits, malgré toute son horreur, ne laissait en rien prévoir ce que serait le calvaire des jours concentrationnaires, trois jours pendant lesquels, quatre-vingts par wagon, nous chantâmes en chœur, nous partageâmes les provisions que certaines d'entre nous avaient pu emporter et qui représentaient un merveilleux supplément au pain et au saucisson quasi immangeables distribués sur le quai du départ.

Nous nous disputions, les unes voulant fumer, d'autres s'y opposant, imaginant le danger réel de la paille dans laquelle nous étions parquées prenant feu en pleine campagne, sans aucun moyen de sortir de notre prison roulante ou d'avertir âme qui vive.

Nous traversâmes des gares, croisâmes des trains de prisonniers avec lesquels nous cherchions à communiquer; c'était à celles qui obtiendraient pendant quelques instants et à tour de rôle le droit « d'être à la lucarne » du wagon, pour « voir », mais surtout pour essayer de respirer quelques secondes un air moins vicié que celui du wagon empuanti par les besoins naturels de quatre-vingts femmes se bousculant autour des tinettes qui ne furent vidées qu'une fois, au seul arrêt « officiel » de notre transport, en gare frontière de Sarrebruck... Arrêt qui permit aux S.S. de nous recompter une fois encore, avec distribution de coups de ceinturons et de sticks.

Dans quelques gares où le convoi faisait de courtes haltes, des âmes charitables... Croix-Rouge (sans doute) — tout au moins jusqu'à la frontière — s'efforçaient à travers les barreaux de notre lucarne de remplir d'eau tous les ustensiles pouvant servir à cet effet, mais là encore quels sujets de discorde, quel privilège pour celles qui ne ressentaient pas les affres de la soif!

L'arrivée à Ravensbruck revêt dans mes souvenirs l'image d'un cauchemar hideux. Une femme fut descendue morte de notre wagon, ayant succombé en cours de route à une crise de diabète... Et, ce fut la vision dantesque d'un camp qui s'éveille (il était environ 5 heures du matin) dans une nuit blanche de neige.

Les hautes cheminées des cuisines et sans doute celles du crématoire lançaient leur fumée dans un ciel pur d'hiver.

Des femmes, sans âge défini, jeunes, vieilles, quelques-unes très vieilles, en costumes rayés bleu et gris, semblaient à nos yeux, encore inaccoutumés à une telle misère physique, des personnages évadés des tableaux de l'Apocalypse.

Ces femmes se mettaient en rang, se comptaient, battaient les semelles... certaines passaient, portant à deux d'immenses seaux remplis d'un liquide noirâtre.

Et nous avancions, transies, effarées, éreintées, cahotantes sous nos bardas, entourées de S.S., de chiens, de femmes en uniformes... et... pétrifiées d'angoisse...!

Les jours ont passé... La quarantaine d'abord, puis le travail... les routes à construire pour le Grand Reich. Les wagons venant de toutes les villes occupées d'Europe dont nous déchargions les pauvres trésors, volés au fur et à mesure des arrestations arbitraires...

Les briquettes de charbon transportées sur des péniches que nous devions amasser en tas dans le port de Furstenberg, pour être distribuées afin de nourrir les cheminées du camp et chauffer l'armada de S.S., d'officiers et de soldats de la Wehrmacht, de femmes S.S., de volontaires gardes-chiourme en un mot, tous ceux qui vivaient au détriment de cette masse pitoyable de déchets que nous devenions peu à peu...

Les souvenirs affluent, innombrables, navrants, dramatiques, révoltants, d'autres au contraire touchants, émouvants, rédempteurs.

Comment oublier certains visages figés dans une mort si douloureuse tant au moral qu'au physique...

Comment oublier à quels degrés de déchéance morale ces gardiens parvenaient à abaisser nos compagnes, puisque, venues de Pologne ou de Russie, de France ou de Belgique, de Hongrie ou de Roumanie, d'un des cinquante-deux pays dont les ressortissants croupissaient dans le camp, il s'en trouvait toujours pour accepter l'abominable mission de nous garder, de nous surveiller, de nous battre ou de nous dénoncer...

Ce fut là, je crois, l'entreprise la plus corrosive et le plus cyniquement réussie de l'Allemagne nazie : obtenir par des suppléments de nourriture, ou par certaines faveurs, c'est-à-dire en faisant appel au besoin, primitif chez l'homme, de survivre, la dégradation progressive des « âmes mal trempées ».

Comment ne pas se rappeler cette jeune prisonnière qui, lors d'une visite de Himmler, se précipita vers lui pour tenter de lui dire dans quelle misère nous vivions, et qui disparut totalement le jour même.

Lorsque la dernière semaine du mois d'août 1944 nous apporta par les voix mystérieuses du camp la confirmation de la libération de Paris, je ne pus, par une sorte de dédoublement ou de vision projetée de moi-même, imaginer Paris libre, les Miens réunis, et ne pas être là parmi eux à recommencer à vivre, à penser, à agir, à aimer, à oublier... et je décidai, dans une sorte de totale inconscience, de m'évader.

Dès le jour de mon arrestation, j'ai toujours pensé à m'évader. Mais, ce qui me semblait impossible à réussir, dans les prisons de Marseille et de Paris, ou dans les camps de Romainville et de Compiègne, me paraissait, avec une inconscience dont je ne me suis jamais départie, beaucoup plus facilement réalisable en Allemagne, alors que là je ne connaissais ni le pays ni la langue.

Il est probable que dans mon subconscient, mes séjours dans les prisons et les camps français comportaient un espoir d'issue puisque je savais que, d'un jour à l'autre, je serais changée de lieu d'emprisonnement

et que rien que ce changement en soi, pour un caractère aussi optimiste que le mien, laissait entrevoir
mille possibilités : facilités d'évasion, meilleurs trai-
tements, possibilité de se rendre utile, etc.

A Ravensbruck, je compris que seule la fin de la
guerre me ramènerait chez moi. Le jugement me
condamnant était rédigé ainsi : « Terroriste dangereuse, emprisonnement jusqu'à la fin des hostilités. »
La question que je ne cessais de me poser était :
« Quand les hostilités cesseront-elles? » Aussi, lorsque j'ai su qu'en France elles étaient sur le point de
prendre fin, j'ai été hantée par cette vision d'une
France Libre et convalescente, et je n'ai plus pu résister à ce projet qui vivait en moi de manière latente
depuis seize mois.

Je n'ai plus songé qu'à trouver le moyen de le réaliser. Laissant percevoir ce désir dans toutes mes
conversations, j'ai été contactée par de nombreuses
camarades désirant m'accompagner... Je dois avouer
que les « raisonnables », qui avaient une certaine
influence sur moi et une place dans mon cœur, m'ont
suppliée de ne pas suivre cette impulsion pour le
moins audacieuse et téméraire. Mais rien ne pouvait
me retenir.

Je me suis donc portée volontaire pour un kommando de prisonnières qui devaient sortir du camp
pour se rendre à quelques kilomètres de Furstenberg,
dans un endroit qui, je crois, sans être sûre de mes
souvenirs, s'appelait Templin et où il fallait déblayer
un hôpital qui avait été évacué, mais qui, ensuite,
avait été démoli au cours d'un raid des Alliés.

Une camarade de block, du nom de Betty Smith,
Anglaise d'origine mais ayant vécu très longtemps
en Allemagne, se porta volontaire avec moi... Nous
passâmes une visite avec une trentaine d'autres
camarades et fûmes acceptées et désignées pour par-

tir en « corvée extérieure de déblayage » le surlendemain.

Le lendemain soir, Betty Smith vint m'avertir qu'elle était nommée interprète au Bureau Politique du camp et qu'elle ne pourrait partir avec moi, mais qu'elle avait décidé une camarade de « betrieb »[1] de la remplacer et qu'elle viendrait le lendemain au départ du convoi nous présenter l'une à l'autre... ce qu'elle fit.

Depuis, je n'ai jamais plus ni rencontré, ni entendu parler de cette Betty Smith qui a disparu pour moi à jamais. A-t-elle réellement été appelée au Bureau politique? A-t-elle eu peur? Etait-elle une provocatrice? Aucune de mes compagnes depuis ce jour ne l'a plus revue... Elle a changé de block, changé de travail, et s'est volatilisée. La camarade qu'elle m'a présentée au moment du départ se nommait Sylvie Paul, elle était environ de mon âge, belle, antipathique, très autoritaire et très vulgaire, mais parlait très bien allemand et puis... je n'avais pas le choix...

Le départ avait été fixé à 5 heures du matin pour la gare de Fürstenberg où nous prîmes un petit train du genre petit train de banlieue; nous étions accompagnées par des « souris grises » inconnues de nous, qui étaient des volontaires. On reconnaissait assez facilement les volontaires des requises à leurs chaussures. Les requises avaient des bottes de l'armée en ersatz de cuir, alors que les volontaires avaient, en général, leurs propres chaussures. Elles étaient pour la plupart encore plus brutales et cruelles que les requises, puisque c'était un travail choisi par elles.

Cette fois-ci pourtant, nos gardiennes se montrèrent aimables et souriantes, certaines acceptaient de bavarder, et l'une qui s'occupait particulièrement de

---

1. Atelier.

moi m'offrit une cigarette et me fit comprendre dans un mauvais anglais qu'elle était journaliste et qu'avec une camarade elles avaient demandé à accompagner le kommando afin de faire un article sur les prisonnières du Grand Reich.

Au bout de vingt minutes environ de voyage, dans une région ravissante et par un temps radieux, c'était le 28 août 1944, nous débarquâmes dans une petite gare de province, traversâmes une petite ville après avoir été comptées une fois de plus, et fûmes emmenées au lieu de déblaiement.

Le travail commença vers 7 heures, dans une bonne humeur générale... changement d'horizon... beau temps... bonnes nouvelles politiques... (pour les prisonnières), gardiennes plutôt aimables et quelques S.S. surveillant le tout, très indifférents.

A midi, ce fut la pause d'un quart d'heure avec une vague soupe de rutabaga apportée sur un petit camion citerne de cuisine ambulante. Après ce court répit, par une chaleur torride, nous fûmes renvoyées à notre déblayage qui était très dur et nous réalisâmes très vite que, terrassés par la chaleur, gardiens et gardiennes faisaient la sieste, autour de nous, dans l'herbe.

Sylvie Paul se rapprocha de moi, nous nous éloignâmes doucement et c'est ainsi que notre évasion fut consommée!

Nous eûmes quelques fils de fer barbelés à franchir, nous nous fîmes la courte échelle, nous nous écorchâmes un peu et nous finîmes par nous retrouver dans une superbe forêt où nous décidâmes d'abandonner nos oripeaux rayés sous lesquels nous en avions d'autres aussi laids, mais « civils ». Personnellement, j'avais « acheté » à une camarade qui travaillait à la corvée de « récupération » des trains d'arrivées une sorte de caraco bleu foncé, bordé de blanc, contre quatre rations de pain.

Nous enfouîmes ce que nous enlevions sous la mousse de la forêt et, après avoir repéré une route, nous nous mîmes en marche en décidant de nous séparer car nous imaginions aisément que dès qu'on s'apercevrait de notre disparition, le signalement de « deux fugitives » serait donné partout. Nous décidâmes de nous attendre à chaque sortie de village pour « conférer » et de prendre la direction de Berlin qui n'était qu'à 80 kilomètres au sud et où j'imaginais pouvoir m'adresser au service de rapatriement des prisonniers à l'ambassadeur Scapini que je connaissais très bien, comme avocat à la Cour, et ami de mon père.

Après une heure environ de marche, dans un sentiment « réel d'euphorie », je m'avisais que j'étais très fatiguée et que je souffrais beaucoup d'un pied qui avait un abcès. Je voyais dans le lointain se profiler Sylvie Paul, qui était partie devant moi. Je décidai de me reposer dix minutes dans le creux d'une meule de foin.

A peine étais-je installée, que je réalisai qu'à vingt mètres de moi une petite route débouchait dans le champ où je me reposais et que, sur cette route, avançait une charrette de foin conduite par deux hommes... Ne pouvant plus reprendre ma route sans me faire remarquer, je m'enfonçai le plus possible dans ma meule de foin et, recroquevillée sur moi-même, espérai que la charrette passerait sans que les deux hommes ne me vissent.

Mais je vis soudain l'attelage s'immobiliser et celui qui tenait les rênes descendre et venir vers moi. Je fis semblant d'être plongée dans un profond sommeil, mais l'homme s'approcha, me donna une tape sur l'épaule. Je l'entrevis, à travers mes paupières, pren-

dre un air apitoyé et il prononça interrogativement
le mot « krank ». Ma méconnaissance de l'allemand
me permettait tout de même de savoir que ce mot
signifiait « malade ». Je m'étirai et semblant sortir
d'un profond sommeil, je regardai l'homme penché
sur moi; il répéta sa question en disant « sehr
krank? » (très malade), je secouai la tête et dit
« nein ». A ce moment, il me dit encore interrogativement « Deutsch? », et je lui répondis encore
« nein ». Ce jeu pouvait durer longtemps, je me décidai et dis « Ich franzosen ». Il eut l'air effaré et me
dit dans le plus parfait des français « mais moi aussi
je suis Français ». Il se retourna et appela son camarade d'un vigoureux « Auguste, viens par ici ». Auguste
s'étant précipité, nous nous expliquâmes. Ils étaient
deux prisonniers français volontaires pour des travaux de ferme, bretons l'un et l'autre, ravis d'une
part de rencontrer une compatriote, profondément
anxieux par ailleurs de me voir ainsi lancée sur les
routes allemandes avec un aussi maigre bagage de
connaissances... Ils connaissaient l'existence de
Ravensbruck et savaient (ce que moi j'ignorais) que
des prisonnières russes évadées avaient été reprises
et pendues...
Ils me demandèrent d'abord si j'étais seule, lorsque je leur montrai dans le lointain la silhouette toute
menue de Sylvie Paul qui avançait sur la route,
Auguste décida de courir après elle, pour que, sans
aucune notion d'allemand, je ne reste pas seule
en arrière et je lui donnai notre « cri de ralliement »
qui était de siffler « sur les routes de France », si
nous avions une « urgence » à nous communiquer.
Il partit aussitôt, mais Sylvie Paul s'étant retour-
née, me voyant avec un homme, en voyant un autre
lui courir après, crut que j'avais été reprise; elle
prit ses jambes à son cou et, en raison de l'avance

qu'elle avait sur moi, ce fut la dernière vision que
j'eus d'elle, jusqu'après la libération où sa photo orna
toutes les premières pages de la presse à la suite
d'un assassinat crapuleux qu'elle avait commis, après
un nombre incalculable d'escroqueries qui l'avaient
menée de prison en prison après son retour de déportation.

Mes deux « amis », navrés de me voir abandonnée
à moi-même, décidèrent d'aller demander aux fer-
miers qui les employaient, et avec qui ils semblaient
en excellents termes, de me donner l'hospitalité pour
la nuit qui approchait. Ils revinrent penauds... Leurs
employeurs, craignant que je les dénonce si j'étais
reprise, avaient refusé, mais m'envoyaient du café,
des pommes de terre bouillies, une boussole, 25 marks
et un sac de pommes de terre vide pour me cou-
vrir dans « ma » meule de foin... Ce fut une vraie
fête... Mes deux sauveteurs me quittèrent tard en
me disant qu'ils reviendraient à 1 heure me mettre
sur mon chemin, car je devais marcher la nuit et
me « planquer » le jour... Ils revinrent, en effet, et
nous nous quittâmes tristement là où la route devait
me mener à Berlin, en nous donnant nos adresses
et en nous promettant de nous revoir « après ».

Auguste ne revint jamais, il fut expédié en Russie; l'autre, Francis, put se sauver et vint me voir
à Paris un beau jour de l'hiver 45-46. Dois-je dire
que nous eûmes bien du mal d'abord, puis bien de
la joie, à nous reconnaître!

Après les avoir quittés, je repris ma route à la
belle étoile, scandant mes pas de mes chansons favo-
rites... « Sur les routes de France », « Ah! qu'il était
beau mon village », « Jeanne de Lorraine », etc. Je
mangeais des pommes aux arbres et déterrais des
pommes de terre que je mangeais crues... J'en avais
vu bien d'autres... J'étais libre... J'allais rentrer, expli-

quer au général de Gaulle ou à ses services ce qui se passait dans les camps... J'allais revoir ma petite fille. J'avais trente-deux ans... J'étais une héroïne!

Et puis, la troisième nuit, alors que je me rapprochais, d'après les quelques poteaux indicateurs rencontrés sur ma route... je n'en vis plus, je traversais une forêt, j'étais perdue! Je croisai un groupe d'animaux aux yeux perçants que je pris pour des chiens (j'appris plus tard que c'étaient des loups, mais qu'à cette époque de l'année, ils ne s'attaquaient pas aux hommes). Rétrospectivement je fus bouleversée en m'imaginant ce qu'aurait pu être ma fin anonyme dévorée par des loups. Enfin, l'aube se levant, à l'heure où je me cachais les autres jours, exténuée, d'avoir tournée dans cette forêt, je vis enfin un écriteau sur lequel était écrit : « Berlin 18 km -- Tempelhof 2 km. » Je réalisai que trois à quatre heures me suffisaient pour atteindre les faubourgs de Berlin où je me perdrais dans la foule des travailleurs étrangers à la capitale, et je décidai de ne pas attendre la nuit suivante. Ce fut ma perte...

Je traversai vers 6 heures du matin un petit village endormi, je me demandai si mes pas n'allaient pas réveiller tous les habitants lorsqu'une porte s'ouvrit devant deux gendarmes. Ils me regardèrent étonnés et poliment s'approchèrent et me demandèrent mes papiers. « Nixt papir » leur fut-il répondu. Je fus amenée très poliment dans l'immeuble d'où ils venaient de sortir et je compris que c'était la gendarmerie. L'on me donna du café et du pain dans une petite cellule assez confortable et vers 9 heures, je fus appelée devant un officier parlant un français assez correct. Dans le bureau se tenait une jeune fille derrière une machine à écrire.

Je fus bien sûr interrogée sur ma présence dans ces parages et je racontai une histoire qui me

semblait plausible : j'étais une volontaire de la collabo-
ration et j'étais venue travailler dans les usines Siemens de Berlin, mais les raids multipliés des Anglo-
Saxons m'ayant terrorisée, je m'étais échappée depuis
deux jours, droit devant moi, dans la campagne, ce
qui expliquait mon aspect pour le moins frippé.

Tout ceci fut écouté avec intérêt, tapé à la machine
par la jeune secrétaire. Lorsque j'eus fini, on me
demanda mon identité, que je donnai fausse. Je fus
priée de signer ma déclaration et à cet instant l'officier ouvrit un tiroir, me regarda et me dit : « Madame
Fabius n'est-ce pas? » Mon signalement était sans
doute donné à tous les postes de gendarmerie et je
ne sais encore pas à quoi correspondait la mise
en scène de ma déclaration signée. Un coup de télé-
phone en allemand fut la suite de cet interrogatoire.
Je fus remise en cellule et j'eus deux heures pour
mesurer mon effondrement total... Je crois encore
maintenant que ce furent les deux heures les plus
dramatiquement tristes de toute ma détention. J'avais
cotoyé de trop près le succès de mon entreprise.

Deux heures plus tard, apparurent, en effet, le commandant du camp de Ravensbruck accompagné de la
célèbre Oberaufseherin Binz et de deux soldats, baïonnette au canon.

A coups de baïonnette dans le dos, je fus poussée
dans une voiture décapotée entre les deux S.S., le
commandant conduisant et Binz à côté de lui, fumant,
riant et l'embrassant. Nous mîmes moins de deux heures pour refaire la route que j'avais arpentée en trois
jours et je me retrouvais au camp où je fus d'abord
condamnée à cinquante coups de schlague, puis à dix
jours de bunker, nue, sans lit, sans couverture et sans
nourriture...

A ma sortie du bunker, je passai « en jugement »
devant le commandant du camp, quelques officiers

supérieurs, Binz et la Super-Schwester Martha qui servait d'interprète. Je fus condamnée très arbitrairement, une fois encore, au strafblock (block correspondant au bagne) jusqu'à la fin des hostilités et à porter, cousu au milieu du dos et sur la poitrine, un rond rouge, afin de me signaler à toutes les autorités du camp comme prisonnière à surveiller tout particulièrement.

Mon « retour à la vie » dans cette affreuse atmosphère de bagne, privée de mes camarades de block avec lesquelles j'avais noué des rapports de vraie et rare amitié (amitié toujours aussi vive maintenant avec celles que les derniers mois de déportation et les années ont encore épargnées) fut très dur, mais les actes de solidarité, d'amitié, les secours moraux furent vrais et profonds...

Je fus de toutes les corvées, les plus rudes et les plus pénibles, construction de routes, ramassage des excréments du camp, ramassage des corps pour les amener au crématoire, nettoyage des tinettes dans les blocks de typhus...

Et pourtant, malgré les vingt-cinq ans passés, je crois que c'est avec la même émotion que je pense souvent à certains gestes, à certains actes qui furent des dons d'amour, au milieu de tant de mesquinerie, tant de bassesse, que la promiscuité permanente rendait plus intolérable.

Quelle importance revêtait alors un geste comme celui d'une petite ouvrière d'usine qui, lors d'un kommando de construction de route près de Furstenberg, me dit, me voyant manier la pioche avec une incompétence sans doute risible : « Fais semblant de travailler et laisse-moi ton boulot, tu sais, moi je me lève toujours à cinq heures pour aller à l'usine, alors que ce soit ici, ou ailleurs, c'est un peu plus dur ici, mais j'ai quand même certainement plus l'habitude que toi. »

Je pense aussi à « Kiki » et à Mme Michel, de Marseille, qui faisaient des ménages de blockowa et trouvaient toujours le moyen de me glisser un petit supplément...

et Micheline de H., jeune prisonnière belge, mère de quatre enfants, qui recevait des colis alors que j'étais condamnée à ne pas en avoir et qui, à chaque arrivée, glissait sous mon oreiller une petite boîte de conserves...

et T. de F. arrêtée à Bordeaux qui, après des semaines sans colis, en reçût un, un beau matin, et attendit jusqu'à 19 heures que je sois revenue d'un kommando de l'extérieur pour me permettre de l'ouvrir avec elle, sachant le plaisir que j'en aurais et reculant la joie qu'elle espérait de trouver, enfouies dans un ourlet de jupe, des nouvelles des siens...

et P. de R., allemande anti-nazie, arrêtée à Paris, interprète au Bureau Politique du camp qui parvenait à nous faire connaître, de par sa situation auprès des dirigeants, toutes les nouvelles qui remontaient notre moral et nous permettaient de continuer à attendre la fin du calvaire...

et Suzanne S. de Nice qui ne se « planquait » jamais pour qu'une autre ne soit pas désignée pour la remplacer au travail...

et Marie M., de Paris, qui, au moment de mourir, ayant toujours vécu en communiste, fit une prière à Dieu lui demandant au seuil de la mort, d'échanger sa vie contre la mienne afin que moi je retrouve ma petite fille...

et Paule D., d'Isigny, qui, alors que très malade au « Revier » [1], je me plaignais de ne plus me rap-

---

1. Infirmerie.

peler aucun vers, de n'avoir plus rien lu depuis tant
de mois et manifestais dans ma fièvre le désir puéril
de relire « l'Hymne au Soleil » de Rostand, passa une
partie de sa nuit à le transcrire à la lueur d'une bou-
gie afin de me l'apporter à 4 heures, avant l'appel
du matin, auprès de mon lit d'hôpital, où je me débat-
tais contre le typhus...

— O Soleil, Toi sans qui les choses...

et combien d'autres... qui par des actes de ce genre
contribuèrent à nous réassurer, en nous permettant
de ne pas douter, que l'amour existait encore, que
la vie pouvait encore être belle, que nous devions
lutter...

Les jours, les semaines, les mois de ma déportation ont été, sans aucun doute, abominables. L'expérience des camps concentrationnaires est difficile à
exprimer et à faire comprendre... Seuls ceux qui l'ont
vécue, savent...

L'horreur et la grandeur, la déchéance et la noblesse
de ce qui fut vu et vécu se combattent sans cesse
dans nos souvenirs, cependant, puisque notre pays a
dû traverser une telle épreuve, je crois avoir été pri-
vilégiée d'avoir dû vivre cette épreuve, telle que je
l'ai vécue, d'avoir survécu et d'être encore là pour
vous dire que la profonde amertume des heures a
été souvent compensée par le sentiment de solidarité,
la découverte profonde du respect mutuel et de
l'amour du prochain [1].

---

1. Yvonne Pagniez, autre évadée de Ravensbruck a raconté
son aventure et celle de l'amie Suisse qui l'accompagnait
dans *Evasion 44*, Flammarion, 1949.

AVANT-PROPOS

Alors elles seront, corps triomphants de ce troupeau d'« ombres défigurées », marqué par l'indifférence et l'oubli, le sceau de la sagesse. Génie! Génies d'un temps où la grandeur de chaque seconde se mesurait en foi. Foi en l'homme. Homme créature et esprit.

Alors elles seront, femmes scabieuses aux yeux bleus piquetés de blanc, les ressuscitées du tourment et de la tempête. Alors elles seront, en retrouvant le monde, ce tuffeau gris qui cimente les cœurs.

Alors elles seront, ayant échappé au tuage de l'abattoir, avec leur sueur fade et fauve, la salive de notre nouveau langage.

Hérésiarques d'un siècle asservi, elles sont la moie de notre pierre, l'orant de nos désirs.

Femmes elles seront.

Femmes-mères d'une autre génération. Mannequins nus de Ravensbruck, femme-outil de Zwodau, chose de la Scheisskolonne (kommando de la Merde [sic]), stück (morceau) des « entiers » de la mine ou du sable, pieds, bras, mains, doigts, et levier, et muscles, et tenaille, et fil; aiguille, tour, pelle, pioche, mains, pieds, doigts et marteau et ciseaux. Grues, ponts, wagonnets, trague...

— Kaffee Holen : allez chercher le café.

— Raus! Schnell, Schweinrei! Sortez! Vite! Cochonnerie!

— Chambre à gaz! Crématoire!

— Raus! Zu fünf : sortez! par cinq!

Zu fünf! toujours par cinq! Colonne par cinq! Travaillez zu fünf! à genoux zu fünf!

Mourir zu fünf! mourir un million de fois zu fünf!

Oui! ombres d'un autre monde, d'une autre vie à califourchon sur la mort.

Rêves de viande rouge, de rires, de caresses, de silhouettes callipyges, du foyer, de la table, du lit, du cimetière...

Demain elles seront. Aujourd'hui elles sont.

Aujourd'hui elles sont. Et leur « labarum », cet étendard sur lequel Constantin fit plaquer la croix avec l'inscription « in hoc signo vinces » (par ce signe tu vaincras), est tombé en poussière. Pauvre triangle rouge des déportées oubliées :

— Vieilles histoires!

— Exagérations!

— Psychopathes!

— Pyjama ridicule des 14 juillet.

Elles ne sont plus. Elles ont été. Et l'histoire ne les retrouvera que demain, demain lorsque la raison voudra connaître, comprendre. Demain, car aujourd'hui c'est encore notre histoire. Demain oui, plus qu'aujourd'hui.

Ces femmes, comme ces milliers d'hommes — frange survivante — sont dépositaires d'un secret. Eux seuls ont connu et peut-être trouvé l'homme. S'ils n'ont pas toujours su le comprendre ou l'ex-

pliquer, s'ils l'ont déformé — embelli ou noirci —
une chose est certaine : ils l'ont vu.

Désignés, choisis pour n'être plus que le numéro
matricule d'une série, d'un block, d'un camp, d'un
kommando, une « chose », un morceau; considérés
comme de véritables mannequins sans vie, sans âme
— mannequins nus d'une gigantesque corvée à
l'échelle du Nouveau Monde, des Nouveaux Conqué-
rants — ils se sont retrouvés dans cette tribu primitive que les plus grands anthropologues souhai-
teraient découvrir dans leurs recherches et qu'ils
ont là, ouverte, accueillante, béante depuis 1933.
L'homme est là.

Jamais l'homme n'a été aussi présent que dans un
camp de concentration. Homme-ventre, homme-chose,
homme-chamane, homme-esprit, homme-objet, hom-
me-vaincu-vainqueur, homme-amour, homme-seul,
homme-espérance, homme-femme, femme-homme,
homme-rêve, parfois homme-diable ou homme-Dieu,
homme épuisé, cadavre, squelette, cendre légère
emportée par la cheminée ou « anti-dérapant » sur
les plaques de verglas. Homme-muscle, homme-
cobaye, homme-monnaie d'échange, homme-souf-
france, homme-mort, homme-libre. Vengeur, indifférent.

Hommes ou femmes oubliés.

Oui, oubliés. Milliers de témoins oubliés. Un seul
témoignage est une approche du système concentrationnaire, plus profonde qu'une thèse [1] de mille pages,
que des kilos de paperasses, de notes, de sigles, d'or-

---

1. Je ne parle évidemment pas des thèses présentées à
leur retour par les déportés, car ces documents sont des thè-
ses-témoignages basés sur l'observation « directe »... Les
œuvres de André Lettich, Paulette Don Zimmet-Gazel, Suzanne
Wenstein-Lambolez, etc. resteront les pièces fondamentales
de l'étude du système concentrationnaire.

ganigrammes, de listes, de statistiques... Ce jour-là
elle est morte en me confiant une épingle à cheveux,
ce jour-là elle a accouché pendant l'appel, ce jour-
là elle avait faim et elle a volé une tranche de pain
à sa meilleure amie, ce jour-là elle a su rire, ce jour-
là elle a composé un poème, croqué la surveillante
sur une marge de journal... ce jour-là, comme tous
les autres jours, comme toutes les autres heures, elle
avait peur.

Ce jour-là...

Mais ce jour-là n'est pas un fait historique.

Peut-être demain, grâce à « ces jours-là », pour-
ra-t-on recréer les faits historiques.

Ce volume est le sixième d'une série consacrée
aux camps de concentration, consacrée plutôt aux
déportés des camps de concentration et à leurs bourreaux. Je le crois très différent des autres, non pas
parce que réservé à Ravensbruck et à ses kommandos, il met en scène des femmes, mais peut-être parce
que l'horreur, l'animalité, passent ici au second plan.
Quotidien contre obituaire ? Quotidien de la vie, du
travail, des souffrances, des espoirs. Quotidien du
plus grand groupe de femmes jamais réuni à l'intérieur de barbelés. Quotidien des nationalités. Quotidien des différences et des unions. Quotidien de
Ravensbruck.

Dans le premier tome des « Mannequins nus », qui
traite du camp de femmes d'Auschwitz, j'écrivais :

— On ne « raconte » pas Auschwitz. Chaque
déporté, chaque commandant, chaque gardien, chaque Kapo n'a connu qu'un peu d'Auschwitz. Depuis
1945, chaque militaire-enquêteur, chaque juge, chaque témoin, chaque avocat, chaque accusé, chaque
écrivain, chaque journaliste, chaque condamné a (ou
a eu) « une certaine idée » d'Auschwitz.

— Aujourd'hui, chacun « imagine » Auschwitz en sachant qu'Auschwitz fait partie de la mauvaise conscience de l'homme, parce que ce crime — le plus grand peut-être de notre histoire — a été commis par l'homme. Et l'homme ne peut pardonner Auschwitz à l'homme. Et l'homme sait que l'homme, dans certaines circonstances, est capable de réinventer d'autres Auschwitz, d'autres Mannequins Nus.

On ne raconte pas Auschwitz.

Et pourtant...

Ravensbruck a été beaucoup « raconté » et l'on pourrait croire qu'il est le mieux connu des camps de concentration. Il est avant tout célèbre — d'une célébrité plus discrète (moins horrifiée)... « seulement 92 000 mortes alors qu'à Auschwitz, en une seule journée!... ». Les mortes de Ravensbruck pour la plupart, n'ont pas disparu en inspirant le cyclon B des chambres à gaz. Jours, semaines, mois — quelques jours, quelques semaines, quelques mois ont suffi pour recréer toutes les étapes d'une vie : jeunesse, adolescence, répit de la puissance adulte, naufrage de la vieillesse; et les camps ne supportent pas le troisième âge même si ces vieilles n'ont que vingt ans. Sur les dix mille françaises déportées à Ravensbruck, huit mille se sont éteintes, un jour, là-bas.

Mortes et survivantes, ce livre est leur livre.

C. B.

1

LE PONT DES CORBEAUX

— Oui, il y a des sapins.

Sapins étranges : rabougris, branches bistournées, troncs lépreux.

— L'écorce?

— Elle se détache en plaques. Une gigantesque pelade. J'ai l'impression que tous sont touchés.

La jeune aveugle — elle n'a pas vingt-cinq ans — trébuche. Hélène Rabinatt accentue la pression de sa main sur le coude de l'infirme. Un garde hurle quelque chose. Peut-être « plus vite »!

L'aveugle sourit.

— C'est donc ici la fin?

— La fin?

— Ravensbruck, c'est la fin du voyage. La fin tout court. Simplement. Peut-être vous, qui êtes mieux armée pour vous défendre, arriverez-vous à tenir. Moi je suis condamnée... mes yeux... Nous n'avons pas changé de route?

— Je ne pense pas.

— Alors c'est bien Ravensbruck! A Strasbourg
on m'a parlé de ce camp. On m'en a parlé presque
religieusement... avec angoisse et tout ce que l'on m'a
raconté était si différent des suppositions, des bruits
de couloir que les femmes entretenaient à Romainville. J'ai compris que ce que l'on m'avait dit était
vrai lorsque vous m'avez présenté les sapins. Mon gardien de Strasbourg avait dit : « A Ravensbruck,
même les sapins se meurent. »

— Mais c'est quoi Ravensbruck? Un camp?
Comme tant d'autres?

— Un camp, oui! Le camp des femmes. Le camp
de toutes les femmes que l'Allemagne veut éliminer.
Ravensbruck c'est l'oubli. A Strasbourg, il m'a dit :
« Surtout, surtout vous, une aveugle, essayez
d'échapper à Ravensbruck. Là-bas, une prisonnière
ne peut espérer vivre plus de trois ou quatre mois. »
Il m'a parlé aussi des corbeaux. Vous voyez des
corbeaux?

— Oui il y a des corbeaux.

— Des corbeaux sales? Gris? Les corbeaux de
Ravensbruck sont comme les arbres : sans élégance...
malades. Ravensbruck, cela veut dire : « le pont
des corbeaux » ou « la source des corbeaux ». Il
paraît que tous les corbeaux de la région, lorsqu'ils
sentent qu'ils vont mourir, choisissent ces forêts.
Nous sommes les corbeaux morts de Ravensbruck.

**
*

Dans la province du Mecklemburg, à quatre-vingts
kilomètres au nord de Berlin, un glacis de lacs envi-
ronné de terres marécageuses. Dunes et « plages »
de sable blanc, bourbiers châtaigne, îlots de bouleaux
cendrés, clairières ouvertes au début du siècle par des

sectes naturalistes [1]. Vent. Neige. Les provinciaux
revêches de Fürstenberg adorent leur petite Sibérie
et Jérôme Klorst, « chansonnier » du début du siècle, immortalisa cette désolation dans un poème de
sept cent cinquante vers :

— Oh ma forêt, ma douce Sibérie...

Heinrich Himmler, très proche des naturalistes,
« campa » plusieurs fois dans cette région des lacs
et acheta en 1936 un vaste terrain au lieudit : Ravensbruck. Les enquêteurs et les historiens n'ont jamais
retrouvé les titres de propriété du Reichsführer S.S.
et il est probable qu'il se contenta de « faire acqué-
rir » par l'administration centrale des camps de
concentration plusieurs hectares, parfaitement desser-
vis (rail et route) et voisins d'un camp d'entraînement
de jeunes recrues, en prévision « de ce que pourrait
devenir cette terre ingrate ».

Le 17 septembre 1938, une vingtaine de « droit-com-
mun » allemands de Sachsenhausen Oranienburg, diri-
gés par un lieutenant S.S., Ernst Kögel, débarquent
en gare de Fürstenberg. Ludwig Diederich, condamné
à trente ans de travaux forcés pour avoir détourné
plusieurs millions de marks de la caisse d'une entreprise de travaux publics de Berlin sera le chef de
ce nouveau chantier. Kögel, commandant en titre, n'a
que trois mois pour réaliser le projet de l'administration centrale : « Un camp de rééducation pouvant
abriter de cinq à six mille prisonniers. » Il appren-
dra, seulement quinze jours avant l'arrivée du premier convoi, que Ravensbruck est destiné à regrou-
per toutes les femmes détenues dans les prisons
allemandes.

---

1. La « compagnie Artamane » défricha plusieurs hectares
de 1925 à 1935. Rudolf Hoess, le futur commandant
d'Auschwitz travailla avec sa femme trois saisons dans le
Mecklemburg.

Pour élever seize baraques autour d'une place
d'appel, les miradors, la double ceinture électri-
fiée, et les bâtiments administratifs, Diederich
réclame régulièrement des renforts. Oranienburg
détachera en deux mois six cents « spécialistes » à
Ravensbruck. Ravensbruck, cet « enfant chéri » de
Himmler — qu'il visitera, d'après son secrétaire, « au
moins quinze fois » pendant la période de travaux
— doit être le pendant d'Oranienburg, camp modèle
pour hommes.

Le 13 mai 1939, le kommandant Kögel accueille les
867 premières détenues de Ravensbruck : sept Autrichiennes, une Espagnole, une Italienne, une Grecque
et 857 Allemandes. Pour la plupart ce sont des « criminelles » qui purgent des peines de détention tem-
poraire et qui n'ont aucun mal à étouffer les deux
minuscules noyaux de détenues « politiques » qui,
seules, pourront sans doute être rééduquées et sauvées : les opposantes au National Socialisme empri-
sonnées comme les Témoins de Jéhovah ou les Scru-
tateurs de la Bible depuis 1933.

Les expériences de Dachau et Oranienburg ont
appris aux instigateurs du système concentrationnaire
que pour être efficace, la hiérarchie de surveillance
et de répression doit être confiée aux plus grands
criminels. Ravensbruck ne manque pas à la règle et
la première « Kapo » choisie, « cousine Angèle »,
ancienne serveuse dans un café-bal de Hanovre, a
étranglé dans la même soirée son père, sa mère et
un vieux grand-père. Elle manie le « gummi » avec
virtuosité et ses giffles, une fois sur trois en moyenne,
font « sauter » un tympan. Cette spécialité lui vau-
dra le surnom de « perce-oreille ».

La « raison » des camps de concentration, de 1933
à 1941, est très différente de la « finalité » que connaîtront les déportés français un peu plus tard. A leur

création, ces quartiers de plein air ouverts, en opposition aux centres pénitentiaires fermés, doivent favoriser une parfaite réalisation physique de l'individu et son modelage moral. Chaque être humain, pourvu qu'il soit de naissance et de sang pur, mérite que la collectivité prenne soin de son avenir en lui procurant les moyens de s'amender et de racheter ses errements. Il est curieux de constater qu'en mai 1942, un mois seulement après que Oswald Pohl, chef de l'Office Central Economique et Administratif des S.S., ait défini la nouvelle vocation de guerre des camps [1] : « productivité d'abord, peu importent les moyens », Himmler lui réponde :

— Dans [2] l'ensemble, je suis tout à fait d'accord. Mais je crois qu'il conviendrait de bien souligner, d'une manière ou d'une autre, que la question de la vérification des incarcérations, ainsi que les buts éducatifs pour ceux qui peuvent être éduqués dans les camps de concentration demeurent inchangés. Sinon, on pourrait se figurer que nous arrêtons les

---

1. La guerre a manifestement changé la structure des camps de concentration et modifié fondamentalement leur tâche à l'égard de l'utilisation des détenus. La garde des détenus pour les seules raisons de sûreté, de redressement ou de prévention, n'est plus au premier plan. Le centre de gravité s'est maintenant déplacé vers le côté économique. Il faut mobiliser la main-d'œuvre détenue pour les tâches de guerre. Le commandant du camp est seul responsable du travail effectué par les travailleurs. Ce travail doit être, au vrai sens du mot, épuisant pour qu'on puisse atteindre le maximum de rendement... Le temps de travail n'est pas limité, la durée dépend de l'organisation du travail dans le camp et est déterminée par le commandant du camp seul. Tout ce qui pourrait abréger la durée du travail (temps de repas, appels, etc.) doit être réduit au strict minimum. Les déplacements et les pauses de midi, de quelque durée que ce soit, ayant pour seul but les repas, sont interdits.

2. Lettre adressée à Oswald Pohl, le 29 mai 1942. *Himmler aux cent visages*. 387 lettres du et au Reichsführer S.S. présentées par Helmut Heiber, Fayard 1969.

gens, ou que nous les maintenons en détention une fois arrêtés pour avoir des travailleurs. D'où la nécessité de souligner et d'exposer clairement que les vérifications demeurent inchangées et ne dépendent pas de la conjoncture économique.

— En outre, bien que nous devions faire passer le travail avant toute chose, et cela à 100 %, je suis d'avis que les commandants de camp doivent se charger de l'éducation des éducables. »

Ce rêve de « séminaires » concentrationnaires hantera Himmler jusqu'à la veille de son suicide. Sauver « malgré soi », bien sûr l'opposant, le criminel, mais aussi l'homosexuel, la prostituée. C'est une mission importante du Parti qui est le guide, l'ami, la vérité et, en désespoir de cause : le bourreau.

Le Ravensbruck-camp de redressement est donc l'objet de toutes les attentions : nourriture riche et saine (expérimentation de blé, de soja, d'orge, de flocons d'avoine, de sirop d'érable qui seront servis aux petits déjeuners des groupes de choc de la S.S. en campagne), propreté méticuleuse, ordre minutieux, respect de la propriété — chaque détenue dispose d'un lit, d'une paillasse, de deux couvertures, d'un placard — et de la hiérarchie prisonnière.

— Pour[1] toutes ces femmes, les règlements du camp étaient devenus une seconde nature. Une armoire ressemblait à l'autre, à chaque porte pendait un torchon plié comme une cravate d'homme. L'écuelle en aluminium, le gobelet et l'assiette brillaient comme un sou neuf : dans chaque armoire étaient rangées

---

1. G. Buder-Neumann : *De Potsdam à Ravensbruck.*

six serviettes hygiéniques et une ceinture aux initiales brodées : les peignes étaient lavés tous les jours, on enlevait soigneusement avec des éclats de verre chaque tache sur les manches des brosses à chaussures, les marques de doigts ne devaient pas être visibles sur la porte de l'armoire. Les escabeaux étaient bien alignés, bien lessivés. Chaque « Bibelforscherin » connaissait et suivait le règlement : il était interdit de frotter ses chaussures contre les pieds des escabeaux, ceci pour éviter d'éventuelles taches de cirage. Le secret des tables « encaustiquées » me fut livré : avec le bord pointu du manche d'une brosse à chaussures, on pressait la surface centimètre par centimètre, pour la rendre reluisante!!! Les carreaux brillaient et le plancher était d'un blanc immaculé, on le lessivait tous les jours à genoux.

— Mais les dortoirs, avec leurs 140 lits, étaient la grande attraction. Des paillasses absolument plates, des couvertures tirées au cordeau, pliées suivant la dimension des damiers des taies — afin qu'ils aient tous la même largeur — les damiers de la literie étaient comptés, un oreiller pareil à l'autre, telles des caisses en bois, aux angles pointus. Sur la porte du dortoir il y avait un plan bien tracé de tous les lits avec indication des numéros des détenues, ainsi la « Blockowa » pouvait facilement repérer celle dont le lit était mal fait.

Quant au travail — exténuant et inutile — il consiste en général, huit heures par jour, à transporter le sable d'une dune sur une autre dune. La première dune effacée est reconstituée à l'aide du sable de la seconde...

— Le travail pour le travail.

— Plaisir!

« Plaisir » également pour la « récipiendaire » : l'application des peines. Cinq, dix, vingt ou vingt-cinq coups de matraque sur les fesses. Châtiment corporel infligé obligatoirement en présence d'un médecin et d'une infirmière. Les Bibelforscher, sectateurs de la Bible, objecteurs de conscience, sont les habitués de ces séances publiques.

— Elles [1] avaient construit le camp plusieurs années auparavant. Elles figuraient parmi les premières victimes du régime nazi : victimes à l'âme simple, cuirassées dans une foi fanatique, aux traits durcis, aux larges mains de paysannes solides, évoquant par leurs attitudes gauches je ne sais quelles statues primitives. Leur groupe était composé en partie d'Allemandes et de Polonaises appartenant à une secte dissidente du protestantisme : elles voyaient en Hitler l'Antechrist annoncé par l'Apocalypse. On les avait arrêtées par milliers à l'avènement du National-Socialisme, et force leur avait été d'ériger elles-mêmes la tombe de Ravensbruck : leurs mains s'étaient écorchées à élever les murs du camp et les villas de S.S. à l'extérieur de l'enceinte; leurs pieds nus avaient saigné contre les graviers et les pierres. Elles mouraient par centaines chaque jour, en ce temps-là, tombant du haut des échafaudages d'où elles étaient parfois volontairement précipitées.

— Vint le jour où, leurs travaux étant terminés, elles furent parquées derrière les barbelés plantés par elles. Lorsque nous arrivâmes à Ravensbruck, elles n'étaient plus qu'une poignée de vieilles femmes ne se distinguant des autres prisonnières que par le triangle violet qu'elles portaient sur le bras droit; le reste avait été massacré. Nous sûmes qu'elles avaient refusé toute aide à la production de guerre. Leur force d'inertie avait, à la longue, fléchi leurs bourreaux :

---

1. Témoignage Violette Maurice — N.N. S.P.E.R. Saint-Etienne 1946.

parce qu'elles étaient scrupuleusement honnêtes on les avait mises alors aux postes de confiance du camp; elles pouvaient aller et venir à leur aise et sortir de l'enceinte sans surveillance : l'idée ne leur venait pas de profiter de cette situation et de chercher à fuir. Certaines s'occupaient de la basse-cour des S.S., d'autres devaient garder les enfants des Allemands. A maintes reprises le commandant leur avait promis de les libérer immédiatement si elles reniaient leur doctrine : elles avaient refusé en bloc.

— Elles faisaient souvent preuve d'initiatives malheureuses, prenant, à l'improviste, d'étranges déterminations, décidant, par exemple, de ne plus aller désormais à l'appel : rien ne pouvait alors les faire changer d'idées : je les ai vues se laisser traîner par les cheveux par les surveillantes S.S., tomber dans la neige plutôt que de céder, et y rester prostrées insensibles aux lanières qui s'abattaient sur elles. Devant cette obstination que rien ne pouvait vaincre, les gardiennes durent, à plusieurs reprises, les faire hisser sur des charrettes pour les conduire à l'appel. Il me semble encore entendre les hurlements des S.S. et les coups sourds des bâtons qui s'abaissent dans le matin morbide. On les jette hors des charrettes, on lance sur elles les chiens furieux, mais elles ne bronchent pas et ne profèrent pas une plainte. Ces femmes dont l'héroïsme confine au surhumain me font penser à des arbres sur lesquels tombe la cognée...

— Elles décidèrent un jour de ne plus porter leurs numéros matricules. Le commandant intima l'ordre de les faire « poser » [1] jusqu'à ce qu'elles se fussent soumises : elles ne fléchirent pas; chaque matin nous les apercevions, en rang devant le bureau du com-

---

1. « Poser » ou « pauser » : Rester debout au garde-à-vous.

mandant, comme figées dans leur entêtement volontaire. Les heures passaient, elles ne pouvaient presque plus tenir sur leurs jambes enflées. Je revois
leurs bustes penchés en avant, leurs corps prêts à
s'affaisser de lassitude. Elles restèrent ainsi debout
environ une semaine; nous ignorâmes la fin de
l'histoire...

II

LA TACHE VERTE

Hélène Rabinatt contracte les muscles de ses lèvres. Toutes les chairs du visage jauni retrouvent un peu de vie. Sous les boudins crevassés qui délimitent la bouche, les fibres des orbiculaires vibrent; les papilles s'irritent et se gonflent au contact des dents. La langue soudée au voile du palais est brusquement secouée par des vagues de salive. Envahie, noyée, elle semble flotter entre deux eaux épaisses.

Le nez pincé rosit avant de s'épanouir, narines dilatées :

— Ce qui [1] me frappe bien plus que ces réflexes de ruminant, ce sont les tremblements qui semblent partir de mes orteils, agitent les jambes, le ventre (le gargouillis des intestins est tragiquement grotesque dans un camp), secouent les bras... l'ensemble du corps, alors que la tête, immobile, légèrement penchée sur l'épaule droite, appartient déjà au rêve qu'elle vient de rencontrer.

---

1. Témoignage inédit Hélène Rabinatt. Lausanne. Novembre 1971.

Hélène Rabinatt est grande. Grande, maigre, voutée. De larges tranches de peau froissée battent sa poitrine, le bas de ses reins. Les yeux marrons, enfouis, délavés par le froid et les larmes, ne sont plus que deux petits boutons ahuris. Depuis près de deux mois Hélène Rabinatt ne se lave plus. Elle a, comme disent ses « camarades » : « renoncé », et il n'y a pas loin de ce renoncement au dernier stade de la déchéance : la « musulmanisation ». Cet abandon l'a-t-elle voulu, souhaité? Ce qu'elle sait : tout simplement un matin elle n'a pas trempé ses mains dans la cuvette. Et voilà! Un matin. Des matins. Demain peut-être! Mais demain elle sera morte... alors qu'importe cette toilette de chat; l'hygiène, leur diabolique, stupide, inutile hygiène germanique. Les autres ont dit :

— Secoue-toi. Réagis. Tu es sur la mauvaise pente.

Elle a répondu :

— Je suis fatiguée. J'ai faim. Je n'en peux plus. J'ai trente-trois ans, je suis une vieille. Et les vieilles au camp...

Une marquise stupide et grasse a tranché :

— Trente-trois ans? C'est jeune, c'est l'âge que le Christ a choisi pour s'accomplir.

Une fille de salle a dit :

— Ta gueule paumée...

Hélène Rabinatt s'est coulée sous la couverture humide et elle a pleuré. Peut-être ce soir-là, marquise et fille de salle auraient pu sauver la « Suissesse ». Il suffisait d'un peu d'amour, d'une main posée sur la nuque, d'une phrase ou d'une minuscule tranche de pain récupérée par la « solidarité ». Seule. Seule dans ce vacarme. Les cris de la marquise, les injures de la fille de salle. Seule dans ce froid de décembre. Seule au milieu de la multitude de l'appel, des cohues. Seule dans cette humanité de

solitude, dans cette tribu primitive recréée par un
« ethnologue de génie ».

Le matin elle pleurait.

D'autres matins.

Et ce matin : le dernier matin...

— Les tremblements[1] se résorbent. Je suis figée,
plantée en terre. Enfermée dans un halo. Au-delà de
ce cercle, le néant... Peut-être quelques silhouettes.
Un brouillard. C'est tout! Mais ici, de mes pieds nus
à la pointe effilochée du fichu, prisonniers du cercle : tout le silence du monde, toute la lumière du
monde. Mes yeux saisissent cette vie oubliée depuis
de si longues semaines. Pas de neige. Il devrait pourtant y avoir de la neige en décembre! Je sais qu'elle
était là avant ma crise. Une neige sale, couleur de
boue aux paillettes de cendre. Pas de neige. Sommes-
nous vraiment en décembre? Des gouttes de sueur à
la racine des cheveux. « Ma fille tu deviens folle! » La
terre craquelée, racornie par le gel ressemble au car-
relage d'une souillarde que ma mère avait ajusté
elle-même, un an avant la guerre.

Peu à peu, les bordures du cercle se précisent, enve-
loppent les plans du dessin, soulignent cette lumière
presque irréelle, douceâtre mais piquante et agres-
sive. Un gros rond parfaitement posé sur les plan-
ches d'une scène derrière la rampe. Rond uniforme,
troué en son centre par une tâche verdâtre, minuscule, mais si présente... Si présente — obsédante même
— qu'elle se développe en branches, en tentacules.
Rond vert. Au-delà : flou vert — œil vert — camp
vert — monde vert.

Aussi rêves verts. De ce vert acide aux reflets jaunes, posés sur un socle marron. Et ce vert, ces verts

---

1. Témoignage inédit Hélène Rabinatt. Lausanne. Novembre 1971.

opposés se diluent avant de recomposer derrière le
prisme, de projeter dans le fond de l'œil les images
perdues d'autrefois, d'ailleurs. Séquences folles courant du blanc au bleu — berceau et mer, lait et ciel,
sucre et barboteuse — en hésitant sur le rouge d'une
sucette, les bistres délavés des cloisons, le noir des
ardoises de la rue des Platanes — couleurs incertai-
nes, perdues : lithographies aux biches de la chambre
palissandre (les reflets du lit, bien sûr, éclataient en
gerbes violacées, mais les biches éthérées, poursui-
vies par un barzoï, au cou trop long et au poil trop
ras, étaient-elles grises, rousses, bruyère ou fougè-
re, feuille d'automne? Et le barzoï? Sable de plage?
Lait d'écume? Ecorce de perchis?), et le châle de tante
Louise, et le chat de maman, et les confitures, et la
serre?... et...? Tant et tant d'oublis, de transparences.
Comme si le regard passe-muraille poursuivait sans
obstacle l'infini. Couleurs sans couleur : Absence.

Immobilisée depuis moins de deux secondes, Hélène
Rabinatt prend soudain conscience du froid qui l'en-
serre, du chahut de ces centaines de femmes qui courent vers la place d'appel. Ces deux secondes passées
ont sans doute été, pour elle, les plus riches depuis
qu'elle a débarqué sur le gravier de Ravensbruck.
Deux secondes où la vie s'est accrochée à la vie; odeurs,
sensations, souvenirs, tremblements, palpitements ont
balayé la femme perdue.

— C'est là [1], en cet instant précis, devant cette tache
verte, sur le sol, que j'ai senti que tout ce qui était
derrière, il fallait l'oublier. Peut-être parce que immédiatement j'ai compris ce qu'était la tache verte. Ce
flot du passé qui est remonté dans mon corps m'a
transformé. Un remède miracle. Il fallait lutter. Se
battre heure après heure, jour après jour, pour

---

1. Hélène Rabinatt. Déjà citée.

connaître la chute des « héros », pour revenir chez soi et serrer Lucie, ma petite Lucie, maman, papa, toute la famille enfin réunie, retrouvée. Cela peut paraître invraisemblable qu'en deux ou trois secondes puisse ainsi se transformer une femme à la porte de la mort. L'abandon, le renoncement n'ont besoin que d'un déclic pour s'évanouir. Et quelle leçon pour les autres quand je me raconterai : « Ecoutez, écoutez. J'étais finie, lessivée, si j'en avais eu la force, je crois bien que j'aurais recherché un moyen de me suicider, mais il était plus facile de me laisser dévorer à petit feu par le désespoir. Là, au moins, l'issue était certaine alors que la semaine dernière, une « suicidée » avait été « ressuscitée » au Revier. Ecoutez! Ecoutez! J'étais morte et devant les marches du block j'ai vu, sur le sol, une tache verte, un papier vert en papillotte, frisé et rebondi. Vous ne devinez point? Une tache verte! Vert un peu pâle! Papier transparent. Voyons! Un bonbon! Voilà. C'était un bonbon. Je l'ai reconnu. C'est vrai. Je le jure. Je vous dis que c'est vrai. Croyez-moi, j'y étais. Un bonbon sur le sol d'un camp de concentration, à deux mètres d'un block, à deux mètres d'un sillon creusé par des milliers de pieds de femmes qui chaque matin — aller et retour — traînaient, sans imagination, leurs semelles dans les mêmes traces. Claquettes, chiffons, godasses... univers de pieds sales, déformés, hurlants. Ongles arrachés, œdème, pus, sang. Et là, dans l'ombre de ces pieds, un tout petit bonbon vert. Vert de la menthe. Bonbon à la menthe. Fêtes foraines et vieilles tantes, préau de l'école, dernier rang de l'église. « Dis merci à la dame! » Menthe du thé. Et salades chinoises. Menthe du sirop. Menthe du cataplasme et de l'alcool camphré. Menthe confite. Menthe de la bouteille de liqueur de pêche. Et cette voix un peu sèche de Suzanne : « La praline est tou-

jours trop sucrée et son amande souvent amère. Le
caramel mou est trop sec et les durs se ramollissent
à la chaleur, mais en revanche les crottes... » Tiens,
crotte Suzanne. Oui, crotte! Crotte! Crotte et merde!
Avec tes recettes de cuisine, tes sauces, tes sucreries,
tu nous fous le bourdon. Il ne faut jamais parler de
ces cuisineries, de ces confiseries à des bonnes femmes qui n'ont plus de goût, plus d'estomac, plus d'intestins tellement elles ont avalé de saloperies pour
tromper leur faim. Suzanne ne prononçait jamais le
mot menthe. Pourquoi? Et ce bonbon, là, sur le sol,
devant moi, à mes pieds, je le sens déjà bien au chaud
dans le trou de ma dent de sagesse. A gauche. Au
fond à gauche. Il ne faudra le sucer qu'une fois. Une
seule. Puis le replacer dans le papier. L'oublier.
Mais comment oublier un bonbon à la menthe dans
un camp. Peut-être, sans doute, le seul bonbon à la
menthe perdu par une gardienne, un Kapo, un S.S.
ou une détenue allemande qui reçoit des colis. Perdu?
Faut-il être folle pour perdre un bonbon à la menthe. Folle? Oui! Criminelle même. C'est un crime
cette richesse devant notre misère. Un crime qui
devrait être puni de mort. Faire sentir aux autres
qu'il y a encore des riches. Des riches à bonbon à la
menthe. Plus les riches sont riches, plus les pauvres
s'appauvrissent... partout. Alors ici.

— Il est à moi! Il suffit de me pencher, de tendre
la main. Voilà. Je me penche, je tends la main. Mes
doigts se déplient, se referment en hameçon. Il est là.
Emprisonné. Toutes les phalanges. La peau, toute la
peau l'aspire. Ce n'est pas possible! Il me semble...
Non! Il ne me semble pas; je suis sûre que son goût
se mêle déjà au sang. Mes pores assoiffés pompent...
Vite la poche. Il est dans la poche. La main par-dessus. Il est à moi. J'ai un bonbon à la menthe. Vous rendez-vous compte. Un bonbon! Un bonbon à la menthe.

Un trésor! Le trésor du camp. Je le coupe en deux? Faut-il vraiment le couper en deux? Une moitié c'est aussi un trésor. Oui je vais le couper en deux. Je garderai une moitié et j'échangerai la seconde. Avec une moitié de bonbon à la menthe il me sera facile de trouver une ou même — pourquoi pas? — deux tranches de pain. Pas le noir. Le marron. Il faudra que je choisisse le marron. Il gonfle plus et il paraît sucré. Mais avec une moitié je suis certaine de troquer un tricot. Celles qui reçoivent des colis stockent les lainages mais elles sont sûrement privées de bonbons car le « superflu » n'a pas de place dans le paquet « nécessaire » à la survie. Et le superflu c'est le piment de la vie. Alors elles voudront de ma moitié de bonbon et j'enfilerai le pull-over. Chaud. Chaud en hiver! A la fin de l'hiver, puisque nous aurons passé notre dernier hiver de détenues, il me sera aisé de le revendre. Deux parts égales : une pour le pain, une pour le tricot. Fini le bonbon. Question : qui est capable de préciser le poids d'un demi-bonbon? Réponse : Eh! bien, vu que... « ça suffit! » Moi je dis, j'affirme, personne. Cela dépend du bonbon. De la forme du bonbon. De la grosseur du bonbon. De la marque du bonbon. Petite note : « En hiver, les bonbons sont comme les êtres humains, rabougris, ratatinés. Mettez donc un bonbon au soleil. Vous le verrez rapidement s'étirer, se répandre, couler. Il double — sûre, certaine, juré — de volume. Vous concluez? Conclusion : « Je vais sucer les deux parts égales, l'une après l'autre bien entendu, en comptant... disons jusqu'à cinq et hop! passez muscade! dans sa robe de papier. Qui verra, qui saura? Trop heureuses les heureuses de l'échange pour s'en apercevoir. Cinq secondes dans ma bouche n'entameront pas la couche la plus dure de la surface. Cinq secondes ce n'est pas assez. Je recommencerai la manœuvre trois ou quatre fois. Je naviguerai à l'estime : « Pas trop usé? » « Pas trop! » « Bien! une fois, une toute petite fois... » Oh! sublime délice. Ne pas serrer. Les dents écartez-vous. Arrière! Papier. Première moitié : expérience à tenter sur quatre jours. Seconde moitié : attention! Il vaudrait mieux laisser passer une semaine avant d'attaquer le second morceau pour oublier le goût, l'espérer, le retrouver. Donc si je compte bien : trois semaines. Trois semaines pour un si ridicule bonbon. C'est inouï, mais mathématique. Recomptons.

— Annie! J'ai oublié Annie. Il faudra faire « profiter » Annie au moins une fois. Une fois chaque part. Annie le mérite. Elle m'a donné (avant la crise) trois soupes. Oui, Annie le mérite. Quand je vous disais que ce bonbon c'était le miracle. Je tiens trois semaines en ne pensant qu'aux « cinq secondes », je fais plaisir à Annie, et je récupère au moins deux tranches de pain et un pull. Tout cela avec deux chicots de bonbon à la menthe. Monde absurde! Monde ignoble! En être là. Ce bonbon va me faire descendre plus bas encore. En me sauvant il m'extermine. Je renonce. Effaçons le tableau. Je vais... Aurai-je le courage? Je vais... Ce serait une victoire sur moi. La première. Je vais...

Hélène Rabinatt délicatement déroule le papier. Il ne porte aucune inscription. Le sucre vert éclate de mille cristaux. Un noyau tacheté de fines gouttes plus claires. Il roule entre le pouce et l'index. Sans hésiter Hélène Rabinatt le dépose derrière la barrière des dents. De gauche à droite. La langue, à petits coups, en décrit le volume. La gorge reçoit les premières vapeurs. Effluves. Les mâchoires se desserrent. Tempête. Tempes détendues. Les molaires prennent assise. Le bonbon crisse. Coup sec. Flots. Dents attachées, retenues. Nouvelle ouverture. Les bajoues et la langue rassemblent les débris. Coup sec. Naufrage.

La scène de la « tache verte » n'a pas duré plus de dix secondes.

— Appel !

Un petit bout de papier transparent dans une poche portera souvenirs et espérance jusqu'au jour de la libération.

Un petit bout de papier dans une poche, un nuage vert enfermé dans les pupilles, une sensation de fraîcheur légèrement poivrée au niveau des muqueuses.

— Merci petite tache verte.

III

DÉCOUVERTE

Combien d'approches, de découvertes de Ravensbruck? Sur le même rang, deux sœurs ne voient pas, n'entendent pas, ne ressentent pas, n'enregistrent pas les mêmes scènes, les mêmes images, les mêmes sensations. Les « chemins » qui mènent à l'enceinte barbelée sont si différents...

Après la stupeur de l'arrestation, la terreur des interrogatoires, l'isolement — le froid — de la cellule, l'angoisse de la condamnation ou de la décision, les premiers camps de regroupement (du type Compiègne, Romainville pour la France) semblent une détente dans ce labyrinthe répressif. Une véritable libération de prison. Un semblant de communauté paisible, très administrative, mais bon-enfant et « ragotière », s'est implantée dans le provisoire. On est sorti du noir. Ici tout est possbile : évasion, échange, lettre, colis, peut-être même visite... Le départ vers l'Allemagne c'est pour « demain » et demain peut venir dans un mois.

Demain c'est maintenant. Bagages. Adieux. Marche ou autobus. Quai de gare. Pour la plupart, l'hallucination de cet inconnu qui « grossit » remplace toutes les autres dépressions du temps des cellules et les vérités de chacun — recensement des accusations et inventaire des véritables responsabilités — modèlent un monde à la mesure des charges retrouvées ou imaginées : camp de travail, chantier de « jeunesse », cheminée d'un crématoire (« Si, je vous jure, ou me l'a dit, ça existe! »).

Le train, le wagon encombré, la promiscuité, la chaleur, les défoulements des fonctions naturelles, les atteintes à la pudeur, aux « bonnes manières » créent une philosophie de l'instant révélatrice de la véritable nature humaine. Un wagon de marchandises c'est un camp de concentration miniature... déjà une révélation sur « soi ». Egoïsme, amitiés, haines, indifférences, don de soi. Le train s'arrête.

— En [1] descendant après sept jours de voyage, c'est presque avec soulagement que nous nous dirigeons vers un domicile fixe, pensant avec optimisme que la mauvaise réputation de Ravensbruck était sans doute exagérée.

— Il faisait délicieusement beau ce 21 août, vers 10 heures du matin, lorsqu'au sortir de la gare nous avons pénétré dans ce bois de pins qui nous conduisait au camp. Nous n'étions pas encore accoutumées au rigide « 5 par 5 » et nos gardiens nous laissaient marcher avec un certain flottement entre les rangs. Plusieurs femmes assez chargées de bagages suivaient même loin derrière les autres, sans se presser. Cette promenade matinale après des jours sans air semblait idéale. Nous ne nous lassions pas d'admirer ces jolies villas si soignées, entourées de jardins fleuris faits pour le plaisir des yeux et dans lesquels jouaient de beaux bébés demi-nus...

—————

1. Manuscrit inédit G... H...

— Peu à peu, le bois s'éclaircit, nous apercevons le clocher de Fürstenberg, entouré de petites maisons comme des jouets. Tous les toits se mirent dans l'eau d'un lac paisible. Quelques barques évoluent lentement. Nous arrivons à la hauteur d'un camp de prisonniers qui travaillent dans un chantier de bois. Les crânes rasés, les tuniques rayées nous étonnent un peu (ce sont les premiers « pyjamas » que nous voyons), mais nos gardiens veulent bien nous expliquer que nous sommes en présence de déserteurs allemands dont la mansuétude du grand Reich a bien adouci le sort, puisque, non seulement ils n'ont pas été fusillés, mais encore ils ne sont pas retournés sur le front de Russie. Inutile de dire que nous avons bien vite été fixées sur l'identité des prétendus déserteurs.

— Après trois ou quatre kilomètres de marche, nous nous trouvons devant un grand mur d'enceinte gardé par des sentinelles. Une énorme porte s'ouvre à notre approche, nous allons pénétrer dans le camp.

— De [1] chaque côté de l'entrée, le poste de garde et probablement un garage car des prisonniers sont plongés sous le capot de voitures. Au milieu, une immense porte cochère grande ouverte, mais dont le passage est protégé par une barrière qu'on lève pour entrer (les mêmes que je voyais aux passages à niveau, chez nous, lorsque nous partions joyeux en voiture pour les vacances). Et cette porte me fait penser tout à coup au pauvre curé de Cucugnan attendant devant l'entrée de l'enfer.

— Nous stoppons et ils nous comptent. Ont-ils peur qu'il s'en soit échappé ?

---

1. Manuscrit inédit Mme J. Brun.

— « Sûr qu'ils sont atteints de comptomanie, s'écrie l'une de nous. »

— Pendant ce court moment de pause, je sens la fatigue déferler sur moi, Tant que je marchais je ne m'en apercevais pas de trop mais à l'arrêt, j'ai l'impression que mes jambes vont me refuser tout service.

— Nous entrons. Avec un bruit sourd, la barrière s'est refermée sur nous. Voilà, c'est fini, nous sommes réellement entre leurs mains, livrées à leur merci, sans espoir d'évasion. Un étau me serre la gorge. Parquées comme des bestiaux au milieu d'un champ, nous attendons debout sous un soleil torride. Je n'arrive même plus à penser, je suis littéralement liquéfiée, vidée, anéantie, je me sens abêtie; pourtant, un espoir aussi puissant que le poids du monde me soutient : revoir ma mère car j'ai appris (les nouvelles volent vite au camp) qu'elle était là. Ah! qu'elle me prenne dans ses bras et me berce tout comme lorsque j'étais enfant; pouvoir cacher ma peine et ma fatigue au creux de son épaule. Mais elle doit être bien lasse aussi, pauvre maman !

— Pour le moment, la seule distraction que nous ayions, c'est de regarder les colonnes qui rentrent les unes derrière les autres. Sûr qu'elles doivent revenir du travail, car elles ont toutes un outil; les unes des pelles ou des pioches sur l'épaule, d'autres des rateaux tenus par le manche et dont le bout râcle le sol charbonneux. Je pense, car un rien distrait, qu'il y en a bien une dans le tas qui va finir par mettre le pied sur les dents d'un rateau en marchant. Ça y est! Comme si j'avais un don de seconde vue, au même moment, en voilà une qui prend le manche en plein front, en poussant un hurlement de douleur. Moi, sans cœur, j'éclate d'un rire sonore que je ne peux maîtriser, tant la scène est comique. Yettoun qui est à côté de

moi et qui n'a probablement rien vu, me regarde
avec inquiétude et me dit d'un ton réprobateur par-
fumé de l'accent du midi :

— « Alors toi, tu trouves la situation marrante?
Ça te fait rire? »

— Je lui explique ou je la laisse mourir idiote?
Bah, après tout, n'ayant rien remarqué ça n'aurait
plus le même charme et puis ça me tue de parler. Mes
yeux, bien qu'irrités par la lumière brûlante du soleil,
s'ouvrent tout grand pour essayer de repérer, dans
ce nombre de femmes qui va sans cesse grandissant,
maman ou d'autres camarades de Rennes. Mais rien
de rien. Zut! On verra demain! Ce à quoi j'aspire
le plus c'est de m'asseoir, même par terre. Quel délice
ça serait! Les grands-mères qui sont avec nous, s'écroulent les unes après les autres; c'est fatal, comme nous,
assommées de fatigue et de faim, elles n'ont pas la
même résistance. Moi, ce qui me mine, c'est la soif,
mais une de ces soifs! c'est affreux!

— Et soudain, je la vois, c'est elle, je la reconnaî-
trais entre dix mille. Maigre, la mine tirée, paraissant
encore plus grande dans sa robe rayée. Oh! maman
chérie, comment es-tu devenue? Lorsque je serai tout
près d'elle : surtout ne pas marquer d'étonnement.
Quand je pense à ce que tu étais il y a seulement
deux ou trois ans; tu étais si belle dans la plénitude
de tes quarante ans, et moi qui te trouvais vieille!
Qu'ont-ils fait de toi en si peu de temps? Que d'amour
je ressens pour toi en cet instant, amour de l'enfant
qui a encore et toujours besoin de sa mère pour la
protéger. Tu es là, tout près et pourtant si loin.
Oubliant tout, je m'élance d'un bond pour la rejoindre, mais je n'ai pas fait deux pas qu'une main puis-
sante me harponne par un bras, me retourne et me
flanque une beigne retentissante qui me fait rapide-

ment comprendre que je dois rester là où on m'a dit d'attendre.

— « Surtout ne bouge plus, me crie-t-elle de loin, je viendrai te voir en quarantaine. »

Et puis plus rien, rien que du vide autour de nous, chassée elle et les autres par une gardienne.

— « Ben ma fille, t'as déjà reçu le baptême du camp? »

— « C'est fin! Si on savait toujours tout, d'abord, on ne serait pas là, non? »

— Révoltée? Oh oui je le suis. Tout mon être se hérisse, souffre mille morts de ne pouvoir rien dire. J'ai l'impression de ramper. Et je rampe. Non! Je refuse. Arrive ce qui arrivera, je me rebellerai. Hélas, ça ne fait que commencer pour nous. Que sera-ce plus tard? Tiendrai-je le coup comme les autres? Après tout, pourquoi pas? Il le faudra bien, mais il faut que je me méfie de moi-même, de mes impulsions « soupe-au-lait »; il va falloir que j'apprenne à fermer mon caquet si je veux survivre et ramener ma carcasse en France.

— Après une « pose » qui dure je ne sais combien de temps, on nous dirige vers un bâtiment en briques et j'apprends que ce sont les douches. Nous nous regardons et certaines s'affolent, refusent d'y entrer car nous avons déjà entendu parler de celles d'Auschwitz. J'ai peur aussi. Une peur qui me prend aux tripes; puis je me rassure quand même : j'ai vu ma mère dans le camp, c'est donc qu'ils ne nous gazent pas, du moins pas encore!

— Ici, on entre dans le royaume du vol organisé. Plus rien dans les mains, plus rien dans les poches; tout leur est bon, sacs de provisions, trousses de toilette, bijoux — vrais ou faux — alliances, symbole du pacte d'amour, enfin tout.

— Adieu à toi, jolie et précieuse bague de mes seize ans, offerte par mes parents — un jonc en or avec une perle fine — c'était une vraie perle et mon premier bijou de valeur. Adieu ma montre, mon petit bracelet. Ah! si j'avais su, je les aurais laissés au greffe de la Roquette. Enfin, comme dit l'autre, c'était écrit.

⁂

— Mais [1] voici qu'apparaissent deux femmes vêtues comme les « déserteurs » de tout à l'heure. Certainement des criminelles. Elles tirent un chariot qui porte une longue caisse en bois dont le contenu ne laisse aucun doute. Cette vue nous attriste un peu, mais ne nous surprend pas : si, comme on le dit, nous nous trouvons dans un camp de 30 000 à 40 000 personnes, quoi d'étonnant s'il en meurt une par jour? Il doit même en mourir « deux » ou « trois ». Le petit convoi passe la barrière, disparaît, il se dirige vers le four crématoire.

— Puis, voici des chants éloignés, ils se rapprochent. Cela va devenir intéressant. Nous concentrons notre attention. S'avance vers la barrière de sortie un groupe de femmes bizarres. Elles ont toutes cette même robe rayée de bleu et de gris; leurs jambes sont nues comme leurs pieds qui portent des claquettes de bois. Nue aussi est leur tête, vraiment nue car ces femmes sont rasées. Elles portent sur l'épaule gauche des outils de jardinage et marchent au pas en scandant un chant allemand. Si leur silhouette est bizarre, plus étonnante encore est leur physionomie. Ces femmes n'ont pas d'âge, aucune n'est jeune, leurs yeux sont éteints, sans expression. Pres-

---

1. Manuscrit inédit G... H...

que toutes ont des plaies aux jambes, se tiennent voutées, sont d'une pâleur et d'une maigreur effrayantes. A coup sûr, ce sont encore des criminelles allemandes punies de bagne. Nous n'avons pas le temps d'échanger nos impressions. Elles passent, ne nous regardent même pas et sont bientôt suivies d'un autre groupe, toujours chantant, ayant le même aspect, portant seulement des instruments différents.

— Puis, une troisième colonne; mais tout de suite nous remarquons que ce ne sont pas les mêmes femmes; d'abord, elles ne chantent pas et si leur accoutrement est semblable, leur allure est plus jeune, plus décidée. Dans leurs physionomies pâles et creuses, brillent des yeux encore vivants. Elles nous regardent et voici qu'elles parlent :

« — Françaises? »

« — Oui »

« — D'où êtes-vous? Quelles nouvelles? » Puis comme une policière arrive sa baguette à la main pour les faire taire, elles ajoutent précipitamment :

« — Mangez tout, ne gardez rien, ils prennent tout. Mangez tout. »

Nous sommes émues de cette vision et le reste du défilé long et toujours le même ne nous intéresse plus. Nous avons retrouvé un peu de France ici. Il est bien évident, cependant, que notre situation ne saurait être la même que celle de ces Françaises certainement condamnées à une peine sévère pour un motif grave.

— Vers quatre ou cinq heures un bruit circule parmi nous, « voilà à boire ». En effet, deux femmes s'avancent portant un lourd bidon. En une seconde, nous sommes toutes debout. Il n'est plus question de dix par dix, c'est une ruée vers le précieux liquide : les femmes sont renversées, le bidon bousculé, personne ne peut l'ouvrir, aucun récipient pour boire. Cela importe peu, il faut atteindre ce café sauveur. De nouveaux bouteillons arrivent qui subissent le même sort. Je me suis munie d'une boîte à conserves vide et préfère patienter plutôt que d'être écrasée, mais aussitôt que je puis approcher, je me précipite aussi sur ce liquide brûlant et alors je bois, je bois, comme jamais je ne pensais qu'on puisse boire, à m'en rendre malade, peut-être cinq litres, six litres, je ne sais, sans réussir à me désaltérer...

— Vers le soir arrivent des bidons de soupe claire, avec quelques petits morceaux de saucisson dedans; nous devons partager une gamelle sale pour six ou huit personnes, pas de cuiller. Aucune de nous n'a très faim du reste. Nous avons mis à profit le conseil donné, et nous mangeons toutes nos réserves.

— Une [1] femme apparut à la fenêtre, elle était décharnée, la peau collée sur les os, les yeux renfoncés dans les orbites, la tête recouverte de son Kopfluch « coiffe-tout ». Elle était sale, les jambes entourées de bande de papier sale, toutes tachées de pus et elle mendiait. L'une des nôtres, une bretonne, l'avait appelée Sécotine. Puis une autre et toujours d'autres sont venues se placer auprès de la première et bientôt tout un attroupement. Les malheureuses qui n'avaient pas de bandages de papier ou de haillons, laissaient voir des plaies qui nous semblaient répugnantes. La Blockowa et la Stubowa (chef de block et chef de chambre) les repoussaient, leur criant de ne pas s'approcher de nous. Nous étions des pestiférées. Mais les pauvres femmes tendaient leurs gamelles. Nous, de notre côté nous pensions que c'étaient des lépreuses ou des syphilitiques et que c'était la raison pour laquelle le chef de block ne voulait pas les laisser approcher. Mais le chef de cham-

---

1. Manuscrit inédit Léone Bodin.

bre nous criait, si vous n'aimez pas votre soupe,
elles la mangeront de bon cœur, il y a longtemps
qu'elles sont ici et elles ont faim. Nous demandâmes si elles étaient contagieuses. La Stubowa nous
indiqua que ces femmes n'étaient pas plus malades
que nous, elles étaient plus anciennes dans le camp
et c'était tout le drame. Quand il y aura quelque
temps que vous serez ici, nous dit la Stubowa, vous
comprendrez mieux, vous serez comme elles. Nous
avons versé de notre soupe dans leurs gamelles et
ces malheureuses mangeaient avec leurs doigts et
essuyaient la gamelle avec leur langue afin que rien
ne se perde.

— Deux mois plus tard, nous étions dans le même
état, nos visages et nos allures, tout avait changé et
lorsque les 22 000 sont arrivées de Romainville à
Ravensbruck, elles ne nous ont pas reconnues. Nos
visages, notre mentalité, même notre dignité, tout
avait tellement changé. Notre dignité nous la gar-
dions, bien sûr, mais bien modifiée, beaucoup moins
de fierté dans notre allure, mais beaucoup plus rapprochées de nos sœurs de misère. Les nouvelles arrivées
de Romainville posaient des questions. Que vous est-
il arrivé? Avez-vous été malades? Votre moral a l'air
bien bas? Est-ce que vous avez moins à manger ici
qu'à Romainville? Pourtant là-bas, celles qui n'avaient
pas de colis étaient bien malheureuses. Les camarades se répétaient de l'une à l'autre des nouvelles et,
petit à petit, cela gagnait tout le block. Nous avions
vu et parlé avec des femmes belges et nous sûmes
qu'ici les conditions étaient pires qu'en France ou
qu'en Belgique, que c'était tout simplement terrible.
La discipline ou le travail? Lequel des deux était le
plus terrible.

⁂

— Ayant[1] satisfait à la comédie des formalités administratives, tout abandonné pour l'uniforme rayé devenu célèbre, nantie d'un numéro qui sera mon état civil, je traîne mes galoches vers le block 22 qui, avec quelques-unes de mes compagnes de convoi, m'a été assigné.

— Bien avant d'y arriver, me parviennent des hurlements, des bruits de coups et... mais oui... j'entends bien... des cris d'enfants.

— Dès la porte franchie, je m'arrête, horrifiée. Plus tard, de tels spectacles, devenus familiers, me laisseront indifférente mais aujourd'hui encore, la femme déchaînée, debout sur un tabouret, le visage déformé par la haine qui frappe à coups de louche sur un groupe de femmes et d'enfants agglutinés autour d'une marmite, me semble hallucinant.

— Cette furie, condamnée de droit commun à vingt-deux ans pour meurtre dit-on, qui fait régner la terreur dans son block, je ne vais pas tarder à l'apprendre, c'est Choura.

— Extraite d'une prison d'Europe centrale pour occuper au block 22 les fonctions de Blockowa, elle exerce sa toute-puissance, encouragée par les S.S., sur un lamentable troupeau de femmes et d'enfants, dont quelques-uns marchent à peine. Tziganes, ils sont tous voués à la mort, mais le sadisme nazi les a, avant d'en finir, livrés à Choura.

— Pour l'heure, à la distribution de « soupe », afin de nourrir leurs marmots affamés, les mères, telles des fauves, donnent l'assaut au baquet contenant un immonde brouet.

— Pendant que se déroule cette charge, je me suis, avec mes compagnes, glissée dans l'immense

---

1. Manuscrit inédit Mme Bisserier. Juin 1970.

pièce où, sur trois étages, s'alignent les châlits, où il nous est ordonné de nous installer.

— Affolée par les cris, rompue, choquée par les brimades, les injures, les vexations que nous avons subies, l'angoisse, la faim, je n'ai d'autre désir qu'un peu de repos que j'aspire à trouver enfin, malgré l'ambiance infernale de ce lieu de cauchemar.

— Ce répit, qui sera de courte durée, me fournit l'occasion d'examiner mon nouvel univers : les lits d'une saleté repoussante, souillés d'excréments, n'ont pas de couverture, certains même n'ont plus de paillasse et les occupants sont couchés à même les lamelles qui doivent recevoir les paillasses et menacent de s'effondrer sous la surcharge (trois personnes logent parfois dans les 90 cm de largeur). Les vitres cassées au cours des batailles qui sévissent entre les mères et dont l'enjeu est la vie de leurs enfants, n'ont pas été remplacées. Des petits trop faibles pour bouger geignent sur leurs grabats semblant agoniser.

— Sous le coup de l'horreur, je ne réagis même pas quand les propriétaires des lits que, dans notre inconscience, nous avons occupés nous bousculent sauvagement et nous jettent à terre.

— C'est dans un coin sombre du block, serrées les unes contre les autres, qu'apeurées, incrédules, recrues de fatigue, nous nous endormirons enfin, au soir de cette journée qui nous a révélé la vie au camp.

IV

LE BERGER

— Ça n'a rien de mauvais!

Le Kapo Sylvaine — blonde, trente ans, vendeuse dans une librairie parisienne, polyglotte — désigne Wanda Carliez Lambert de Loulay pour la corvée de soupe.

— C'est [1] une expédition lointaine, porteuses d'une énorme marmite, jusqu'aux cuisines, au centre du camp, qui nous fera voir du nouveau! Pas si nouveau! Ces allées bordées de ghettos, d'une monotonie tragique, ces vagabondes à pustules, le retour, à tous les horizons, de ces murs couronnés de barbelés... Au coin d'un block, un peloton revient de la corvée de patates. Les femmes de tête nous dévisagent. Je surprends un grasseyement de chez nous. Puis, en queue, je crois reconnaître (et je lui adresse un signe), qui ça? Rosine Deréan.

— Non, cette corvée n'est pas mauvaise! Elle se poursuit par une longue attente, en compagnie des

---

1. Wanda, *Déportée 50 440*. André Bonne, Paris. Décembre 1945.

délégations similaires de chaque baraquement. Si on pouvait converser! Mais des S.S., escortés de chiens, vous frappent sans avertissement.

— Des chiens! Je stationne, le second jour, tout près d'un schnauzer géant gris bleu, dont la ressemblance me saisit... avec Lolotte. Une Lolotte monstre! Une Lolotte qui retrousse des babines cruelles et semble prête à vous sauter dessus — comme on le lui a appris. Pas à dire : la plantation des oreilles, la queue-éventail — et cette touffe blanche au gorgeret — me restituent beaucoup d'elle, de « mon petit » à qui je me reproche de ne penser autant dire jamais.

— Le maître du schnauzer, ce S.S. de haute taille, à joue balafrée, le tient en laisse. Nous sommes « au repos ». Je ne sais quelle tentation me prend de faire, de mes lèvres serrées, un bruissement, un soupçon de bécot... comme à Lolotte, quand je lui donnais la permission de grimper au lit. Je devais m'y attendre. L'animal tourne vers moi une gueule soupçonneuse et fait entendre un grognement.

— Le S.S. balafré s'approche. Il éructe une phrase de fureur. On comprend qu'il nous reproche d'avoir agacé son chien, et mes voisines détournent la tête avec quelque réprobation. Je me demande ce que j'ai fait!

— Le lendemain, comme je piétine, dans la même attente, et que la bête n'est pas loin, et que ses yeux pers me rencontrent, pour m'amuser, n'y vais-je pas d'un badin hochement de tête! Je lui plante mon regard dans les prunelles. Et — son maître ne m'observe pas — voilà que je lui adresse un petit discours tacite :

— « Gros chien, pourquoi m'en veux-tu? Tu ressembles à Lolotte, la plus jolie chienne du monde.

Je l'aimais. Elle m'aimait. Et toi..., pourquoi ne nous aimerions-nous pas? »

— Son œil s'élargit, qu'il fixe, préoccupé, sur ma personne. Je tâche de mettre dans mon propos muet quelque chose de mon amour des bêtes. Le schnauzer montre encore ses crocs, mais sans conviction. Je me plais à le quitter de l'œil, et à le reprendre. Et notre flirt, pour ce jour, en reste là.

— C'est une attraction pour moi que cette sorte de rendez-vous. Que me suis-je mis dans la tête! Chinon, cette fille de mon réseau, avec qui cela n'a jamais collé (on s'adresse à peine la parole; il y a une vieille histoire là-dessous), s'est aperçue de mon manège et, manifestement, le condamne. Que fais-je de mal, pourtant! C'est si précieux d'essayer, déshéritée, d'un restant de charme.

— Un autre matin (le schnauzer a pris l'habitude de s'installer sur son derrière à côté de moi), je commets un nouveau susurrement. Sa tête pivote, et son grand œil luit avec moins de dureté vers moi. J'en suis contente pour la journée.

— Le lendemain, encore du progrès. Le surlendemain, ne m'autorisai-je pas à lui caresser le crâne! Quelle témérité! Il supporte pourtant mon contact.

— Cela dure deux jours. Je ne donnerais pas la corvée de soupe, même pour un de ces petits sacs que se payent les richardes en pain! L'apaisement qui naît de ces instants! Ce palper de velours, cette vie chaude! Le chien ne me regarde plus. Il entre dans le jeu clandestin. Un simple hochement de queue, quand je le quitte ou qu'il se déplace.

— Enfin un matin... Des compagnes sont interposées, comme toujours, entre ma cajolerie et les yeux du Balafré. Que se passe-t-il? Est-ce Chinon, dont la mimique cafarde?... Le S.S. pique brusquement vers nous, surprend mon geste de retrait.

— Il vient se camper en face de moi. Il lève le bras, le laisse retomber. Mais c'est le schnauzer qu'il emmène.

— Je revois son calme pour fouiller dans sa vareuse, en retirer son revolver. Pan! Entre les yeux. La bête grandit démesurément sur ses pattes de derrière, retombe avec un hurlement. La respiration me manque. Et Chinon, qui se venge là (elle ne s'abaisse pas à sourire) d'une déconvenue de dancing!

V

INITIATION

Incorporation brutale pour toutes les nouvelles arrivantes : c'est la véritable prise en main. L'oubli, l'abandon de cette enveloppe qui « encrasse » le corps nu, la projection dans le premier cercle : la « déshumanisation ». L'attribution d'un numéro matricule, d'un triangle d'appartenance à une nationalité, à un groupe ethnique, social, religieux, à une « catégorie » condamnable (triangle rose par exemple pour les homosexuels), les brimades gratuites, l'imbécillité sans nuance des visites médicales et des mesures de prophylaxie, les cris, les bousculades, les coups, les ordres et les questions lancées dans des langues inconnues doivent casser les personnalités et les résistances. Une dépouille médusée, un « stuck » (morceau) d'un ensemble outil ou machine à utiliser sans ménagements parce que facilement remplaçable.

BLOCK 22

On fit [1] sortir des rangs les cinquante premiers noms de la liste, on les encadra par la police; on les

---

1. Denise Dufournier : *La Maison des Mortes*. Hachette 1945.

emmena. Nos camarades devaient se rendre, à la
sortie des douches, directement au block 22 qui nous
était réservé. Bien que j'appartinsse aux premiers
contingents, il fallut attendre jusqu'au soir. Nous
commencions à être harassées de fatigue, et nous
voyions, à mesure que le temps passait, s'éloigner,
encore pour cette nuit, la perspective d'un lit; il y
avait plus d'une semaine que nous n'avions pu éten-
dre nos jambes. Enfin mon tour arriva.

De nouveau, par rangs de cinq, notre cortège tra-
versa tout le camp, en sens inverse de celui que nous
avions suivi la nuit mémorable de notre arrivée. Nous
marchions au pas de course quand nous nous enten-
dîmes appeler par un troupeau anonyme qui nous
croisait. Nous reconnûmes à grand-peine nos camarades qui sortaient des douches; elles étaient presque toutes rasées, elles étaient vêtues de robes rayées
et étaient pieds nus dans des claquettes. Elles
n'avaient plus de bagages mais portaient un tout
petit ballot. Elles tremblaient de froid. Elles nous
crièrent au passage : « Ils prennent tout. Tâchez
de passer vos chandails. » Nous étions atterrées.
Quelle était la raison de cette tonsure presque générale? Nous ignorions encore que les prétextes les
plus rationnels et généralement les plus favorables
à notre bien-être dissimulaient toujours un machia-
vélisme plus ou moins raffiné. Ainsi, sous le couvert
d'une hygiène impeccable, avait-on rasé presque toutes les têtes afin de les débarrasser des poux dont,
soi-disant, elles étaient infestées. Mais on avait omis
de nous dire que les paillasses qui allaient être mises à
notre disposition en étaient pleines et que l'examen
quotidien de nos vêtements ne serait jamais infruc-
tueux. Je me suis d'ailleurs toujours demandé par
la suite pour quelle raison nos chefs cherchaient à
justifier leur comportement alors que nous avions la

preuve ostensible que les motifs invoqués par eux étaient autant de mensonges.

C'est avec une certaine appréhension que je franchis le seuil du bâtiment. J'entrai directement dans la salle des douches, au plafond de laquelle étaient suspendus les appareils. Nous vîmes un certain nombre de nos camarades, tristement assises par terre, qui attendaient d'être convoquées dans le cabinet où s'opérait la transformation de l'être humain en bagnard. Nous fûmes poussées à côté d'elles et nous assistâmes à l'un des actes du spectacle : une quinzaine de femmes nues, dont les visages affolés avaient perdu en même temps que leurs cheveux toute personnalité, voire même leur humanité, grelottaient sous un jet d'eau à peine tiède. Dans l'impudeur révoltante de cette exhibition, des jeunes riaient, par bravade, mais les vieilles femmes ne pouvaient se départir de l'humiliation qu'exprimaient leurs yeux hagards et le tremblement de tous leurs membres.

Comment pourrais-je oublier le regard de cette jeune femme dont la longue chevelure blonde avait, par miracle, été épargnée ? Elle soutenait sa mère, déjà âgée, qui, elle, n'avait pas eu la même chance. Je n'eus pas le courage de les suivre des yeux quand je les vis passer devant le commandant qui avait tenu à s'assurer par lui-même que le travail avançait.

Le moment était venu pour nous, pensais-je, d'abandonner le rôle de spectateur pour prendre, avec l'uniforme, un rôle dans ce drame, dont le dénouement serait notre échec ou notre victoire, notre mort ou notre vie. Mais, en même temps que la hideur ambiante s'inscrivait dans mon esprit, s'insinuait en moi et d'une façon lancinante la certitude d'un autre danger, tout aussi redoutable, qui menaçait nos individualités, nos intelligences, l'essence même de notre personnalité.

A quoi nous servirait-il de lutter pour conserver nos vies si nous n'étions pas assez fortes pour sauvegarder nos âmes? Certes, ce n'est pas parce que vous êtes soudain revêtue d'une robe cousue comme un sac, ce n'est pas parce que vos cheveux sont tondus que vous trahissez du même coup les principes qui, pendant de longues années, se sont fortifiés en vous. Mais je ne doutais pas un instant qu'il s'agissait là de l'application du premier article d'un système minutieusement élaboré, afin de nous amener par étapes à la déchéance... L'avenir devait, hélas! justifier nos craintes.

Etions-nous donc appelées à devenir ces spectres entrevus l'autre nuit? Prise de vertige au bord du gouffre épouvantable dans lequel j'eus, pour une seconde, l'impression que nous allions nous abîmer, je me souvins de cette phrase de Gide, que j'avais gravée sur le mur sordide de ma cellule : « Nathanaël, que la beauté soit dans ton regard, et non point dans la chose regardée. »

Il était déjà tard quand on nous dit que le travail de la journée était terminé et que nous allions passer la nuit sur place; une fois de plus, nous nous installâmes, une fois de plus, couvertures et ballots furent aménagés en lits. Nous avions assez de place, et cela me sembla si confortable que je m'endormis aussitôt. Le lendemain matin, tandis que j'attendais mon tour avant de pénétrer dans la petite pièce réservée au pillage des bagages, près du salon de coiffure, je pouvais voir, sur le mur de celui-ci, se détacher l'ombre mouvante des ciseaux en action.

Le dépouillement des « nouvelles » était assuré, ainsi que tout travail dans le camp, par des prisonnières, elles-mêmes surveillées par des Aufseherinnen, c'est-à-dire des gardiennes allemandes, sœurs

des « souris » trop connues dans nos villes de France.
Elles constituaient une espèce d'armée, recevaient
des grades, étaient soumises à une discipline sévère
(lever à l'aube, habitation dans des baraques situées
dans les abords du camp), assujetties à des appels,
et elles avaient à leur tête une Oberaufseherin, dont
le rôle était de supervision générale...

Une fois entrée dans la salle où s'entassaient les
montagnes d'objets volés aux précédentes initiées,
avant même que j'eusse eu le temps d'ouvrir ma valise,
mes couvertures et mon sac de couchage m'avaient
déjà été retirés; tandis que je me déshabillais, j'assistai au pillage intégral de mes bagages : on jeta,
sur un tas probablement destiné à être brûlé, papiers,
photographies, chapelets; puis, sur un autre tas, ce
qui ne plaisait pas; quant au reste : eau de Colo-
gne, linge, ceinture de cuir, il fut l'objet d'une razzia
instantanée. Les gardiennes se l'arrachèrent, en sup-
putant la valeur, le poids, la qualité, et je me retrouvai, en l'espace de quelques minutes, toute nue ayant
à la main un savon et une brosse à dents.

Je passai ensuite chez le coiffeur. A la seule vue
de ma chevelure, son sort fut décidé. Cette opération terminée, je subis le deuxième examen qui avait
trait à une autre partie du corps, particulièrement
susceptible, paraît-il, d'être infestée de poux. Cet
examen se faisait avec une brosse à dents... Je ren-
trai dans la salle des douches assez ahurie et, après
de brèves ablutions, je me dirigeai vers les vêtements
qui nous étaient destinés. Je saisis à toute vitesse une
robe, une veste, une chemise, un pantalon, une paire
de claquettes appelées « pantines ». J'eus à peine le
temps de revêtir tout cet attirail avant d'être projetée à l'extérieur du bâtiment et expédiée, en rangs de
cinq, vers ma nouvelle résidence : le block 22.

Comme je m'en allais, trébuchant, incertaine dans

mes nouveaux sabots, je regardai les autres prisonnières, nos semblables, nos sœurs.

J'eus alors l'impression que nous étions désormais marquées du même sceau qu'elles, que notre sort était définitivement enchaîné au leur, que leur vie, leurs souffrances, leurs espérances devenaient nos vies, nos souffrances, nos espérances, — la punition d'une unité pouvait entraîner la punition de tout le block, la punition d'un block rejaillir sur tout le camp, — et je sentis confusément que s'effaçait le dernier vestige de liberté que nous croyions posséder encore, au moment où nous entrions dans cette nouvelle communion des saints.

Chaque block était administré par une prisonnière en chef, la Blockowa ou Blockälteste, qui avait elle-même sous ses ordres deux ou plusieurs Stubowa ou Stubenältesten, chacune d'elles étant affectée à l'un des deux côtés du block. Les unes et les autres étaient le plus souvent des Polonaises. Elles se distinguaient des autres prisonnières par le port d'un brassard vert sur lequel était brodé le numéro de leur block. Le block était divisé en deux parties identiques : le côté A et le côté B. Chaque côté comprenait un dortoir de lits à trois étages, une salle meublée de tables, de tabourets, d'armoires et un lavabo.

Quand notre petit groupe arriva au block 22, il fut dirigé vers le côté A; où une grande Polonaise, qui nous parut fort sèche, faisait la police, à grand renfort de cris et de gesticulation. Nous fûmes affectées à une table près de laquelle nous nous assîmes, par terre, car il n'y avait pas assez de tabourets, et nous attendîmes. Le Stubowa nous dit qu'il faudrait attendre ainsi pendant quarante jours, durée de notre quarantaine. Elle nous expliqua que nous n'allions encore participer à la vie du camp que par les appels du matin au soir et que nos seules obligations pendant

cette période seraient les dernières formalités rela-
tives à notre incorporation. La perspective du travail
se trouvait heureusement reculée, ce qui allait nous
permettre de gagner du temps et d'économiser nos forces. Les convois qui nous suivirent n'eurent pas cette
chance; ils se multiplièrent et se succédèrent à une
cadence si accélérée qu'il ne pouvait plus être question
de quarantaine. Nous choisîmes nos places dans le dortoir : le block avait été précédemment habité par
des Gitanes, et les paillasses étaient remplies de
poux. Nous nous installâmes deux par lit, ce qui se
révéla d'ailleurs être le seul système calorifique,
car aucune couverture ne nous avait été octroyée.

BLOCK 26

Au sortir [1] des rues noires, voici un nouveau terrain vague; les baraques qui l'entourent sont plus
grandes. On nous conduit à la dernière : « Block 26. »
Nous entrons péniblement, nos bagages s'accrochent
dans le couloir étroit. On nous introduit dans une
pièce assez vaste; environ 10 m sur 10 m. Deux dames
en rayures, le bandeau rouge des policières au bras,
nous entassent debout contre les murs, et crient d'une
voix stridente, en roulant les r éperdument : zurück!
zurück! Puis, quand on proteste trop fort :
Ruhe! Nous sommes déjà serrées comme dans le
train, mais il paraît que cela ne suffit pas; et nous
finissons par comprendre avec horreur que les neuf
cent quatre-vingts femmes devront tenir dans cette
pièce. Il fait une chaleur effroyable, on s'invective,
on se monte dessus, on se trouve mal. En fin de

---

1. Témoignage Elisabeth Will. Publication de la faculté
des Lettres de Strasbourg. *Témoignages Strasbourgeois.* Les
Belles Lettres, 1947.

compte, le résultat est atteint : les neuf cent quatre-vingts femmes sont bourrées dans la salle. C'est le plus effroyable cas de compression humaine que j'aie jamais vu. Sur le seuil, la policière demande une interprète, puis avec un fort accent slave, elle tient à peu près ce discours :

« Vous êtes ici dans un camp de concentration. On se lève à trois heures et demie, on travaille douze heures, on se couche à sept heures du soir. Vous travaillerez au camp ou dans une usine des environs. Si vous désobéissez, vous aurez vingt-cinq coups de bâton ou vous irez au bunker (cachot). Vous n'avez pas le droit de garder vos affaires personnelles; les pratiques religieuses sont strictement interdites. N'essayez pas de vous évader, les murs sont garnis de barbelés électrifiés et les S.S. ont des chiens. Ah, encore une chose : il y a environ vingt mille femmes ici, et chaque semaine il y a trois libérations. C'est tout. »

Nous n'avons pas le temps de réaliser : coup de sirène, toutes les lumières s'éteignent, cris, remous. La policière hurle : Ruhe! Ruhe! Ruhe! La sentinelle, dehors, cogne dans les carreaux et hurle : « Fenster zu! » L'interprète clame des ordres dans la tempête : il y a alerte, on doit observer un silence complet et comme les femmes ne se taisent pas, il faut fermer les fenêtres sans quoi on tirera dedans. Par quels miracles, à la suite de quels pugilats, les fenêtres hautes, difficiles à atteindre, sont-elles enfin fermées? Le silence finit par s'établir, épais, terrifiant. Je suis debout en équilibre instable, sur un pied, de toutes parts des corps humains, haletants, suants, s'aggripent à moi. Si j'ouvre la bouche, les cheveux de ma voisine me rentrent dedans. De minute en minute, l'atmosphère devient plus irrespirable. Nous sombrons dans un abîme d'angoisse et de désespoir. Au-dehors, les sentinelles font la ronde, puis des avions passent, très haut. Lentement, le jour blémit aux fenêtres. Coup de sirène : le camp retrouve son activité. Nous apprenons que l'alerte est finie, et qu'on va ouvrir une seconde salle, analogue à celle-ci, à l'autre bout de la baraque. Effectivement, deux heures plus tard, notre espace vital a doublé : on a maintenant un minimum de place pour s'accroupir sur son bagage, plus un couloir surencombré, deux lavabos et un W.C. Mais la circulation est tellement difficile qu'on ne se déplace qu'en cas de nécessité absolue. Dans le lavabo, celles d'entre nous qui sont médecins ont installé une infirmerie : il y a plusieurs cas de maladies graves, sans compter les crises de nerfs et les syncopes. Le W.C. comporte cinq places, dont une est impraticable; il faut faire la queue; de même, si l'on a la prétention de se laver. Peu à peu, un semblant de service d'ordre s'organise; les policières amateurs font prendre patience aux gens, les exhortent à la bonne humeur. Dans le courant de la matinée, on nous apporte du café-ersatz; c'est la première fois que nous buvons depuis des éternités.

Vers deux heures les bandes rouges reparaissent :

— Tout le monde dehors. Avec bagages.

Ruée effroyable pour sortir les ballots par l'unique porte et les fenêtres. Quand l'opération est à moitié faite, contre-ordre :

— Tout le monde dehors, sans bagages!

Les ballots rentrent non moins tumultueusement. On nous aligne sur le vaste espace de sable devant le block. Une « Aufseherin », aidée de l'interprète, procède à un appel nominal interminable. Sur ses listes, qui sont celles du transport, nous sommes classées par ordre d'arrivée à Compiègne, mais ici on nous a disposées par ordre alphabétique; il s'en suit une confusion inexprimable. Nous commençons à apprécier l'organisation allemande. Il fait froid, l'air est vif, il neige un peu. Après deux heures de pause, tout le monde est réexpédié au block : bataille pour récupérer sa place et ses bagages. Chaque femme défend son coin comme si elle devait y demeurer toujours. L'atmosphère est à la tempête, le brouhaha des voix devient un mugissement formidable, plus pénible encore que la chaleur et l'odeur d'humanité sale. Or, nous sommes jeudi; je resterai là-dedans jusqu'au lundi soir.

On nous apporte à domicile la pitance maison : soupe de rutabagas, pain noir et margarine. Mais nous avons nos colis de la Croix-Rouge, que nous dévorons à belles dents. Les policières qui vont et viennent, consentent à causer : ce sont pour la plupart des Tchèques et des Polonaises qui savent à peu près l'allemand. Elles voient que nous avons beaucoup de belles et bonnes choses dans nos bagages et elles commencent un chantage discret :

« De toute façon, on ne vous laissera absolument rien. Alors, donne-moi un foulard, un peu de parfum, et je te rendrai service à la fouille... Si tu me donnes ton sucre, je cacherai ta montre, et ils ne l'auront pas... Tu veux sauver tes photos? Je connais quelqu'un qui te les gardera, mais il me faut une paire de bas de soie... »

Et ainsi de suite, pendant cinq jours; les Françaises, affolées, donnent dans le panneau et se préparent des complications futures.

Entre-temps, miracle, nos valises ont reparu. Un beau matin, on nous invite à aller les récupérer. Elles gisent dans le sable saupoudré de neige, fracturées ou éventrées. Tout ce qui ressemblait à des boîtes de sardines, à des trousses de toilette ou à du linge de soie, s'est envolé. Le reste servira à encombrer un nou davantage le block 26 et à compliquer un peu davantage la cérémonie bi-quotidienne : car matin et soir, le jeu continue :

« Tout le monde dehors, sans bagages... Non, avec bagages ! »

Cela deviendra proverbial. Je bénis ces heures de piquet au grand air, où l'on peut enfin s'étirer de toute sa longueur. Peu à peu, nous voyons clair dans notre affaire; on ne nous attendait pas à Ravensbruck; le transport est tellement énorme que le personnel est débordé et le matériel insuffisant; on ne sait où nous loger, les ateliers de couture fabriquent à tour de bras des robes rayées; ils fournissent tous les jours de quoi habiller un petit groupe qui disparaît à l'heure de l'appel, augmentant ainsi notre espace vital. La première nuit, j'ai dormi debout, la seconde les genoux aux dents, la troisième avec une jambe précautionneusement allongée. Comme je suis au W de la dernière liste, je sais que je finirai par avoir deux mètres carrés de plancher à moi seule. Mais l'atmosphère du block 26 devient de plus en plus pénible, si bien que la perspective de la douche et de la robe rayée qui me semblait d'abord insupportable, se pare soudain de charmes insoupçonnés. Puis cela redevient un cauchemar : quelques-unes d'entre nous ont aperçu par la fenêtre un groupe d'amies revenant des douches. Presque toutes étaient rasées. On ne parle plus que de cela. Les policières, consultées, affirment qu'on ne rase que celles qui ont des poux. Alors le block 26 est pris d'une furie d'épouillage : on fait effectivement quelques captures, mais infiniment moins que le nombre des tondues ne permettait de le prévoir. Alors quoi?

Le lundi soir enfin, c'est mon tour. Je troque mon nom contre le numéro 27 856. Je dépose mes bijoux et quelques centaines de francs, on les enferme dans une pochette, je signe le reçu dans toutes les formes. Le gros de mon argent, je l'ai cousu dans mon sac à main et dans mon sac de montagne; perdu pour perdu, ils ne l'auront pas. Puis nous sommes amenées aux douches. C'est une salle très vaste, entourée d'autres plus petites où se font la fouille et l'épouillage. Notre fournée est très nombreuse et c'est l'heure où ces dames vont dîner. On nous empile avec armes et bagages au centre de la salle des douches, et nous avons le temps de nous organiser : celles qui n'ont pas encore passé la fouille glisseront leurs objets précieux à celles qui en sortent et qui les garderont.

Ainsi fut fait à la reprise des opérations. Ces dames étaient fatiguées et visiblement pressées d'expédier la corvée. Une policière explora rapidement le contenu de ma valise, déchira d'un geste méprisant une liasse de papiers en allemand : les traductions, fruit de mes deux mois de prison, et peut-être le meilleur travail que j'aie jamais fait. Elle envoya le tout voler sur le plancher, les livres allaient suivre quand la « aufseherin » de service les attrapa au vol :

« Ce sont des romans allemands?

« — Mais oui, Madame.

« — Tiens, vous parlez l'allemand? Vous êtes Allemande?

« — Non, je suis Française; mais je suis professeur d'allemand.

« — C'est intéressant, ce machin-là? (C'est un gros roman historique de 786 pages.)

« — Très intéressant. (Je doute fort que cela puisse amuser une dame S.S.) Elle l'a empoché.

« — Ça va. Laisse-la tranquille. »

Et la policière fait preuve d'une magnanimité rare. Elle enferme dans un grand sac de papier mou manteau, une robe, une paire de souliers, un peu de linge; de quoi m'habiller décemment, au cas invraisemblable où je viendrais à être libérée. Je lui dis :

« Vous oubliez les bas. »

Elle cligne de l'œil :

« Pas besoin. Vous êtes Française, hein? Vous serez libérée à la belle saison. »

Une fois de plus, je signe un reçu. Puis, rapidement, elle trie le restant de mes affaires. Elle me laisse mes chaussures de montagne (chaussures de travail, m'explique-t-elle), deux chandails, du linge. Puis, cherchant un récipient, elle avise mon sac de montagne, fourre le tout dedans et me le tend. J'ai failli crier de joie. Puis je profite d'une discussion avec la cliente suivante pour rafler encore quelques menus objets. Le reste est lancé sur une immense pile de bric-à-brac qui grandit au fond de la pièce.

Traînant mon sac, je passe l'épreuve redoutable entre toutes : on examine tous les endroits de notre personne susceptibles de receler de la vermine, et l'on termine par les cheveux : il me semble que l'on rase moins que les jours précédents; le bourreau doit être fatigué. J'ai le temps de faire quelques observations : les poux (ou les S.S.?) semblent avoir peu de goût pour les cheveux teints ou décolorés. Ils semblent marquer une vive préférence pour les belles chevelures d'un blond naturel que l'on range soigneusement dans une corbeille. C'est mon tour. Une Finlandaise blafarde plante ma tête sous le projecteur et cherche, cherche. Que c'est long. Donc, c'est qu'elle ne trouve rien? Elle m'envoie promener : « Los! » Je suis sauvée. Je passe aux douches. De ma vie, je ne fus si confuse qu'en apparaissant avec mes cheveux défaits parmi mes camarades rasées...

BLOCK 27

18 octobre 1943 [1]. Du petit block 5, où nous avons
subi notre quarantaine, nous voici transférées au
block 27 le dernier construit à l'époque, là-bas, au
fond du camp, derrière les barbelés, dans le sable
même. Voici dans quelles circonstances :

Une visite de sept officiers, la veille; leur morgue
satisfaite, tout laisse prévoir une « aventure ». Le
soir, notre théâtrale Blockowa — Mme Brandt — nous
annonce notre déménagement; elle triomphe :

« Ces messieurs, dit-elle du ton le plus sérieux,
veulent que vous soyez plus à l'aise; vous aurez un
très grand block, un lit personnel, des bonnes couvertures pour l'hiver, un immense lavabo, une salle
à manger spacieuse, si propre que vous mangeriez
par terre. »

J'entends encore ces paroles enthousiastes, mais
par trop fallacieuses. Pour l'instant, il faut sortir, laisser au dortoir notre literie toute neuve encore, indi-
viduelle pendant la quarantaine, et que nous avons
entretenue aussi propre que possible — défense de
l'emporter. En hâte, les rangs se forment et s'avancent, nous passons une porte de barbelés ouverte
pour nous, gardée par deux policières, et nous voici
devant le fameux block 27. Quinze cents Tziganes
et Russes viennent de le quitter, envoyées dans un
convoi de fabrique. Une odeur de foule règne encore
dans les salles. A notre grande stupeur, tout est d'une
saleté repoussante; dans le couloir, l'urine coule jus-
que dans la « dienstzimmer », notre chambrée à tout
faire, le lavabo est plein d'immondices et sans eau,
l'électricité et les conduites d'eau ne fonctionnent
pas; aux waters le tableau est saisissant, l'on n'y pénè-

---

1. Rosane : *Terre des Cendres*. Les Œuvres Françaises,
Paris 1946.

tre pas, les cuvettes débordent, les portes sont démolies, l'odeur prend à la gorge. Toutes, nous avons couru au dortoir pour nous assurer un lit. C'est un comble, jamais nous ne pourrons coucher là-dedans, les couchettes sont défoncées, branlantes; ce qui tient lieu de paillasse est un sac crasseux, crevé, grouillant de poux, et les sacs de couchage sont incroyablement sales, tachés de sang et maculés par des pieds qui ont traîné dans la boue et le reste. C'est cela que l'on offre aux « Françaises ».

Naïves, nous espérons du linge propre, de la literie de rechange; nous l'avons attendue trois mois — le temps d'attraper la gale. Je l'ai eue immédiatement, dès le surlendemain, et nous y avons toutes passé; beaucoup ne s'en sont jamais guéries, gale vite infectée, purulente, à laquelle on a donné le nom d'avitaminose; les deux se sont conjuguées en d'horribles plaies jusqu'à la mort. Nous n'avons pas un chiffon pour protéger ni nettoyer ces abcès qui coulent et collent à notre chemise sale, les croûtes s'arrachent en marchant. C'est pitoyable. Déshabillées, nous nous faisons horreur. L'on utilise des enveloppements de papier, on graisse les pustules à la margarine, on les mûrit avec un cataplasme de rutabagas au moment de la soupe, et l'on se gratte malgré soi, sans cesse, nuit et jour... Bientôt nous sommes envahies de poux, personne n'y échappe; celles qui travaillent à l'atelier n'ont pas un instant libre pour se les tuer. Le soir, quand on rentre après l'appel, la fatigue domine et, au dortoir, on n'a pas longtemps la lumière; et puis il y a des lits, dans le bas, au fond, où l'on ne voit pas. Là-haut, sous la lampe électrique, plusieurs s'activent à craquer entre leurs doigts les bêtes; au-dessous, on crie parce qu'on en reçoit dans la gamelle...

Avec la vermine vient la dysenterie; il fait très

froid, l'on manque toujours d'eau, les malades net-
toient plus ou moins leur linge, que nous n'avons
pas le droit de faire sécher; il faut le remettre mouillé.
Une trentaine de femmes meurent en quinze jours,
vers Noël.

A cette époque de l'année 1943, nous sommes certainement les plus malheureuses du camp. Pourquoi
ces officiers sont-ils venus nous voir? Comme ils se
sont joués de nous; avec quel cynisme et quelle iro-
nie ils ont osé faire de trompeuses promesses. Nous
n'avons rien demandé, mais ils se plaisent à piétiner
leurs victimes, car ces Boches ne respectent rien...

Nos malheurs s'accumulent, nous n'avons pas le
droit d'écrire en France, toutes les autres prisonnières, y compris les Belges, sont autorisées à recevoir
et à envoyer une lettre par mois. Pour nous, il n'est
évidemment pas question de colis puisque nos familles ignorent où nous sommes et que Vichy, comme
la Croix-Rouge à son service, ne se soucie absolument pas des déportées. Nous nous rongeons d'inquiétude en songeant aux nôtres qui restent sans
nouvelles; nous avons faim, la maladie a de plus
en plus prise sur nous, les punitions redoublent sans
motif, nous avons sept dimanches successifs sans
soupe, mais avec pause de six heures et marche forcée. Nous passons pour des femmes de rien, des filles;
l'on nous menace de faire l'appel sous les jets d'eau,
avec les chiens.

Au cours des mois d'octobre et novembre, notre
block s'était rempli au-delà du possible. Nous étions
plus de 1 100 au lieu de 5 à 600. D'abord, nous recevons un groupe de « Mischelinge », demi-Juives res-
capées de Birkenau, puis par centaines des femmes
et des enfants, sujets hongrois, roumains, turcs, juifs
traqués plus tardivement, du bébé de deux ans aux
grands garçons de quatorze ans, trente-trois natio-

nalités différentes s'affrontent, l'on parle tous les jargons dans le block. Il y a de très vieilles femmes : six ont près de 80 ans, trois ont 76 ans; elles voisinent, au lavabo, avec les garçons nus. Le manque d'hygiène devient effarant et chaque soir de nouveaux contingents arrivent, il faut se serrer; c'est facile à dire, nous sommes déjà sept sur deux petites paillasses! Après l'appel, nous courons nous coucher, de peur de trouver « notre » lit occupé, cela se produit souvent! C'est aux plus sans-gêne; à qui se plaindre? L'on s'étend par terre, la robe sur soi en guise de drap. N'importe quelle inconnue, sale ou malade, s'impose sur notre paillasse. Malheur aux isolées qui ne se sont pas encore fait de véritables camarades, car, dans cette foule, il faut lutter, se débattre, se défendre à chaque minute. Deux jeunes étudiantes de Lyon ont partagé un mois le grabat d'une vieille femme juive couverte de poux et déjà atteinte de typhus; il n'y a, ce soir-là, plus de place, même sur le plancher. Dans un coin du dortoir, on se plaint d'une certaine Marcelle, fille de cabaret louche, grossière et repoussante. « Sur ses pieds, dit l'une de ses voisines avec dégoût, l'on ferait germer des pommes de terre. »

BLOCK 32

Au [1] block 32 de Ravensbruck, nous avions un groupe de Belges venant des prisons de Belgique et d'Allemagne. Elles appartenaient presque toutes à la Résistance Belge. Comme nous, Françaises, elles portaient le triangle rouge sans initiale de nationa-

---

1. Suzanne Busson : *Dans les griffes nazies.* Imprimerie du Maine Libre. Le Mans, 1952.

lité (la Belgique était sans doute, avec la France,
considérée comme étant sous protectorat allemand).
Appartenant moi-même à un réseau belge, je frater-
nisais avec beaucoup d'entre elles. Plusieurs, ayant
voyagé en France, évoquaient des paysages connus,
de longues randonnées à travers les Alpes et... surtout Paris ! J'étais passée à Bruxelles un jour de fête,
et elles étaient fières d'apprendre que j'avais vu le
Manneken-Pis revêtu de ses beaux atours. Fières aussi
de leur charcuterie succulente, de leur pâtisserie déli-
cieuse que j'avais appréciée pendant mon séjour,
riant de m'entendre leur rappeler les noms de certaines rues de Bruxelles, à évocation culinaire : rue
des Harengs, rue des Radis, rue du Fromage, impasse
de la Moutarde...

La Belgique côtoyait... la Chine. Dans le block 32 se
trouvait en effet Nadine, la Chinoise, qui, ayant habité
longtemps Pékin, nous initiait aux coutumes ances-
trales de son pays, nous parlait de ces paysages de
rêve aux arbres rabougris, aux maisons de papier,
aux meubles de bambou et de ces fêtes splendides,
des cerisiers en fleur.

A côté d'elle, Blanchette, pauvre petite Négresse
tuberculeuse, toussait nuit et jour, souffrant beaucoup des rigueurs de la température nordique. Ses
grands yeux fiévreux semblaient toujours interro-
ger comme un enfant qui ne peut comprendre l'in-
justice des hommes. Et, naïvement, elle demandait :

« Pourquoi les vilains missiés l'avaient emmenée
et ce qu'ils allaient lui faire. »

Bonne d'enfants chez des résistants, ignorant tout
de leurs secrets, elle était arrivée à Ravensbruck
après deux mois de Fresnes, sans aucun interrogatoire.

VI

KOUTA

Elle se dresse [1] de quelques centimètres dans un effort surhumain. Les bras se lèvent. Pauvre oiseau qui veut battre l'air. La couverture glisse. Le corps, plaie immense, chair à nu, retrouve sa place dans le creux de la paillasse souillée. Deux grands trous noirs me fixent, me transpercent. Elle ouvre la bouche, la referme, l'ouvre encore. Dans le vacarme des cris, des toux, des râles du Revier, je crois entendre un mot : « Kouta. »

C'est la première fois que je vois une femme mourir. Une femme? Ce pourrait être un homme (un vieillard), une jeune fille (une enfant). Je la crois Polonaise. Je la crois femme de trente-cinq ans. Je la crois nouvelle au camp. Elle est entrée au Revier il y a trois jours; je ne sais même pas si une doctoresse a eu le temps de l'examiner. On lui a donné une place au second étage, dans l'un des quatre chalits réservés « aux morts ». Je crois qu'aucun vivant rentrant dans ce block et affecté « aux morts », n'a

---

1. Témoignage inédit Josette H. (décembre 1971).

dépassé cinq jours. Je suis à la frontière du secteur
« aux morts ». Les autorités qui craignent tant les
souillures, les odeurs, les microbes — surtout les
microbes — ne s'aventurent jamais dans les parages
des condamnées et la hiérarchie prisonnière profite
de ce « no man's land » pour cacher, abriter, regon-
fler ses protégées.

— Kouta! Kouta!

La voix râcle, bave.

— Kouta!

On crie « ta gueule », « silence » en sept ou huit
langues.

— Kouta!

— Encore.

Qui est Kouta? Que veut dire ce « Kouta »? Je
parie qu'elle ne tiendra pas une heure, qu'elle ne
pourra prononcer son « Kouta » plus de dix fois. Les
bras se lèvent. Les doigts, désespérément, tentent
d'agripper une planche de la couchette supérieure et
ne crochettent que le vide. Mourir! La Polonaise va
mourir. Seule. Moi, la « planquée » aux amitiés effi-
caces, je ne vais tout de même pas rester indifférente.
Je dois me lever. L'assister. Etre présente. Pourrai-
je supporter ses yeux...?

— Kouta!

Elle étreint ma main. Une main jaune. Une main
fine. Mais sans blessure. Main froide aux ongles brill-
lants.

— Ne bougez pas. Le docteur va venir.

J'ai l'impression de voir courir son sang sous la
peau transparente. Le sang à peine coloré. Bleu des
veines et des vaisseaux. Et ces plaies? Ces plaies horribles. Sûrement érésipèle... On ne meurt pas d'érésipèle même généralisé. Zona, autre chose plus grave?

— Kouta!

La voix n'est plus qu'un souffle. Le visage se calme.

Paisible. Elle veut partir paisible. Peut-être est-elle capable d'imaginer, de revoir en elle. Une infirmière me bouscule, me secoue.

— Vite! Au lit. Si on te voit debout, on va te faire sortir et tu dois rester ici encore au moins deux jours.

— Mais elle va mourir.

— Ce n'est pas la première. Elle était déjà morte quand elle est entrée.

— Elle vit encore!...

— Pour nous elle était morte. On n'arrive pas à sauver les malades légères, alors les autres! Allez remonte.

Les yeux noirs. La main. La main s'agite...

— Kouta!

— Une seconde, attendez, elle veut me dire quelque chose.

La mourante ferme les yeux. Les joues se gonflent légèrement. La main remonte vers les reins. L'infirmière me pince le bras :

— Vite!

— Attendez! Regardez elle me tend quelque chose. Une ceinture! C'est une ceinture! C'est pour moi.

J'avance d'un pas. Les paupières entrouvertes clignotent, la main me tend la ceinture.

— Kouta!

Je sais que c'est le dernier « Kouta ».

— Merci! Merci!

Je suis déjà sur ma paillasse, la ceinture cachée sous mes cuisses. Je n'ose tourner la tête vers le coin « aux morts ». « Qui est-elle? » J'ai bien dans l'œil le visage des Polonaises... Elle n'est pas tout à fait Polonaise. Peut-être les pommettes...

Elle « durera » encore six heures. Six heures d'immobilité, de silence. Six heures... et puis rien : un simple relâchement des muscles. Une mort exem-

plaire, sans éclat. J'ai vu et j'ai compris cet éclair de
seconde où tout était fini mais, en revanche, je n'ai
pas compris cet autre éclair qui me transperçait et
qu'aujourd'hui, — presque trente ans après — je
n'arrive pas à oublier. Oui, aujourd'hui je suis glacée d'horreur en tournant cette ceinture de « Kouta »
entre mes doigts. Oui aujourd'hui où Ravensbruck
me semble si loin, j'ai honte de cet instant. Lorsque sur cette couche infâme ma voisine est morte,
une joie immense est montée en moi. Une explosion
de joie. Peut-être sans doute, le plus grand instant
de bonheur de ma vie. « C'est elle qui est morte ! Et
moi je vis. » Comme si cette mort d'une inconnue
me fournissait une chance de plus. « C'est elle qui
est morte ! Et moi je vis. » Une seconde qui me pour-
suivra jusqu'à ma mort. Une seconde d'oubli. Je ne
crois pas : une simple seconde où la véritable
« nature inhumaine » fabriquée par l'internement et
la déportation remontait à la surface... Plusieurs de
mes amies de Ravensbruck ont « ressenti » cette
seconde inimaginable en voyant mourir une déportée.
C'est cela, pour moi, le plus grand crime de
Ravensbruck.

VII

DIALOGUE

Madame de... (la comtesse) : Mesdames, nous voudrions bien dormir. Il est tard.

Louisette (la bergère) : Vous avez oublié votre gymnastique.

Madame de... : Quelle gymnastique?

Louisette : Vous savez bien que vous ronflez. (Rires.)

Madame de... : Ronfler? Moi?

Louisette : Vous nous faites le numéro chaque soir. Vous ronflez et vous empêchez de dormir vos voisines.

Madame de... : Bon! Je ronfle! J'ai oublié les mouvements.

Louisette : Avec moi Madame de... Je commence (elle chantonne). Et un et un, je pince le nez. Et deux et deux, mes épaules bien à plat sur le lit.

Madame de... : Moins vite!

Louisette : Bien à plat, et deux et deux. Et trois et trois, je tousse trois fois. Et quatre et quatre...

La voisine de Louisette lui souffle à l'oreille :

— Alors c'est pour ce soir? Tu lui fais le coup ce soir? Elle marche. Elle a déjà marché six fois. Demain elle se doutera de quelque chose.

Louisette baisse la tête.

— Et cinq et cinq, je creuse le ventre cinq fois. Et six et six...

Madame de... : Moins vite!

Louisette : Et six et six... je lève la jambe droite. Et sept et sept, répétez avec moi, et sept et sept.

Madame de... : Et sept et sept.

Louisette : Pour ne plus ronfler en dormant.

Madame de... : Pour ne plus ronfler en dormant.

La voisine : Vas-y maintenant!

Louisette : Et sept et sept, je pète sept fois.

Rires. Eclats de rire.

Madame de... (indignée) : Oh! Oh! Ah!

La voisine : Bravo! Tu l'as eue!

Madame de... : Oh! c'est inqualifiable, inadmissible!

Louisette : Ce n'est pas bien méchant.

Madame de... Inadmissible, je vous dis. Je sais que nous sommes dans une porcherie, mais tout de même... Je ne vous adresserai plus la parole. Bonsoir!

VIII

LES HONNEURS

Bouche. Oreille.
— Vous vous rendez compte!
Et bouches, et oreilles.
— C'est incroyable!
En moins d'une heure, « l'événement » a fait le tour du camp.
— Impossible! Impossible! Qui pourrait imaginer une telle scène dans un camp de concentration?
— Mais si. J'y étais. Des milliers de femmes ont vu. C'était juste après l'appel, au moment où sont formées les équipes de travail. Devant tout le monde, et tout le monde a vu.
Bouche. Oreille.
Et bouches, et oreilles.
Après le camp — des cuisines au Revier en passant par les bunkers — sur le terrain des kommandos :
— Moi j'ai vu. Et Bernadette, et la grosse Louisette, et Angèle. Angèle a même craché par terre. Quel dégoût!
— C'est incroyable!
— Impossible!

— Mais si vous la connaissez : la grande sèche...
Elle va sur quarante-cinq, cinquante. Un peu toujours
à l'écart... sur la défensive.

— La puante?

— Puante? Puante non! Je dirai distinguée; une
vraie instruction. D'ailleurs elle est noble. Vous ne
connaissez qu'elle.

— J'ai trouvé! La Bordelaise! Oui, j'ai trouvé :
Denise de Mar... Cela ne m'étonne plus. Et alors?
Par le menu, ça a donné quoi? D'où sort-elle?

— Oh! son histoire est simple. Tout a commencé
par l'Action Française, et puis après, quand ces messieurs sont arrivés, elle est passée à leur service.
Elle aurait vendu sa famille pour un sourire d'officier supérieur. Elle en a profité et eux également.
Ils ont commencé à s'énerver quand elle a insisté
pour faire arrêter son ami : un monsieur très
« comme ça », très « comme il faut », très « indifférent » — indifférent politiquement bien sûr — mais
« très aisé ». Pour avoir la paix, les Allemands ont
arrêté le « protecteur ». Quelques mois plus tard,
Madame de Mar... change d'avis — les écus du Monsieur devaient lui manquer — et réclame à la Kom-
mandantur sa libération. « Très bien Madame! » Le
lendemain matin, la Gestapo arrête Madame de Mar...
Au Fort du Hâ, elle a bénéficié de certaines protec-
tions, on lui a même amené son chien dans sa cellule. J'ai voyagé avec elle pour venir ici. Dans le
wagon, elle était très déprimée. Elle ne devait toujours pas comprendre ce qui lui arrivait : « Me faire
ça à moi... moi qui... moi que... » et elle nous mon-
trait la photographie de son fils qui servait dans la
L.V.F. Un très beau volontaire! Un très bel uniforme! Notre petit groupe de Résistantes était écœuré.
Et puis voilà! Tu connais le reste. Ce matin, après
l'appel, un S.S. a appelé le numéro de M⁻ᵉ de Mar...

Le S.S. était escorté d'une dizaine d'hommes en armes. Celles du premier rang ont cru que c'était un peloton d'exécution. Le S.S. a dit : « Madame, votre fils a été tué sur le Front Russe. » Madame de Mar... a fermé les yeux, puis elle s'est redressée. « A mon commandement! » Les soldats ont présenté les armes. Longuement. Reposez. Demi-tour. Fini. Elle est restée seule, puis une kapo en la soutenant l'a ramenée au block. Je n'ai jamais, depuis, entendu dire qu'on avait ainsi rendu les honneurs à une déportée, dans un camp [1].

---

1. Témoignage inédit Mᵐᵉ G... L... (Bordeaux, décembre 1971).

IX

DIALOGUE (bis)

Madame de... (« La comtesse » réconciliée depuis la veille avec Louisette « la Bergère ») : Comment trouvez-vous ma nouvelle robe?
Une longue robe rapiécée, composée d'au moins sept morceaux de tissus différents.
Louisette : Pour tomber, elle tombe. Elle tombe même trop.
Madame de... : Le col?
Louisette : Il bave.
Madame de... : Les poches?
Louisette : Ah ça, les poches elles chient et pour chier...
Madame de... : Mais enfin Louisette, je vous prie, vous n'allez pas recommencer? Vous ne pouvez prononcer une phrase sans vulgarité.
Louisette : Vulgarité? Ce n'est pas vulgaire. En couture « chier » est un mot courant. Quand une robe a des poches mal fichues, mal plaquées, on dit « elles chient ».
Madame de... : Ce n'est pas possible!
Louisette : Je vous le dis. Tenez j'ai travaillé chez

Molyneux. Et Molyneux qui avait un langage de poète, c'est connu, disait des « mauvaises » poches : « elles chient ». C'est comme ça.

Madame de... : Une poche qui « chie », je ne m'y ferai jamais.

Louisette : Et pourtant...

La voisine : Tu l'as encore eue !

Louisette : Non ! Puisque je le dis. J'ai travaillé chez Molyneux. Une poche qui chie c'est une poche qui chie. Je lui ai appris au moins quelque chose à la comtesse.

Une voix : Silence, chipies !

X

LOUISE

— J'avais dit, j'avais juré [1] : « Ce jour-là, je ne
l'oublierai pas » ; et aujourd'hui je ne sais pas si
c'était en juin ou en août. Enfin! nous étions, par
un beau matin ensoleillé de ce dernier été de nos
longues « vacances », réunies sur la place d'appel
et Louise, la petite Belge aux taches de rousseur,
était placée juste derrière moi. Soudain, ses deux
mains se plaquent à ma taille. Je n'ose me retourner. Je pense que mes épaules larges la dissimulent
aux yeux des gardiennes et, qu'épuisée, elle en profite pour s'appuyer sur moi, pour se reposer. Une
quinzaine de secondes passent. Ma voisine de droite,
une autre Belge pouffe de rire et au même instant
les dix doigts de Louise s'agitent, pétrissent l'étoffe,
la peau, la chair... prennent du recul et, phalanges
en marteau, reviennent à la charge. Ces attouche-
ments légers et répétés brisent mon garde-à-vous et
déclenchent un rire convulsif -- en hoquet. Je tape

---

1. D'après une interview de Margarett Breitmann. Lausanne.
Novembre 1971.

du pied, d'un coup de reins tente vainement de me dégager. Une douleur sourde gagne mon plexus solaire... Je m'entends articuler : « Allons ça suffit! » Et l'autre insiste : « Encore un petit peu! » Je fixe le sol. Je ris. Mes deux voisines rient. J'ai l'impression que tout le camp rit. Je répète : « Ça suffit! » Louise, de sa voix traînante, lance : « Guiliguili, quiliquili! Il y a longtemps qu'on t'a pas fait guiliguili! » Je crois que je pleure et vlan! un coup de cravache bloque mes mâchoires, efface les picotements des muscles. Les coups pleuvent alentour. La Belge de droite dit : « Merde, si on peut plus se chatouiller entre amies », et le rire repart : fou rire en vagues. Inextinguible.

— C'est fini! Nous sommes cernées de bouches hurlantes. Notre block est puni : « Deux heures! » Deux heures de garde-à-vous sur la place d'appel. Deux heures où, au moins toutes les deux minutes, j'ai dû contracter les muscles du buste et du cou pour éviter qu'une vibration nerveuse n'enfante une nouvelle crise folle. Ce rire de Ravensbruck, c'est mon rire! Je le ressens. Je le revois. Nous avons pu rire, là! Nous avons chahuté sur la place d'appel de Ravensbruck. J'ai été heureuse de rire. Je n'ai jamais revu Louise après son départ en kommando... La petite Belge aux taches de rousseur est morte, écrasée par un rail qu'elle n'avait plus la force de porter.

XI

QUOTIDIEN

L'APPEL

L'appel [1] général est grandiose. Nous voudrions alors qu'une bande cinématographique en fixe pour les foules, dont nous supputons le scepticisme, l'aspect colossal et tragique. Or, à moins que la famine ne s'abatte sur l'Europe et ne lui fasse porter le châtiment des crimes nazis, je doute que jamais metteur en scène ne puisse réunir un jour la figuration convenable.

Une heure après le réveil, ululé par une sirène à 3 h 30 du matin, arrivent dans la vaste Lagerstrasse, qui s'étend d'un bout à l'autre du camp, les colonnes rayées de prisonnières. Seules, les Françaises ont encore un aspect un peu vivant, un peu pimpant qui les distingue de cette foule de Cour des Miracles où bientôt elles se dissocieront. A peine distingue-t-on les Gitanes aux cheveux noirs, au teint olivâtre, des Allemandes, Russes, Polonaises, Tchèques, Hollan-

---

1. Anne Fernier : *Chronique de Minuit*. Paris, 1946.

daises, toutes misérables créatures voûtées, comme
affaissées sous le poids de l'atmosphère d'épouvante
qui pèse continuellement sur Ravensbruck. Les yeux
éteints dans un visage osseux, cireux, grisâtre, la bouche entrouverte, elles serrent un petit sac fait de chiffons, une gamelle bossuée sous le bras. Elles grelot-
tent dans le petit matin, mal couvertes par leurs vieux
vêtements zébrés, sales, effilochés, les pieds dans des
débris de galoches ou de claquettes.

Les plus anciennes portent un incroyable petit
bonnet rayé à trois pièces, noué sous le menton, qui
les fait ressembler à des serves du Moyen Age. « Ah!
dit notre camarade Bella [1], quand je porterai moi
aussi ce bonnet, tu pourras dire que j'ai fini de lutter, que je fais vraiment partie de cette foule, que
ma déchéance est complète. »

Souvent, parmi les pitoyables visages, apparaissent en relief les plus hideux des masques : l'envie,
la haine, la luxure, le vol, le mensonge, la calomnie
et le crime.

La Lagerstrasse est remplie de ces colonnes sinistres que les policières rangent avec des injures et des
coups qui ne sont pas simulés. Quant tout est en
ordre passent rapidement les Aufseherinnen en cape
noire sur le costume gris. Elles se rangent elles aussi.
Un silence affreux plane lorsque sort de son bureau
l'Oberaufseherin triplement galonnée, celle à qui,
sous aucun prétexte, une détenue ne doit adresser
la parole. C'est une forte femme sanglée comme une
dompteuse dans un tailleur gris à jupe courte et haut
bottée. Elle n'a pas de cape, pas de cravate, son col
de chemise reste ouvert, même parmi les grands
froids. Son calot cascadeur, fortement incliné sur la

---

1. Denise Dufournier.

gauche, laisse échapper à droite une énorme touffe de cheveux roux crépus. Quand elle se rengorge, son menton fuyant disparaît dans son cou et son long nez en trompette pointe entre ses yeux gris et fixes... elle est horrible. Elle évoque l'ogresse toute de mal des contes qui font peur aux enfants. Plus tard, j'ai connu aussi l'Ober d'Auschwitz, au rire de démente, celle qui envoyait d'un signe à la mort ou à la rémission, en s'amusant : « Sympatisch... Nicht sympatisch... Sympatisch... Nicht sympatisch [1]... » J'ai connu la petite Ober Annie Schmidt aux traits mutins et charmants, que l'ambition transforme peu à peu en monstre...

L'Oberaufseherin parade un stick à la main, prononce parfois une petite harangue aux surveillantes rangées comme de noirs corbeaux devant le bureau (ô Ravensbruck!), puis rentre en balançant ses hanches cambrées. Mais le supplice de l'appel dure encore longtemps après son départ. La mer des visages jaunes et creusés demeure immobile, à peine agitée par l'affaissement des corps mal reposés sur les étroites paillasses pouilleuses sur lesquelles on ne couche alors qu'à deux. Le petit jour naît, blême parfois, ou au contraire rempli de gloire, apportant aux yeux encore capables d'enchantement des lueurs magnifiquement carminées, d'immenses nuages ourlés d'or vif, une aurore sans indécision parée de couleurs surnaturellement pures par la lumière translucide et froide des ciels baltiques. Que nous sommes loin de France!

Ne courbe pas la tête vers cette terre aride qui boit toute sensibilité, lutte encore; le ciel s'offre à chaque appel.

Plus tard, accablée par trop de maux, tu oublieras

---

1. « Sympathique... pas sympathique. »

peut-être le pire, tu oublieras, infortunée, que tu es privée de liberté... Enfin, la sirène déchire l'air, les prisonnières s'ébranlent, sauf celles qui sont désignées pour le travail et qui doivent encore défiler interminablement; groupe par groupe, devant une bête à lorgnons, la directrice du travail, puis faire la queue devant les baraques qui contiennent des outils, puis se mettre de nouveau en rangs, bêche ou pioche sur l'épaule, pour partir au pas cadencé vers quelque champ de tourbe ou de sable. Leur marche est rythmée par le chant du « pénitentiaire » qui, chaque jour sur un ordre, doit exprimer sa joie au travail; chant allemand d'où toute mélodie est absente et qui n'est plus que sons saccadés, âpres, désespérés.

⁂

— Nous [1] avions formé une sorte de « famille », entre quelques-unes et, pour résister aux interminables appels du matin (par moins 28 à moins 32 l'hiver) nous avions décidé de nous raconter, chacune son tour, une journée comme nous aurions aimé en vivre une... chez nous. Nous devions imaginer la journée complète, évitant toutefois de trop parler « nourriture » (hélas! nous résistions difficilement!). Du matin jusqu'au soir, nous décrivions des promenades au

---

1. Manuscrit inédit Cécile de Majo — Juin 1970 — « Condamnée à mort j'ai été envoyée comme otage (N.N.) à la forteresse de Lübeck où je suis restée d'octobre 1943 à avril 1944. Bien traitée, comme prisonnière politique, dépendant de l'article n° 5 de la loi allemande (espionnage). Cela m'a permis de survivre, ayant eu moins de camps de concentration à subir. Ma condamnation à mort m'a en somme sauvé la vie! Lorsque les Allemands se sont sentis perdus, ils ont envoyé tous les otages (N.N.) dans les divers camps de concentration (cela leur coûtait moins cher et nous ferait mourir plus vite). Quittant Lübeck, nous fûmes envoyées d'abord à la forteresse de Kottbus. Nous étions environ deux cents femmes N.N. à Lübeck et Kottbus. A Kottbus, il y avait des Françaises arrivées avant nous, que nous voyions se promener dans la cour menottes aux poignets, ceci depuis deux

bois (avec chiens), des expositions de peinture, des visites aux « collections » pour les coquettes, un bon film pour les frivoles, une conférence pour les intellectuelles, un bridge pour les joueuses. Il était pratiquement impossible d'ignorer le déjeuner, le goûter chez l'une d'entre nous, le dîner. Ces journées merveilleuses que nous nous racontions nous aidaient à passer ces longues heures debout, dans la nuit, le froid, l'odeur et la lueur sinistre du crématoire.

Une cigogne [1] est passée ce matin au-dessus de nos rangs misérables et les visages se sont tendus vers l'oiseau qui planait, merveilleux dans le ciel bleu... sous des nuages tout blancs et nos joues creusées ont rougi parce que notre cœur a battu plus vite. Peut-être retournait-elle en Alsace!... Nos yeux l'ont suivie, encore, encore, longtemps... Un sillon lumineux traînait derrière elle dans lequel il nous semblait lire : « Espoir. »

Pendant l'appel, dans le matin glacial, une cigogne est passée dans le ciel de Ravensbruck.

___

mois, paraît-il. Ces menottes n'étaient enlevées que deux heures sur vingt-quatre heures, pour la soupe et la toilette! Elles n'ont jamais su pourquoi elles subissaient ce traitement inhumain! Dans cette forteresse, nous étions encore à peu près convenablement traitées. Nous devions tresser des feuilles de maïs séchées pour en faire des cordages pour la marine. Au lieu de ça, nous nous sommes fabriqué des sandales d'été, et les avons mises toutes ensemble, le même jour, pour la promenade quotidienne. Les gardiennes, d'abord stupéfaites, puis furieuses, voulaient nous punir. Puis, comme nous avions réussi de ravissantes sandalettes — (en couleur grâce à du permanganate, de la mine de crayon, etc.) elles ont réfléchi... au lieu de punition... nous avons dû faire des sandales, cothurnes, pantoufles, pour toutes les gardiennes... et leur famille! C'était plus gai que les kilomètres de tresses à cinq bouts...!

1. Denise Leboucher. Inédit.

LA FAIM

Qui de nous n'a eu faim [1] son saoul à Ravensbruck ou à Mauthausen? Faim lancinante, faim qui tortille les entrailles et vous laisse sans force en proie à de constants vertiges.

J'ai toujours eu un appétit féroce; mes camarades de Montluc s'en souviennent bien! Plus que quiconque, à Ravensbruck, j'ai connu la faim obsédante, la faim furieuse qui ne se calme jamais et ne fait que se déchaîner au moment des repas.

Nous avions commencé par avoir une soupe le matin et le soir, éternelle soupe de choux et de rutabagas souvent déshydratés. Si nous attendions le samedi à cause du petit bout de margarine et de la rondelle de saucisson octroyés ce jour-là, nous redoutions en revanche le quart de café tiède qui nous était servi à la place de la soupe. La boule de pain noir mélangé de paille ne durait pas longtemps. Ce pain sentait le moisi, mais nous le mangions avec délices! Il arriva une époque où notre ration fut réduite et où la soupe du soir fut supprimée définitivement. Quant à la soupe de midi, elle était de plus en plus inconsistante : c'était de l'eau trouble dans laquelle nageaient quelques débris de légumes. Les affres de la faim se firent terribles : lorsque nous descendions de nos lits, la tête nous tournait, et nous manquions tomber de faiblesse. En ce temps-là, nombreuses furent celles qui s'évanouissaient à chaque appel. La tranche de pain allait s'amincissant de jour en jour; nous cherchions à en tirer le maximum de profit nutritif; certaines prétendaient qu'il était préférable de la manger en une fois et que l'estomac tenait mieux à ce régime; d'autres l'économisaient,

---

1. Violette Maurice : N.N. Spes, Saint-Etienne, 1946.

la mangeaient miette à miette, à chaque heure de la journée. Nous avions aussi remarqué que, lorsque nous l'avalions sans mastiquer, l'impression de faim était momentanément calmée; la plupart d'entre nous la mangeaient très lentement, en faisant durer le plaisir le plus longtemps possible. La dernière bouchée était épouvantable; elle avait un avant-goût amer de faim renouvelée; elle marquait le début des souffrances de l'attente du pain suivant.

Aux jours prodigues où nous avions une patate supplémentaire, les Russes allaient chercher les épluchures dans les poubelles; mais elles n'en retiraient pas grand-chose, car rares étaient celles d'entre nous qui épluchaient encore leurs pommes de terre.

Les scènes pénibles se multipliaient : dans les Revier mouraient de faim les malades trop faibles pour lutter, à qui on volait leur ration de soupe ou de pain. Les prisonnières en arrivaient à se piller les unes les autres; on vit même certaines femmes, qui se piquaient d'être du monde, prendre en cachette la nourriture de leurs camarades et de leurs amies... J'évoque ici la figure de S... (qui fut gazée par la suite), avec son allure de vieille levrette galeuse et squelettique, venant d'un air abattu s'asseoir et discuter sur mon lit. Elle était d'une bonne famille parisienne; elle avait toujours mené une vie large, ayant eu de tout à profusion; elle était intelligente et fine; elle avait beaucoup lu et beaucoup voyagé; mais elle avait pris au camp une âme mercantile et elle aurait tout donné pour une nourriture suffisante; elle ne pouvait, m'a-t-elle dit par la suite, résister à la faim. Elle se glissait silencieusement sur les grabats de ses voisines, et on la surprit à plusieurs reprises en train de voler ses amies. Chacune la repoussait, la rabrouait; cette dégradation extrême due au camp et à la misère me la faisait plaindre énormément.

Il y avait des prisonnières qui allaient jusqu'à vendre à leurs camarades des vêtements ramenés du Betrieb. En hiver, un pull-over s'échangeait contre quatre rations de pain. Nous fîmes une campagne pour que cessât cet infâme commerce entre Françaises; fallait-il donc crever de faim pour ne pas avoir froid? Ces souffrances nous rendaient méchantes et nous dressaient les unes contre les autres; les resquilleuses étaient l'objet de haines mortelles. Nous qui nous faisions un devoir de ne léser personne, nous éprouvions à l'égard des plus favorisées une jalousie tenace; c'est tout juste si nous n'en voulions pas à notre compagne, pour avoir reçu un jour, par hasard, une part plus grosse que la nôtre.

Lorsqu'il nous arrivait de transporter du sable près des cuisines, nous jubilions littéralement; nous cherchions, dans les déchets, des feuilles de choux abîmées ou des pommes de terre jetées aux ordures; nous avions formé une équipe de pillardes qui s'appelait : « l'équipe des trognons de choux » et dont la devise était : « Jusqu'au trognon. »

Nous aurions risqué notre peau pour un bout de navet aperçu dans le tas de détritus venant des cuisines. Ce navet d'ailleurs coûtait cher et le bunker[1] était la punition courante; pour ma part, je fus littéralement assommée sous les coups certain jour où je fus prise avec un rutabaga caché dans ma robe.

A plusieurs reprises, des bidons de soupe aigre, jugée immangeable, furent abandonnés dans le camp. Marie-Jeanne me faisait signe; nous nous précipitions avec nos gamelles et nous nous gorgions de soupe jusqu'à satiété.

Faim envahissante, faim avilissante, faim qui abêtit : les femmes ne parlaient plus que de menus et

---

1. « Le block disciplinaire, la prison. »

trompaient leurs affres en copiant des recettes de cuisine. Je fis serment de ne jamais me laisser aller à en copier et tins bon jusqu'au bout. J'essayais en vain de penser à autre chose; l'idée de la faim revenait sans cesse.

Nous [1] attendons le pain. Il est tard; la soupe de midi était très claire et, à notre consternation à toutes, la Blockowa vient d'annoncer qu'il ne serait peut-être pas distribué ce soir.

Près de nous, sur la même travée, Andrée soigne de son mieux une amie très malade; celle-ci ne mange presque plus et Andrée m'interpelle pour me demander s'il me serait possible de lui procurer une tasse de lait.

A contrecœur, je descends de mon lit. Je ne connais pas cette femme et se rendre au bout du dortoir où couchent les peintres [2] est une véritable expédition.

Toutefois, munie du pain et du quart vide, je me décide à me mettre en route.

Comme je l'avais prévu, le couloir est encombré. Continuellement bousculée, j'ai mille peines à atteindre mon but.

Une femme fait son lit. Afin d'être plus à son aise, elle a déposé toutes ses affaires dans l'allée; elle ne les retire qu'après bien des discussions et me laisse passer.

Enfin, le coin des peintres!... Je grimpe au troisième où elles logent; elles ont encore ce que je désire. Je donne le pain et mon quart rempli de lait m'est rendu.

Mais quand je vois en ma possession le beau liquide blanc, une tentation m'envahit... J'ai si faim! Si j'en

---

1. Maisie Renault : *La Grande Misère.* Chavane, 1948.
2. Les peintres touchent une ration de lait pour lutter contre les intoxications provoquées par les peintures.

buvais seulement une gorgée il me semble que je me sentirais mieux et personne ne s'en apercevrait.

Au surplus, je me suis dérangée pour une inconnue et, ordinairement, toutes celles qui consentent à servir d'intermédiaires prennent une petite commission.

Boirai-je,... ou ne boirai-je pas?

J'hésite encore; pour être en règle avec ma conscience, je prend enfin une décision : si le passage est libre, je n'y toucherai pas, mais s'il est encombré, j'en prendrai une toute petite gorgée.

J'ai toutes les chances pour moi, car, au dortoir, il y a toujours une circulation intense. Je n'ai plus qu'une idée fixe : le lait..., il me semble déjà en sentir le goût. Avec précaution, je descends à terre et me retourne...

Le passage est libre jusqu'au réfectoire. Je porte, intact, le quart à la malade.

— ... J'ai faim [1]. C'est le leitmotiv, la conversation ne gravite qu'autour de la soupe. Les espoirs de la prisonnière sont limités à la cuillerée de marmelade et au remplissage de la cuiller lors de la distribution du samedi. Puis elle décrit l'abondance et la variété des colis de nourriture reçus par d'autres prisonnières. Elle est toujours revendicatrice; elle se plaint d'avoir la plus petite ration de pain, etc. Tout le reste de la conversation est à l'avenant.

Comme chez les garçonnets de 8 à 14 ans, le troc règne. C'est une véritable manie, qui pour certaines atteint presque au scandale. La monnaie d'échange est la ration de pain du jour. C'est un véritable éta-

---

1. Dr Paulette Don Zimmet-Gazel : *Les conditions d'existence et l'état sanitaire dans les camps de concentration de femmes déportées en Allemagne*, Imprimerie franco-suisse. Ambilly-Annemasse — 1947.

lon-portion. Les femmes prisonnières d'Europe orientale sont des expertes en ces marchés. Chez les Françaises, nous n'estimions point nos camarades qui se livraient au troc. Le fait que la monnaie d'échange des marchés était la ration de pain nous répugnait. La transaction : vente, surtout, nous semblait antisociale et inhumaine, puisqu'elle consistait à recevoir d'une compagne son pain. Par contre, nous étions souvent obligées d'« acheter » avec notre pain. Cette opération nous paraissait moins immorale que l'autre, puisque c'était nous-même qui nous privions [1].

Dans certains blocks où l'on distribuait des colis de nourriture, les femmes échangeaient leur pain contre une sardine, laquelle se transformait en trois morceaux de sucre, lesquels étaient échangés contre autre chose et finalement le pain se transformait en un foulard que certaine trouvait élégant.

Les fumeuses échangeaient leur pain contre du tabac et quelle horreur de tabac! celui qui était trouvé dans les poches des vêtements des cadavres des fronts et que les ukrainiennes spécialisées dans ce genre de retournage de poches rapportaient au camp. Quelques fumeuses invétérées ont eu certainement leur fin hâtée du fait de cette passion, non pas en raison du tabac, mais parce qu'elles préféraient se priver de leur pain ou de leur soupe pour obtenir un bout de mégot et satisfaire leur besoin de fumer qu'elles déclaraient impétueux et insupportable.

Mes camarades masculins m'ont encore dit que l'échange de tabac contre la nourriture était beaucoup plus accentué chez les hommes. Dans les camps

---

1. Dans le block où j'habitais : le block des N.N. françaises, la tenue morale de nous toutes était assez élevée du fait certain que nous étions les plus déshéritées du camp, et que nous ne recevions aucun colis de nourriture. Nous avons donc été en partie libérées de cette manie des échanges et du troc.

d'hommes, au dire de leurs camarades, de très nombreux déportés sont morts de cette passion de fumer qu'ils satisfaisaient en se privant de leur maigre nourriture quotidienne.

Mais cependant nous supportions assez facilement la faim avec un peu de volonté. L'estomac était habitué à recevoir la même quantité à heure fixe. Nous avions continuellement de l'appétit. Pour moi et quelques-unes de mes compagnes, nous n'avons guère ressenti que la nuit la sensation de « trou dans l'estomac », dont parlaient certaines compagnes qui restaient au block. Nous avions ai-je dit un appétit constant qui devenait désagréable lorsque l'heure de la soupe passait sans que nous la recevions. Alors se mêlait sûrement le facteur psychologique d'attente et cette espèce d'exaspération de l'attente agissait sans nul doute par réflexe psychique sur l'estomac qui sécrétait prématurément. Cette sécrétion donnait alors avec les contractions des muscles lisses gastriques la sensation très désagréable de la faim.

Dès que l'on prononçait le nom de certains mets, immédiatement se produisait une sécrétion psychique et nous salivions.

Chacune de nous citait les mets qu'elle désirerait « vouloir manger si soudainement elle en avait la possibilité ». Pour moi c'était : un œuf à la coque, une tartine de beurre et du café bien sucré. Cependant ce n'était point l'évocation de ces mets qui me faisait saliver, mais par contre entendre prononcer les mots « jambon et citron » me faisaient presque baver d'excès de salivation. Etait-ce parce que notre organisme souffrait plus spécialement de la carence de ces deux éléments : viandes et fruits.

Ma camarade Lucienne Idoine revoyait apparaître presque à heure fixe la même image. Elle se présentait à elle avec une immuable netteté : c'était « un

gros morceau de lard rose, translucide, fumant, trem-
blotant sur un plat de haricots rosés ». Elle arrivait
même, disait-elle, à en humer le fumet. Lucienne
annonçait sa vision par un : « Ça y est, je revois mon
morceau de lard ! » prononcé d'un ton amusé quoique un peu désabusé.

Les rêves étaient très fréquemment aussi à caractère gastronomique, et si au milieu d'un tel rêve nous
nous réveillions, nous éprouvions à ce moment une
sensation de crampe douloureuse d'estomac. C'était
peut-être, d'ailleurs, cette sensation de contraction
douloureuse de l'estomac vide qui nous éveillait brusquement. Quelquefois aussi la nuit, nous rêvions que
nous faisions cuire des côtelettes et nous nous réveillions en sentant l'odeur du crématoire qui, en effet,
répandait dans l'air une odeur de côtelette oubliée
sur le gril ! Le lendemain matin plusieurs se racon-
tant leurs rêves se trouvaient avoir eu des rêves
identiques, beaucoup disaient « j'ai rêvé que je faisais griller des côtelettes ».

J'appellerai « magiromanie » une autre manie déri-
vant aussi de la faim; c'est la passion des recettes de
cuisine. Chaque prisonnière a son livre de cuisine,
sur lequel elle transcrit scrupuleusement les recettes
que lui donnent ses compagnes. Elle remplit des pages
et des pages de son petit carnet (se privant même
d'une demi-ration de pain pour « acheter » un bout
de crayon). Ce petit livre de recettes est sa richesse,
sa fortune, elle ne consent point à le prêter à n'importe qui.

L'opulence des recettes dépasse l'imagination. Il
y a des débordements de crème fraîche, de beurre,
de glace, de viande, de sauce béchamel. La cuillère à
soupe de madère que l'on ajoute généralement à une
sauce devient trois décilitres. Et tout le reste à l'avenant. A mon sens, c'est par une sorte de lutte incons-

ciente, une manifestation de notre « vouloir-vivre », que nous opposons à la réalité de la pauvreté et de l'uniformité du contenu de nos gamelles (rutabagas cuits à l'eau) un rêve d'abondance et de richesse de nourriture.

Tous les matins en allant travailler, tandis que le chant des Allemands des premiers rangs entraîne la colonne au pas cadencé, nous élaborons « le menu que nous offririons à nos maris si nous étions chez nous ». Il y a toujours une profusion de viandes, ces menus rappellent ceux de la cour du Roi-Soleil. Mes camarades masculins m'ont avoué avoir eu la même magiromanie. Au camp de rassemblement de Göteborg en Suède, un avocat de Paris, à qui j'avais posé la question : Etiez-vous, vous aussi, intéressé aux recettes de cuisine? m'a répondu : « nous en parlions constamment! » Il m'a alors cité ce qui lui était arrivé : se promenant avec un autre déporté, ancien colonel de cavalerie, ils s'étaient, plusieurs heures durant, répété la recette de la bûche de Noël, avec un grand sérieux et gravement le colonel lui disait : « Redites-la moi encore, vous dites bien qu'il faut battre le sucre avec les œufs, etc. »

Pour moi, je me souviens avoir donné plusieurs recettes de pâtés, de manières d'accommoder le gibier et de quelques pâtisseries. J'ai gardé aussi dans ma mémoire certaine recette de soufflé au Grand-Marnier qui m'avait vivement impressionnée. Quoique je doive le reconnaître, en général, la quantité des ingrédients employés paraissait être bien supérieure aux besoins réels du mets.

— Dans [1] notre block, il y avait une petite fille (dix ans environ), toute mignonne, toute blonde.

---

1. Manuscrit inédit Marcelle Constant. Septembre 1970.

Comme nous elle assistait aux appels... et les soupes infectes! Elle disait : « Quand je serai grande, je veux être épicière pour manger beaucoup de sucre. » Qu'est-elle devenue dans cette folie homicide?

Le 29 octobre 1942, Heinrich Muller, chef du Service IV de la Gestapo, Richard Glücks, chef du groupe des Services, recevaient la lettre suivante signée Heinrich Himmler :

— 1°) J'autorise [1] à dater de ce jour les prisonniers à recevoir des colis de vivres de leur famille;

— 2°) Le nombre de colis que chaque prisonnier peut recevoir n'est pas limité. Mais le contenu devra être consommé le jour de la réception ou le lendemain. Dans le cas où cela ne sera pas possible, le partage sera effectué avec les autres prisonniers.

— 3°) Cette ordonnance ne s'applique pas seulement aux prisonniers allemands, mais à tous les autres qui auraient la possibilité de se faire envoyer des colis.

— 4°) Tout membre de la S.S. qui s'approprierait un colis destiné à un prisonnier sera puni de mort.

— 5°) Tout prisonnier mésusant de la présente autorisation pour se faire envoyer des messages, des outils ou autre objet prohibé sera immédiatement puni de mort. Sa baraque ne pourra plus recevoir de colis pendant trois mois.

— Voyons Madame Audibert [2], il ne faut pas donner votre pain, tous les jours, à Mimi. Vous devez manger.

---

1. *Himmler aux cent visages* (déjà cité).
2. Manuscrit inédit E. Barreaud. Mai 1970.

La générale Audibert sourit à Mme Barreaud :
— Mimi n'a que dix-huit ans et moi soixante-dix.
Elle en a plus besoin que moi.
— Mais ce que nous recevons est vraiment le minimum.
— Je sais. Je sais.
La générale Audibert est morte de faim à Ravensbruck.

— Nous [1] étions un petit groupe : Simone, Suzanne, Annick (les Bretonnes), Michou, une petite du Nord et moi. Notre pauvre Michou n'avait que dix-huit ans; fragile comme un roseau, elle ne pouvait avaler notre « succulente » soupe aux rutabagas, aussi nous cherchions pour elle les quelques débris de pommes de terre qui nageaient dans notre gamelle. Un jour nous avions touché une cuillère à dessert de marmelade, Simone m'a demandé si je voulais la donner pour Michou ainsi qu'un peu de pain, ce que je fis de bon cœur. Le lendemain, après l'usine, nous nous regroupons comme à l'habitude sur la paillasse de l'une d'entre nous et jugez de mon émotion lorsque je vis dans la « schüssel » (gamelle) de Suzanne un gâteau — mon gâteau d'anniversaire — car si j'avais oublié mes vingt ans, les camarades elles, n'avaient pas oublié. Pain trempé dans du « café », nappé de confiture. Ce fut un délice arrosé de larmes de joie, d'émoi. Ce que je ressens encore aujourd'hui au souvenir de ce jour exceptionnel est indescriptible.

— Tu dois manger! Mange ton pain.
Pilouka, la jeune Espagnole — une enfant de quinze ans — grogne :

---

1. Manuscrit inédit Yvette Raymond. Avril 1970.

— Non! Je vais échanger ce pain contre deux cigarettes.

Le reste du block :

— Suffit!

— Vous allez vous taire!

— Si elle veut fumer, qu'elle fume!

Mais Brice Martinez, le chat botté — elle mesure
1,41 m, chausse du 36 et a reçu une paire de vieilles
bottes taille 43 — a décidé de sauver Pilouka. Elle
insiste :

— Ecoute petite, c'est facile à comprendre, j'en
connais des dizaines qui, comme toi, avaient choisi
de fumer. Aujourd'hui, elles sont mortes. Nous ne
recevons ici qu'une ration de misère, à peine de quoi
survivre et encore...

— Pilouka [1] avait une assez jolie voix et elle aimait
nous distraire en chantant pendant les pauses. Je
l'avais surnommée « petit diable noir » car je crois
n'avoir jamais rencontré des yeux et des cheveux
aussi sombres. Eclatants. Elle dormait à l'étage supérieur du châlit, juste au-dessus de moi. J'avais dû
la surprendre au moins dix fois à échanger son pain
contre des cigarettes. C'était à moi de la défendre. A
force de patience, de ténacité, Pilouka a cessé de
fumer. Ce n'était pas facile. J'étais un vrai gen-
darme. Mais j'ai réussi et Pilouka est rentrée chez
elle. En 1945, sa maman a voulu que je vienne les
voir... Je suis restée deux jours. Quel bonheur de revoir
Pilouka.

Je ne sais pas si Pilouka connaît le poème que
Brice Martinez écrivit sur un morceau de papier
d'emballage, le soir où elle comprit qu'elle avait
gagné : que désormais « diable noir » mangerait son
pain.

---

1. Manuscrit inédit Brice Martinez. Avril 1970.

Vivre en soi n'est rien
Il faut vivre en autrui
A qui puis-je être utile, agréable, aujourd'hui?
Voilà chaque matin ce qu'il faut se dire
Et le soir quand des cieux la clarté se relève
Heureux à qui son cœur, tout bas a répondu
Grâce à mes soins j'ai vu sur une face humaine
La trace d'un plaisir ou l'oubli d'une peine.
Ce jour-là je ne l'ai pas perdu.

LA VERMINE

Toute [1] mesure d'hygiène semble proscrite de notre block. Chez nous, il n'est pas question de passer aux douches ou de donner des vêtements à l'étuve, comme cela se fait dans d'autres baraquements.

La vermine ne tarde pas à nous envahir et se propage à une vitesse foudroyante. Nos compagnes étrangères forment certainement la plèbe des autres pays; bien rares sont celles qui s'épouillent et, encore, lorsqu'elles se livrent à cette occupation, au dortoir ou au réfectoire, jettent-elles par terre, avec dégoût, les poux vivants qu'elles ôtent de leurs vêtements.

Très peu ont acheté du linge de rechange. Au Waschraum, pièce préposée à la toilette, et dont, sur dix lavabos, trois au moins sont bouchés, les vêtements sont empilés les uns sur les autres.

Presque toutes ont eu leur serviette de toilette volée; certaines en ont confectionné une en coupant un morceau de leur chemise, mais beaucoup se lavent avec leurs mains, et le morceau de savon donné à l'arrivée est depuis longtemps épuisé; quelques-unes se sont privées de pain pour en acheter un autre, mais la grande majorité s'en passe.

---

1. Maisie Renault : *La Grande Misère.* Chavane, 1948.

Et, tandis que les unes se lavent, d'autres s'épouillent; certaines y mangent.

Dans cette pièce où une foule se bouscule et se dispute, d'aspect innommable par les habits sales entassés, les corps nus, décharnés, marqués de piqûres de poux et de plaies d'avitaminose, gisent les mortes du block, sans cesse éclaboussées d'eau sale, en attendant leur transfert à la morgue.

La toilette est interrompue par les filles de salle qui réclament l'évacuation de la pièce. En hâte, les vêtements sont rassemblés, car les traînardes sont chassées à grand renfort de seaux d'eau.

Et lorsque le Waschraum, évacué, présente un aspect bien net, la Blockowa, munie d'une marmite d'eau bien chaude et d'un superbe savon, entre tranquillement et ferme la porte pour faire ses ablutions en paix.

Ah! cette vermine [1], jamais je ne m'y ferai, ça grouille de partout. J'ai des poux mais ça, c'est pas une nouveauté, seulement ils sont énormes comme des grains de blé : vrai! et quand ils courent le long de mon corps, ça fait un drôle d'effet, en plus du « plaisir » d'être chatouillée à longueur de journée, on se secoue, on se tortille tellement qu'on croirait à nous voir qu'on est atteintes de la danse de Saint-Guy! Les puces, elles, si elles piquent, sont quand même plus discrètes. Les punaises nous empestent à longueur de journée et on est tellement fatiguées de les écraser qu'on les laisse courir partout. Et les rats donc! de gros gaspards qui sont tellement hardis qu'ils nous fauchent nos croûtons de pain si on a le malheur de les oublier. A chaque fois c'est la bagarre à coup de galoches, mais ces saletés-là sont sans peur,

---

1. Manuscrit inédit J. Brun. Déjà citée.

ils attaquent dur. La preuve, hier, une fille a été mordue au bras. Moi, ça va, je n'ai pas peur des souris, ni des rats, c'est pour les araignées que j'ai une véritable répulsion. Ici je n'en ai pas encore vu. Et j'oublie les morpions, ces charmantes petites bestioles qui vous collent des démangeaisons atroces. Quand je pense qu'il y a un fada qui a dit que Dieu avait décidé de l'utilité de chaque être vivant sur terre. C'est pas vrai d'entendre ça!

Noir, avec une tache blanche au-dessous de l'œil droit. Il a ses habitudes, ses amies. Comment s'imaginer qu'il soit si maigre alors qu'il traîne dans toutes les poubelles des cuisines? Peut-être parce que les poubelles sont maigres et que quelques « sauvages » lui disputent rognures et épluchures. Il a dix noms, peut-être cent. Il est le chat des Françaises, des Polonaises, des Allemandes, des Russes...

— Pour moi [1] et les Polonaises, il est « Pubi ». Une miette et il ronronne. De loin. Aucune de nous ne peut le caresser. Deux sœurs se sont jurées de l'attraper et de l'accommoder en civet. Elles ont déjà échangé plusieurs quignons contre deux oignons et sept clous de girofle, mais « Pubi » flaire le danger, tous les dangers. Helena, la jeune mercière de Cracovie, jour après jour, l'apprivoise. « Pubi » se laisse prendre à la mélodie de sa voix. Pour récompenser Helena, chaque matin, « Pubi » dépose au pied de son lit un magnifique rat encore chaud. Malgré ma faim et les longs discours sur les recettes de mets chinois, je n'ai jamais goûté aux cadeaux de « Pubi ». Les deux sœurs ont mangé leurs oignons avec le troisième rat. Elles ont échangé les clous de girofle : « Voyons! On ne va pas tuer la poule aux œufs d'or. »

---

1. Manuscrit inédit Yanka Oulianova. Avril 1971.

« Pubi », un soir, change de block :

— Au 15 [1], avec ma mère et ma sœur, je donnais à manger à un chat affamé lui aussi. Chaque jour il déposait au pied de notre lit un rat qu'il avait tué la nuit.

FOUILLES

— Achtung [2]!

L'ordre a éclaté brusquement. C'est l'Aufseherin. Mais aujourd'hui, elle a imaginé autre chose; elle fouille. Devant elle, il faut vider les sacs. Sans pitié, elle saccage les objets acquis au prix de mille peines. Prestement, nous jetons sous les tables ceux auxquels nous tenons le plus.

Enfin elle se décide à partir. Heureusement, nous rassemblons quelques petites choses épargnées.

Dix minutes environ se passent.

« Achtung! » Elle revient. La fouille recommence. Tranquillisées par son départ, nous avions remis dans nos sacs ce que nous avions pu sauver l'instant d'avant.

Mais les objets épargnés tout à l'heure disparaissent; elle empoche ceux qui lui semblent avoir quelque valeur.

Pendant plus d'une heure, le jeu continue. Elle se retire, revient et recommence. Nous nous sentons fatiguées, déprimées.

« Achtung! » La voici à nouveau; elle rit.

Un S.S. passe à bicyclette dans l'allée. D'un coup d'œil, il voit la scène, l'expression traquée des femmes. Il ne peut résister.

---

1. Manuscrit inédit Antoinette Hugot. Mai 1970.
2. Maisie Renault. Déjà citée.

« Achtung! » La voix gutturale nous fait tressaillir. Lâchant sa machine, il a sauté à pieds joints sur la table proche de la fenêtre et, immense, nous regarde cruellement.

Celles qui ne l'ont pas vu venir sursautent nerveusement.

Encouragée par sa présence, « Gracieuse » fouille avec plus d'acharnement encore. Elle découvre une petite médaille que j'avais conservée, la jette à terre et la piétine.

Tout à l'heure, elle m'a volé le petit poudrier que maman m'avait donné pour ma fête; précieux souvenir que j'avais eu tant de mal à passer.

Enfin, elle se décide à repartir en compagnie du S.S. Tous les deux rient.

Après leur départ, nous réunissons nos affaires. L'inventaire est vite fait : il ne nous reste presque plus rien : fil, aiguilles, savon, linge de rechange, tout a disparu.

Désolées, nous contemplons nos petits sacs confectionnés dans un bout de chemise et qui paraissent encore plus misérables depuis qu'ils sont si plats!

Dans un coin, la mère Guéguen, détendue, rit toute seule. Tout le temps qu'a duré la fouille, les mains croisées sur son ventre, elle n'a cessé de fixer l'Aufseherin de ses petits yeux de paysanne rusée. Quelques petites choses lui ont bien été dérobées, mais du moins elle a réussi à conserver, dans sa ceinture, les 30 000 francs et les deux montres en or qu'elle a soustraits, avec une habileté consommée, à toutes les fouilles que lui ont fait subir les gardiennes des différentes prisons par lesquelles elle est passée.

J'ai bien essayé, il est vrai, de lui démontrer combien il était dangereux et inutile de conserver de semblables choses à Ravensbruck, mais en vraie terrienne, elle s'obstine à garder son pécule.

Et maintenant, elle se réjouit d'avoir gagné encore une fois.

— Il y avait [1] parmi nous une dame âgée qui débarqua à Ravensbruck avec des bagues splendides valant deux millions. Peu désireuse de les déposer à la fouille, elle accepta de les confier à une Polonaise, par l'intermédiaire d'une jeune femme du transport, fort jolie et qui se disait du meilleur monde, mais qui, par la suite, se trouva disposée à divertir les soldats de la Wehrmacht. Vers le mois de juin, la Polonaise vint restituer les bijoux à leur propriétaire, disant qu'elle ne voulait plus assumer la responsabilité de leur garde. Au bout de quelques jours, la dame eut des soupçons sur l'authenticité de ses bagues. Elle demanda une entrevue au commandant, les bagues furent expertisées, elles étaient effectivement fausses. Un beau matin, une nuée de policières entoura le block 18, et toute sa population, valide ou non, fut emmenée devant les douches, rangée dix par dix et attendit deux heures sous un terrible soleil de juin. Je verrai toujours une des malades vomissant sans arrêt dans les bégonias du commandant; emmenée à l'infirmerie, elle mourut le lendemain. On nous fit enfin entrer aux douches cinq par cinq : déshabillage, fouille des vêtements, fouille vaginale pratiquée sans la moindre précaution, à la suite de quoi une cinquantaine de femmes contractèrent des infections graves. Le résultat fut quasi nul : quelques menus objets sans importance. Pendant ce temps les policières vidaient le block de tout son contenu illicite : de pleins paniers à linge, chargés à craquer, émigrèrent chez le commandant. Puis l'on nous permit de rentrer : un bric-à-brac indescripti-

---

1. Elisabeth Will. Déjà citée.

ble couvrait le plancher sur vingt centimètres d'épaisseur. Le contenu des armoires et de tous les sacs avait été versé à terre, toutes les paillasses avaient été éventrées; les costumes du prochain spectacle (un récital de chansons 1900) s'étaient envolés; les femmes du block voisin nous racontèrent qu'elles avaient vu les Bandes Rouges danser comme des folles avec les chapeaux à panaches et les jupes à froufrous. Mais on n'avait pas retrouvé les bijoux. Dans l'après-midi, comme chacune récupérait péniblement ses affaires, la police revint et elle emmena la trop jolie intermédiaire. Le lendemain, arrestation d'une femme d'un certain âge que nul n'eût soupçonnée de quoi que ce soit. On l'emmena chez la sœur radiologue : les bagues étaient dans l'estomac de la dame. On l'enferma après purgation, avec une « aufseherin » spécialement préposée à la récupération du trésor : c'étaient bel et bien les bijoux authentiques. La receleuse (qui avait avalé les bagues au moment de la fouille), reprit sa place au block comme si de rien n'était. Sa jolie amie alla au bunker. Mais, le lendemain, tout le block 13 passait au conseil de révision. Nous n'étions plus guère décoratives, cependant les trois quarts environ furent déclarées aptes au travail en usine. Pendant huit jours, notre sort resta en balance : la police réclamait le transport comme châtiment, le commandant et le corps médical voulaient remettre le block en quarantaine. En fin de compte, on recourut à un moyen terme : cent cinquante femmes environ, dont presque toutes mes amies, partirent pour une soi-disant « biscuiterie » dans le Hanovre. Les autres, dont j'étais, continuèrent leur existence de contagieuses. Mais auparavant, on nous adjoignit trois cents Belges fraîchement débarquées. A ce moment, les avances russes et alliées contraignaient les Allemands d'évacuer les camps de l'Est et les prisons de l'Ouest. Toutes les femmes refluaient sur Ravensbruck et la surpopulation y devenait effroyable. Alors que nous portions le matricule 27 000, les dernières venues arboraient le numéro 43 000. Il n'était plus question de robes rayées : les nouvelles arrivées étaient affublées de robes civiles prises dans les bagages des prisonnières et marquées devant et derrière d'énormes croix de couleur vive. Toutes les vestes avaient été retirées, mais, même en été, l'aube restait glacée et l'on voyait les malheureuses courir à l'appel en robe de crêpe de Chine, les bras serrés sur la poitrine pour se réchauffer.

XII

MONSIEUR LE CURÉ

— Vous avez vu Monsieur le Curé?

— Monsieur le Curé? Ici!

— Tu es bien la seule à ne pas connaître « Monsieur le Curé »; d'où sors-tu? « Monsieur le Curé » c'est Maman Cadennes... Elle organise les chapelets et le dimanche elle lit la messe. Je voudrais bien demain assister à cette messe...

— Moi aussi! Si tu vois Monsieur le Curé parle-lui aussi de moi.

♣

La pioche!
La pioche!
Nous formerons la pioche.
La pioche nous manierons
Et si quelqu'un cloche
Du courage lui donnerons.

(Version officielle)

Et lorsque les surveillantes sont éloignées ou ne comprennent pas le français :

La pioche!
La pioche!
Nous formerons la pioche.
La pioche nous manierons
Et sur la tête des Boches
La pioche nous casserons.

XIII

ARBEIT

Travail !

Comme tous les camps de concentration (et même d'extermination [1]), Ravensbruck devait participer à l'effort de guerre du Reich et à côté des chantiers traditionnels de ces véritables villes, en perpétuelle expansion, et des corvées inutiles « de rééducation », naquirent très rapidement les grands kommandos. Certains, devenus si importants, furent obligés de s'administrer eux-mêmes ou furent rattachés à d'autres « camps-mère » plus proches [2].

Sur le territoire même de Ravensbruck, Pflaum, le chef du service du travail n'avait que l'embarras du choix pour puiser dans ces convois inépuisables de main-d'œuvre. Pflaum, surnommé le Marchand de Vaches.

— Petit [3], rondouillard, des taches de graisse sur les revers de son dolman, les jambes de son panta-

---

1. Voir du même auteur : *Les Mannequins nus — Auschwitz*.
2. Les vingt plus importants kommandos extérieurs de Ravensbruck seront présentés dans un nouveau dossier *Kommandos de Femmes* qui constituera le troisième et dernier tome des *Mannequins nus*.
3. Manuscrit inedit Hélène Rabinatt. Déjà citée.

lon en accordéon, il hurle à nous briser les tympans.
De son coup de doigt, de ses listes gigantesques dépendent notre sort. Bon ou mauvais kommando. Survie
ou mort. Mais lui ne choisit pas. C'est une machine.
Pas d'intentions. Il lui faut son nombre. Beaucoup
plus dangereuse est la présence de la Binz auprès de
lui. Elle n'a rien à faire là et elle est là. La Binz a
ses têtes et Pflaum ne peut rien lui refuser. La Binz
est, de loin, le personnage le plus célèbre du camp,
le plus diabolique aussi.

— Ce dimanche [1] je l'ai vue. Elle était sur un affreux
vélo noir, haut sur pattes. Quelle allure, mes enfants!
L'officier femelle dans toute sa splendeur, avec des
galons partout, bottée, sanglée dans un uniforme
impeccable. Lorsqu'elle descendit de son engin, elle
le laissa choir dédaigneusement dans les bras d'une
boniche qui courait derrière elle et, suivie d'un énorme
Bas-Rouge, elle fit l'inspection. Elle tenait, dans ses
bras, un minuscule avorton d'affreux chien gueulard
qui était si petit qu'il aurait tenu dans une poche.
Je l'ai bien détaillée. Elle est belle, d'une beauté de
marbre; grande, blonde, mais le regard glacial, cruel,
détruit tout. Il donne le frisson; et la bouche! Des
lèvres si minces, si pincées qu'elle ne semble pas en
avoir.

Dorothea Binz n'était que Oberaufseherin, « chef en
second » : sa supérieure, Klein-Plaubel quittait rarement son bureau où elle croulait littéralement sous
les tâches administratives.
— Dorothea Binz [2] est née en 1920. Elle a dix-neuf

---

1. Manuscrit inédit J. Brun. Déjà citée.
2. Lord Russel of Liverpool a rencontré Dorothéa Binz dans
sa prison de Hanovre. Il a assisté à son procès. *Sous le signe
de la Croix Gammée*, les Amis du Livre. Genève 1956.

ans et demi à la déclaration de guerre; c'est une fille de cuisine, mais elle en a déjà assez des corvées domestiques et grâce aux bons offices d'un de ses amis, elle entre comme volontaire dans la S.S., le 1ᵉʳ septembre 1939; on l'envoie immédiatement au camp de concentration de Ravensbruck qui vient de s'ouvrir. A son grand dépit, elle est affectée à la cuisine, sans aucun doute à cause de ses antécédents.

— Elle réussit bien vite à convaincre ses supérieurs qu'elle est appelée à de plus hautes destinées. En quelques mois elle passe Aufseherin, et elle a dû marquer d'une pierre blanche le jour où elle endossa l'uniforme feldgrau et se pavana dans le camp avec ses bottes à revers noirs, le fouet à la main.

— A dater de là, cette créature brutale et sadique devient un des rouages du mécanisme qui broyait des milliers de femmes innocentes; en l'occurrence les femmes se montraient plus cruelles encore que les hommes. Elle frappe, à coups de bâton, à coups de pieds, à coups de fouet, du matin au soir; elle rosse toutes les détenues sans exception parfois pour des manquements insignifiants à la discipline, parfois sans raison aucune — pour la seule « Schadenfreude [1] ». Elle se sert ici d'une trique, là d'un fouet, ailleurs d'une ceinture, ou encore du tampon-buvard de son bureau — tout ce qui lui tombe sous la main. Le camp tremble de terreur lorsqu'elle apparaît.

— Une fois Binz a battu une détenue jusqu'à ce qu'elle s'écroule, puis elle la piétine; un autre jour, alors qu'elle inspectait un groupe de déportées travaillant dans la forêt, elle abat une femme d'un coup de pioche et continue à la frapper jusqu'à ce que, couverte de sang, la malheureuse ne donne plus signe

---

1. Ce mot, sans équivalent en Français ni en Anglais, pourrait se traduire par « la joie que procure la souffrance des autres ».

de vie. Binz enfourche alors sa bicyclette et pédale
jusqu'au camp.

— Elle a le droit d'envoyer des concentrationnaires dans la section disciplinaire pour un manque-
ment minime à la discipline, quand elle ne décide
pas de fustiger la victime sans autre forme de procès. Elle exécute aussi les punitions du commandant
qui condamnait, de sa propre autorité, les détenues
à 25, 50 ou 75 coups de trique.

— Elle bat toutes celles qui arrivent en retard à
l'appel ou les laisse au garde-à-vous pendant des
heures; elle les gifle et une gifle de Binz, ce n'est
pas une plaisanterie : « C'était comme si un homme
vigoureux me frappait, car le procédé était bien au
point; elle tapait si fort qu'on pouvait entendre le
bruit de la gifle deux rangées plus loin », a dit une
de ses victimes.

— Binz est également chargée d'administrer « les
douches ». -Stanilawa Szeweczkowa, qui avait été
condamnée par Ramdohr à neuf douches parce qu'elle
ne s'était pas montrée docile au cours d'un interrogatoire, raconta comment Binz opérait :

« Elle m'a emmenée dans la salle de bains. Dans
un coin il y a un appareil à douches; l'eau coule
déjà de canalisations débouchant à des hauteurs différentes; elle sort sous une très forte pression. Au
bout d'une dizaine de minutes je m'écroule et Binz
me lance un seau d'eau sur le visage. J'essaie de me
protéger en interposant mes mains mais elle ouvre
la porte et siffle ses deux chiens. L'un d'eux me mord
la main. Je m'évanouis. Je suppose que j'ai été traînée jusqu'à ma cellule car j'avais le dos couvert
de bleus quand j'ai repris mes sens et mes vêtements
étaient éparpillés par terre... A partir de ce moment,
Binz m'a donné une douche deux fois par semaine

tous les mardis et les vendredis. A chaque fois je me suis évanouie. »

— Binz a un sport favori : foncer à bicyclette à travers un groupe de femmes immobiles. Elles sont si faibles qu'en général elles s'écroulent et Binz passe et repasse en riant sur les corps étendus. Elle s'amuse aussi à lancer ses chiens sur les détenues. Un jour qu'elle s'en prend à une Russe, elle excite tant et si bien l'animal à mordre qu'il déchire littéralement l'un des bras décharnés.

— L'un des plus grands plaisirs de Binz est d'aller à la baraque 10 voir les « folles » confiées à la garde de Carmen Mory. Elles constituaient une véritable attraction — on les exhibait comme des monstres dans un cirque — et Binz s'amusait à les accabler d'injures et de moqueries.

— On ne peut qu'esquisser les monstruosités commises par cette fille à Ravensbruck, du premier au dernier jour de la guerre. Elle avait été à Belsen à l'école de la fameuse Irma Grese et avait bien profité de ses leçons. Pendant plus de cinq ans elle fut la terreur des milliers de malheureuses qui tombèrent sous sa coupe : elle fut pendue à Hamelin en 1947, mais ce fut là une mort beaucoup trop douce pour elle.

— Quand [1] elle apparaissait quelque part, on sentait littéralement passer un vent de terreur. Elle se promenait lentement dans les rangs, sa cravache derrière le dos, cherchant de ses petits yeux méchants la femme la plus faible ou la plus effrayée, pour la rouer de coups. (Comme presque tous les Allemands, le courage l'intimidait.) Je ne puis citer tous ses

---

1. Germaine Tillion : *Cahiers du Rhône*, La Baconnière. Neufchâtel, 1946.

exploits, qui étaient quotidiens, mais l'un d'eux m'a particulièrement frappé parce qu'il est gratuit et psychologiquement symptomatique. Une de mes amies, femme de beaucoup de jugement et très modérée, qui a été très longuement enfermée au Bunker, l'a vu de ses propres yeux.

— La punition classique à Ravensbruck était 25 coups de bâton, parfois 50, parfois 75, qui étaient alors généralement appliqués en deux et trois fois, mais pas toujours. Lorsque les 50 coups de bâton étaient donnés en une fois, la victime mourait assez souvent; elle mourait toujours lorsque c'était 75 coups.

— Après une de ces bastonnades (j'ignore de combien de coups), et tout étant terminé, mon amie se hasarda à regarder par sa lucarne; la victime était demi nue, couchée la face contre terre, apparemment sans connaissance et couverte de sang, depuis les chevilles jusqu'à la taille. Binz la regardait, et, sans mot dire, vint se mettre debout sur les mollets sanglants, les deux talons sur l'un et les deux pointes sur l'autre, et là elle se balança un moment d'arrière en avant, faisant porter le poids de son corps tantôt sur la pointe des pieds, tantôt sur les talons. La femme était peut-être morte, en tout cas solidement évanouie car elle n'eut aucune réaction. Au bout d'un moment, Binz partit, les deux bottes barbouillées de sang [1].

---

1. A son arrivée à Ravensbruck, une ancienne raconte « Binz » ainsi. (Fanny Marette : *J'étais le numéro 47 117.*) Robert Laffont, 1954 : « *Notre voisine de paillasse, une jeune Russe, est devenue folle elle aussi, mais cela, c'est une autre histoire... Tu as remarqué peut-être, l'Oberaufscherin, cette jeune femme blonde, jolie, charmante d'apparence, la Binz; c'est la maîtresse du commandant en second du camp. Pour plaire à son amant, et en vue d'un plaisir partagé, la Binz fait venir une prisonnière punie, à qui on fait mettre une culotte mouillée, collant bien sûr les fesses, et une autre détenue, la Russe en question, dont le visage candide ne nous avait pas trom-*

LE CHARBON

Soigneusement [1] encadrées, la pelle sur l'épaule, notre colonne s'allonge, progressant péniblement malgré les cris et les coups vers la gare de Fürstenberg. Nos galoches claquent sur le sol durci par le gel. Echappant pour quelques heures à l'atmosphère chargée des fumées des crématoires, réchauffée par la marche, foulant la route comme les gens libres, mon moral prend une courbe ascendante...

Les tas de charbon qui nous attendent et que, pendant douze heures, l'estomac vide, il va nous falloir transporter, douchent mon optimisme. C'est de tous les travaux celui que je redoute le plus. Par équipe de deux, nous chargeons des wagonnets que d'autres prisonnières pousseront... Où?... Il y a bien longtemps que toute question me paraît superflue. Mon horizon, pour l'heure, est mon tas de charbon, ma préoccupation : ma pelle...

Mon équipière, une Yougoslave, manifestement rompue aux travaux de force, manie la sienne avec dextérité... Mes malheureux efforts restent vains... Sous l'œil réprobateur de ma compagne, je plonge pourtant avec application et courage mon outil dans le tas, ainsi que je le lui vois faire, ne laissant que trois ou quatre morceaux de charbon que je verse piteusement dans le wagonnet en attente.

---

pées puisque nous l'avions surnommée « l'Ange de la mort », la Russe flagelle sa camarade jusqu'à ce que celle-ci tombe râlante, et pendant qu'elle gémit, devant cette femme mourante, le commandant, la Binz et l'« Ange de la mort » se laissent aller à leurs tendresses! Un jour, la Russe (l'Ange de la mort) est tombée en disgrâce. La Binz la remplaça par une Polonaise. Notre voisine, privée de ses « exercices variés » devint folle de rage, se précipita sur nous en faisant des gestes obscènes. Nous en avons été heureusement délivrées. Elle est maintenant avec les idiotes. »

1. Manuscrit inédit Mme Bisserier. Juin 1970.

L'équipe qui le pousse, à son tour, me considère
avec pitié mais aussi la crainte que notre gardienne,
estimant notre rythme trop lent, stimule notre zèle à
coups de schlague. A voix basse, une conversation
s'engage entre mes trois compagnes, dont je suis, à
coup sûr, l'objet, mais à laquelle je ne comprends
rien.

Vaguement inquiète, j'essaie de saisir un mot pouvant m'éclairer sur ce qui va en sortir, l'Allemande
n'est pas loin, la délation est monnaie courante, je
suis la seule Française du groupe, ma tentative
d'échapper au travail m'ayant séparée du kommando
français que nous essayons de constituer.

Finalement, l'une des convoyeuses m'arrache la
pelle des mains et me pousse vers le chariot. C'est
lourd, la route est cahoteuse, mais j'ai échappé aux
coups qui, inéluctablement, auraient sanctionné ma
maladresse. La solidarité n'a pas de frontière.

TERRASSE

— A quinze [1] cents mètres environ du camp, on nous
fît arrêter, et la surveillante nous dispersa dans un
champ de sable tout montueux et bosselé, situé sur
le bord de la route. Nous fûmes chargées de l'apla-
nir. Cela s'appelait Planierungmachen. Nous étions
disposées en file, savamment placées par rapport aux
déclivités du terrain; chacune de nous avait devant
elle un petit tas de sable qu'elle devait envoyer chez
sa voisine du niveau inférieur tandis que sa voisine
du niveau supérieur l'alimentait sans cesse. Le sable
provenait de la travailleuse qui était placée à la tête
de file, sur la hauteur, et il parvenait, à travers toutes

---

1. Denise Dufournier. Déjà citée.

ces étapes, à celle qui était à l'autre extrémité, en bas de la pente. Celle-ci l'éparpillait.

Cette première vision demeure inoubliable; elle est certainement l'une des images les plus parfaites du bagne tel qu'on l'imagine. Il fallait travailler sans cesse. La surveillante arpentait le terrain et rossait. De leur côté, les gardiennes lançaient leurs chiens sur les prisonnières qui paraissaient trop lentes. Les chiens mordaient les cuisses et, le mauvais état général aidant, les blessures s'envenimaient. Je m'amusai avec mes voisines à mesurer pendant combien de temps il était possible de lever la tête et de demeurer inactives : nous comptions 1-2-3-4-5-6-7... Alors une gardienne approchait et criait d'un ton menaçant : « Weitermachen! » (continuez!). Nous ne pûmes jamais dépasser le nombre 7... Du haut en bas, de long en large, les weitermachen se répondaient, martelant le bruit sec des pelles sur le sable. Notre jeu consistait à charger notre pelle le plus légèrement possible. Mais, si une gardienne surprenait ce flagrant délit de « sabotage », elle administrait à la coupable une gifle magistrale. Nous nous efforcions de parler entre nous à voix basse, bien que ce fût très difficile.

— Enfin, à midi, après cette matinée qui avait paru interminable, nous reprîmes les rangs et le chemin du camp. Il faisait une chaleur lourde et pesante. C'était la caractéristique de ce climat continental, dans ce début de printemps, que le passage du froid glacial du matin à l'extrême chaleur de midi. Nous arrivâmes au block vers midi un quart. Une soupe d'odeur et d'aspect également repoussants nous attendait. A midi et demie la sirène de l'appel retentit de nouveau. Même cérémonie que le matin, même défilé. A une heure moins le quart, nous étions de nouveau devant notre tas de sable.

— Nous reprîmes le travail avec peine, déjà envahies par les courbatures. Nous tâchions de nous distraire en construisant des monticules, des tunnels ou
des châteaux forts. Mais les weitermachen! retentis-
saient de plus belle. Les chiens, fatigués de toujours
guetter, s'étaient couchés. Les gardiennes, qui s'en-
nuyaient peut-être encore plus que nous, devenaient
de plus en plus hargneuses. Il ne fallait plus lésiner
avec le sable. Une montagne se dressait à mes pieds.
Je donnai de vigoureux coups de pelle, tout en écoutant ma voisine réciter à mi-voix :

« Là, tout n'est qu'ordre et beauté,

« Luxe, calme et volupté. »

— La dernière heure de travail fut presque intolérable. Enfin, à six heures, un coup de sifflet! Nous
étions si fatiguées que nous marchions difficilement.
On n'entendait que le clic-clac de nos pantines sur
le pavé de la route.

— Une fois arrivées au camp, en rangs impecca-
bles comme de vieux soldats, l'une de nous entonna
La Madelon. Aussitôt nous nous redressâmes et nous
nous mîmes toutes à chanter à pleins poumons. C'était
l'heure de la « récréation » quotidienne qui durait
jusqu'à sept heures et demie. Les prisonnières nous
regardaient passer, l'air hébété et admiratif. Nous les
entendions dire tout bas : « Französinnen! (Françaises!). » Alors nous chantions de plus belle et nous
tapions des pieds pour bien marquer le pas. En arrivant devant notre block, nous fîmes un tour pour
rien, un tour de parade, puis nous nous enfonçâmes
à l'intérieur. La Stubowa était stupéfaite de notre
discipline, un peu déçue de voir que nous avions l'air
si peu abattu. Nous étions rompues, brisées, à demi
mortes.

♣♣

L'Aufseherin surveillant le kommando du sable —
réputée pour sa brutalité — se plante un matin
devant une solide Toulousaine :

— Et toi? La pelle n'est pas faite pour s'appuyer...
La Toulousaine qui s'attendait à recevoir une série
de coups de gourdin lâche le manche et se protège
la tête des deux bras. L'Allemande éclate de rire :

— Je ne vais pas te tuer. Où as-tu appris l'allemand?

— Un peu à l'école, un peu au camp.

— Tu te débrouilles bien. Toutes tes camarades
françaises ne veulent pas apprendre l'allemand.
C'est pour cela qu'elles ne comprennent pas les ordres
et qu'elles sont battues.

La Toulousaine abasourdie par cette « cordialité »
de l'Aufseherin bredouille quelque chose du genre :

— Je vais leur dire de faire un effort.

— Très bien, dit l'Aufseherin, moi aussi. Comment
se dit en français « Schnell » ?

— Schnell? C'est bien simple, ça se dit... hésitation...
ça se dit : « Vas-y mollo! »

Voilà pourquoi, depuis un mois, l'Aufseherin du
kommando du sable tape sur les Françaises en
criant : « Vas-y mollo... Vas-y mollo. »

Je travaillais [1] au début à transporter du sable avec
un wagonnet, tout près des fours crématoires. Cela
était très dur. Un jour que le wagonnet était sorti
de ses rails, l'Aufseherin était près de moi avec son
grand chien loup. L'a-t-elle fait avec intention ou non,
mais elle a lâché un peu la laisse et le chien m'a enlevé
un bifteck et déchiré ma robe (ma belle robe toute

---

1. Manuscrit inédit Léone Bodin.

rapetassée) rayée de bagnarde, attachée autour de ma taille par une ficelle que j'avais trouvée dans le camp. La charmante vache de Boche au mignon petit chien, grand comme un beau veau de boucherie, m'a demandé de relever ma robe pour lui faire voir ma fesse, ma pauvre fesse toute décharnée. Elle m'a giflée et m'a dit qu'il fallait que ma robe soit raccommodée pour aller travailler le lendemain matin. Heureusement, ma petite amie Odette était à la couture. Elle m'a procuré une aiguille et du fil et j'ai réparé ma robe. La Boche n'était plus là le lendemain, elle était remplacée et le chien aussi remplacé par un superbe Danois très beau, très grand et très méchant. Quelle belle bête, c'était bien dommage que ces bêtes soient dressées à faire tant de mal et de ravage. Une fois j'en ai vu un qui a éventré une pauvre femme, mère de quatorze enfants, elle avait eu son dernier né en prison en France et ne savait pas ce que les Boches en avaient fait, qu'était devenu le pauvre enfant. C'était la femme d'un marchand de charbon et elle tenait une épicerie. La malheureuse est restée avec ses boyaux au vent plusieurs jours avant de mourir; deux jours il semble me rappeler.

Valère [1] et moi, nous nous connaissons depuis une grande semaine. Le hasard nous avait réunies à la carrière et tout de suite, cette Russe haute et mince m'avait été sympathique.

Sourires échangés, silence, travail, toussotement, sourires...

A voix basse, je me suis mise à fredonner « Plaine, ma Plaine », pour voir...

---

1. Catherine Roux : *Triangle Rouge*. Editions France-Empire.

Le résultat a été immédiat. La jeune Russe a chanté en même temps que moi la chanson de la Plaine, d'abord, puis les Partisans, la Marche Funèbre, et ce chant de Jeunesse soviétique dont nous avions fait le Chant des Auberges, en France.

Sympathie, travail ralenti, sourires, chansons !

C'est étonnant comme en petit nègre russo-franco-anglo-espérantino-latino-germanique, on peut se faire des confidences !

La musique symphonique nous a beaucoup rapprochées. Je fredonne, bouche fermée, quelques mesures des steppes de l'Asie centrale, ou du couronnement de Boris Goudounov... Valère fredonne aussi. Elle est la seule Russe prisonnière avec qui j'ai pu parler de Moussorgski, Borodine, Rimski-Korsakov.

Valère faisait ses études à Rostoff. Elle me parle longuement de sa ville natale anéantie par les nazis. Pas de nouvelles depuis deux ans de sa mère et de son frère. Elle est communiste et croit absolument à la victoire de l'U.R.S.S.

Patience, calme... La Volga continue de couler. Laissons aussi couler les jours. L'U.R.S.S. gagnera la guerre, seule la fin importe... Tout en elle n'est que flegme, attente, immobilité, certitude. Pour travailler, elle a des gestes lents, amples et sûrs.

Elle m'a présentée à ses quatre amies :

— C'est Katiouchka !

Ainsi est né l'équipage de notre wagonnet. Valère l'a baptisé : le Simon Kapo.

Qui pouvait être Simon Kapo ?

Intimité...

— Katiouchka ?

— Oui, Valère ?

— Tous les Français sont communistes ?

— Non, Valère.

Longues réflexions.

— Pourtant, c'est dans ton pays qu'on a fait la Révolution de 1789. Et puis, vous avez eu la Commune. En Russie, on fête chaque année l'anniversaire de la Commune. Tu sais la date?

— Euh... Non, Valère!

— 18 mars. Le 18 mars, chez moi, on se réunit. On a élevé un monument à la gloire de Gavroche et on célèbre la Commune devant la statue. Lénine est enseveli dans le drapeau de la Commune de Paris...

— Une prisonnière [1], poussant une brouette lourdement chargée, tombe exténuée. Les coups de ceinturon de la surveillante allemande ne réussissent pas à la remettre debout. Un lourd chariot, traîné par deux chevaux suivait. Les chevaux ont refusé de passer sur le corps. Ils se sont cabrés puis ont fait un écart.

— Nous [2] revenions de notre kommando de travail. Sur la route, nous croisons une colonne d'hommes. Tout à coup, juste devant moi, une jeune fille sort du rang comme une folle et se précipite vers les hommes. La Kapo la rattrape, la tire par les cheveux, la frappe à coups de gourdin et lui fait reprendre sa place. Appelée devant le commandant, la jeune fille doit justifier sa conduite : « C'était mon père. »

— Le travail [3] est très pénible surtout avec le froid qui vient. Je vois des camarades qui, dès les premiers jours, n'en peuvent plus. Car transporter la

---

1. Manuscrit inédit E. Barreaud. Mai 1970.
2. Manuscrit inédit Marcelle Constant. Déjà citée.
3. Manuscrit inédit H. Le Belzic.

terre dans des brouettes est dur pour nos membres fatigués; tirer le rouleau est aussi très dur, si bien que peu à peu nos rangs s'éclaircissent et les camarades sont, pour la majorité, rentrées au Revier pour ne plus en sortir que pour le crématoire.

— Si le travail est dur, j'y resterai fidèle pour plusieurs raisons. Dans le coin où nous travaillons, il y a une petite cuisine auxiliaire et naturellement nous avons « quelquefois » la chance de décharger les légumes. C'est toujours une aubaine car alors le sac que nous portons chacune, bien que cela soit défendu, est emporté plein de choux ou de carottes, ou de pommes de terre. Mais quand ce bonheur ne nous arrive pas, il y a une autre ressource : le fumier. Nous guettons le moment où les camarades vont jeter les déchets de choux, etc. et alors nous nous précipitons pour faire ample moisson de trognons de choux très appréciés des camarades restées au block. C'est un moyen comme un autre d'aider les plus faibles à tenir, et tenir est le mot d'ordre.

∴

Le bruit[1] des galoches des équipes de nuit qui viennent de partir s'est éteint.

Après douze heures de dur travail seulement interrompu par le quart d'heure, largement suffisant pour absorber la maigre soupe qui constitue le repas, je viens d'engloutir voracement mon « dîner » : le morceau de pain que j'ai sagement conservé tout au long de la journée, malgré ma faim lancinante.

Harassée, cherchant un peu de chaleur sous la mince couverture que le froid, qui régnera cette nuit

---

1. Manuscrit inédit M™ᵉ Bisserier. Juin 1970

dans le block non chauffé et privé d'une grande partie de ses vitres, rendra très vite inefficace, je vais
tenter de récupérer un peu de forces pour le combat
pour la vie qui recommencera demain à l'aube.

Recroquevillée, ma gamelle et mes sabots sous la
tête, afin qu'ils ne soient pas volés pendant mon
sommeil, car il serait impossible de les remplacer,
je somnole déjà, malgré le brouhaha de ce block
surpeuplé.

Soudain, non loin de moi, une voix s'élève. Pro-
gressivement le silence se fait. La « Chanson de Sol-
veig », chantée par une cantatrice belge, envahit peu
à peu l'espace concentrationnaire, apportant, avec
un souffle de pureté et d'humanité, le souvenir d'une
existence qui a été la nôtre et que nous avons presque oubliée.

La vie semble s'être arrêtée, accrochée pour un
instant aux notes claires presque irréelles dans cet
univers sauvage, une émotion dont nous ne nous
croyions plus capables nous étreint et, quand meurt
la dernière note, le silence persiste encore quelques
minutes, rompu, comme à regret, par quelques mots
chuchotés avant que l'infernal vacarme reprenne
possession de ce monde de cauchemar où la magie
de la musique a fait, un court moment, naître
l'espoir.

*
**

WAGONS

— Décharger les wagons [1], c'est un travail que nous
cherchons toujours à éviter car le S.S. qui le dirige
est une brute finie qui frappe sans raison. « Beklei-

---

1. Manuscrit inédit H. Le Belzic.

dung » c'est le lieu où ces messieurs apportent à
« pleins » trains tout ce qu'ils ont volé en Pologne,
en Tchécoslovaquie, si bien que nous trouvons là, sur
une longueur de 200 mètres — largeur 60 mètres,
hauteur 7 mètres — le linge et les vêtements les plus
luxueux comme les plus pauvres, les plus jolis cristaux, les plus belles porcelaines, comme les plus simples; mais aussi des casseroles, des marmites, des
machines à écrire, du fil, des crayons, etc. Nous avions
dénommé ce coin « les galeries farfouillettes ». De
là, nous sortions des vêtements pour nos camarades. Que de fois quittions-nous nos blocks, entièrement nues sous nos manteaux. Après le long appel,
nous restions ainsi, transies, presque toute la journée, car il était plus prudent de revêtir les vêtements
volés pour nos camarades dans les dernières minutes
de travail. La chose la plus importante : ne pas être
prise aux fouilles. En général, il y en a deux : la
première en quittant le travail, sur les lieux mêmes,
la seconde en arrivant au camp; parfois une troisième
fouille, plus sévère, nous était réservée dans les douches. C'est toujours l'angoisse pour les camarades
qui attendent notre retour au block. Certain dimanche, je rapportais un bidon d'huile à machine, des
brosses à dents et à ongles, un ou deux couteaux, des
cotons à broder, on annonce une fouille sévère, devant
le Kommandant du camp, aux douches. Impossible
de s'échapper. Nous sommes une grosse colonne de
580, gardées par des soldats en armes. Cependant, en
faisant signe à la « lagerpolizei » française, je réus-
sis à tout passer sous le nez des Aufseherinnen. Ce
fut une fête au block.

Le Dr Paulette Don Zimmet a la chance de découvrir, dans un wagon en provenance de la ville polonaise de Pruskow, une caisse de médicaments.

— Immédiatement [1], cette caisse fut cachée et par les soins de mes camarades, les médicaments furent triés et enterrés dans le sable, dans de grands pots de grès. Cette trouvaille, inespérée, nous apportait 2 000 ampoules de cardiazol de 2 cm³, de l'acide acétylsalicylique, quelques boîtes de « phosphotonine » (médicament injectable contenant de l'acide phosphorique et un sel de strychnine) et quelques boîtes d'ampoules d'extrait hépatique. Ces médicaments étaient chaque soir rapportés aux blocks par quelques camarades. Nous les dissimulions dans le revers de nos chaussettes, spécialement aménagées en petits compartiments pour le transport des ampoules, car nous étions fouillées presque nues sur la place, tous les soirs : les S.S. recherchant si nous volions des lainages, que d'ailleurs nous volions toutes quotidiennement avec une régularité parfaite, pour les rapporter à nos camarades qui, en plein hiver, n'étaient habillées que de leur robe. J'avais même eu la chance de trouver un phonendoscope que j'avais rapporté au camp et que je dissimulais dans ma paillasse, de même qu'un appareil de Recklinghausen, qui me permit d'étudier la pression mais qu'en raison de sa taille je n'avais pas pu rapporter et que j'avais laissé dans le hall où je travaillais. Les ampoules de cardiazol que j'administrais à mes camarades œdémateuses par la voie buccale : une ampoule de 2 cm³ pour tenir à l'appel du matin, firent merveille. Combien de nos camarades œdémateuses, pneumoniques, convalescentes de typhoïde, et même dysentériques durent de « tenir » les derniers mois grâce à cette miraculeuse trouvaille des ampoules de cardiazol, que nous allions distribuer à nos camarades

---

1. **Paulette Don Zimmet-Gazel.** Déjà citée.

malades ou à nos camarades médecins absolument démunies de médicaments toni-cardiaques.

— Je crois [1] que je n'ai jamais cassé volontairement, en déchargeant ces wagons, autant de verres de Bohême. Nous avons rapporté au camp le contenu entier d'un wagon de sous-ventrières et genouillères de laine de l'armée polonaise, ainsi que le contenu d'un énorme bidon (100 litres) d'un mélange d'huile de colza et de baleine. Nous avions mis le fût en perce et chaque soir nous rapportions un petit flacon (volé sur place). Nos camarades fatiguées buvaient cet horrible mélange avec délice. Pour fabriquer des chaussettes, nous subtilisions de merveilleuses... peaux de lapin.

PEINTURE

Une Aufseherin [2] fait une demande en allemand. Violette immédiatement répond : « Ja, ja », et m'entraîne avec elle.

Je ne comprends rien, peu importe, je fais confiance à mon amie.

L'Aufseherin, nous conduit dans un hangar, nous fait prendre des seaux de peinture, des pinceaux, des échelles, puis nous fait entrer dans une baraque et donne des instructions. « Ja, ja », répond toujours Violette! On nous enferme à clef, et Violette pouffe de rire.

— J'ai dit que nous étions artistes peintres, alors nous devons repeindre l'intérieur de cette baraque. On doit venir nous rechercher à midi; jusque-là, personne sur le dos, c'est la planque rêvée...

---

1. Manuscrit inédit.
2. Fanny Marette. Déjà citée.

— Eh bien, ça va être joli, moi qui n'ai jamais tenu un pinceau de ma vie...

— T'en fais pas, prends les seaux.

En me baissant, pour les prendre dans le coin non éclairé où je les avais déposés en entrant, je distingue dans l'ombre, deux corps nus...

— Violette, regarde !

Nous nous approchons, ce sont deux femmes mortes.

Nous voulons appeler, tapons sur la porte, nul ne répond... alors résignées, nous commençons notre travail.

Violette s'en tire fort bien, mais j'ai beau m'appliquer, c'est moi que je peins, plus que les murs : j'ai l'air d'une sauvage !

Sans nous soucier des cadavres, nous bavardons... A midi, l'Aufseherin revient et est satisfaite du travail.

Violette lui montre les deux corps.

— Ce n'est rien, un oubli.

Et les poussant du pied, elle se bouche le nez, c'est déjà la pourriture !...

Après la soupe, nous revenons dans la baraque et nous chantonnons en peignant, heureuses d'avoir échappé aux autres corvées...

Et les deux mortes ?... Enlevées !...

Pendant deux jours, grâce à nos talents d'artiste... peintre, nous restons dans la baraque, tandis que nos camarades continuent à transporter des meubles et à bêcher la terre.

Nous les trouvons le soir fort agitées. Mania nous raconte : La générale L... revenant au camp à midi avec la colonne, voyant un groupe de Françaises partir pour un transport et paraissant désespérées, leur a crié : « Courage, c'est bientôt fini, ils sont perdus... »

Le commandant du camp, se trouvant tout près, l'a

entendue : il l'a empoignée et a commandé aux Aufseherinnen de l'enfermer au Strafblock.

Or, la fille de la générale vient d'arriver, elle ne
pourra même pas voir sa mère.

— Au cours [1] de cet été 1944, je fis la connaissance
de la surveillante de la colonne de peinture. C'était
une Allemande « rouge », internée au camp depuis
trois ans. De son métier, elle était dessinatrice. Elle
parlait un français très pur. Elle s'appelait Hélène.
Les raisons de son arrestation étaient assez mystérieuses et résultaient apparemment d'un antinazisme
actif. Elle avait beaucoup voyagé et avait une culture
assez étendue. Elle avait peut-être trente-cinq ans.

— C'était en fait une aventurière, séduisante par
certains côtés, notamment par un charme physique
indiscutable, que tempéraient une rudesse très germanique, un caractère assez violent et capricieux et
un penchant exagéré à admirer les défilés impecca-
bles des appels du travail...

— Quel était exactement son rôle au camp? Beaucoup de bruits, vrais ou faux, circulaient à son sujet.
Un jour, l'une de nos camarades fut, par hasard
embauchée dans la colonne. Ce fut à la fois une inno-
vation et une révolution, car la colonne de peinture,
la Malerkolonne (qui comprenait en principe vingt
Stücke), avait jusqu'alors été réservée aux Allemandes « noires » ou aux Bellpolitik. Le travail étant
considéré comme schwer arbeit (travail dur), on recru-
tait des prisonnières d'apparence solide et robuste.
Ces Allemandes étaient de véritables monstres,
d'une carrure énorme et d'une grossièreté soldates-
que. Aussi, quand elles virent une Française s'immis-

1. Denise Dufournier. Déjà citée.

cer dans « leur » colonne, l'accueillirent-elles fort mal. Au contraire le chef de colonne apprécia tout de suite cette nouvelle recrue, la première prisonnière normale qu'elle eût jamais eue sous ses ordres. Elles devinrent rapidement deux très bonnes amies, à la fureur chaque jour croissante des autres peintres.

— Cette colonne n'était pas une colonne de tout repos : il était en effet de tradition qu'elle finît tout entière au Strafblock soit que ses membres eussent causé quelque scandale à la suite de rencontres avec des prisonniers mâles, soit qu'elles eussent été prises en flagrant délit de vol, soit que leurs mœurs de « Jules » fussent un peu trop ostentatoires.

— Les travaux étaient très variés : pendant les belles saisons elles peignaient l'extérieur des blocks, le « vert » comme on disait, ou bien l'intérieur des blocks, les cuisines, les douches, et surtout les blocks de malades dont le nombre allait toujours croissant; ou bien elles exécutaient des travaux plus délicats, comme la peinture des salles d'opération, des appartements des S.S., ou, au contraire, des travaux plus grossiers, comme le badigeonnage à la chaux d'écuries ou de caves. En outre, elles pouvaient être chargées de transporter des fardeaux et d'effectuer des besognes annexes, commandées par le menuisier ou le maçon, dont les ateliers attenaient à celui de la peinture. Un Meister dirigeait les travaux techniques qu'ordonnait « le chef supérieur des travaux du camp ». Une voiture était affectée à la colonne. L'avantage considérable de cette colonne était que, quand les travaux à effectuer avaient lieu à l'intérieur du camp, aucune gardienne n'était présente. La surveillante était seule responsable. Or celle-ci restait le plus souvent à l'atelier et ne se rendait que de temps en temps sur le chantier, en sorte que la liberté d'action était assez étendue; il en résultait inévitablement des abus et des punitions. Le deuxième avantage de la colonne de peinture était l'attribution quotidienne à chaque Stück d'un litre de lait pour éviter l'intoxication éventuelle que pouvaient causer les émanations de la peinture. On ne pouvait montrer plus d'attention à notre égard...

— Dès que notre camarade Suzanne eut été embauchée, Hélène en dépit des difficultés internes qui en résultaient pour elle, n'eut plus qu'une idée : recruter d'autres Françaises.

— A la fin de septembre, elle me proposa de me prendre parmi ses ouvrières, ce qui ne pouvait se faire que clandestinement, car le Bureau du travail lui était hostile et s'opposait à toute nouvelle entrée d'une non-Allemande.

— Le vie de « disponible » devenait de plus en plus aléatoire; les transports redoublaient. D'autre part, le travail saisonnier qui s'offrait à moi allait entrer dans la saison morte. Si donc, d'un côté, j'aliénais ma liberté, de l'autre côté, j'allais bénéficier de l'inactivité des mauvais jours et du grade de travailleuse fixe. Il n'y avait plus que treize Stücke dans la colonne — quelques Bellpolitik étaient de temps à autre rendues à leur foyer. Enfin le seul bénéfice de ce travail allait aux prisonnières, dont les blocks, grâce à notre barbouillage, seraient un peu moins sordides.

— Hélène me fit inscrire secrètement au Bureau du travail. Je revêtis une salopette, un gros tablier de toile, je m'emparai d'un seau et d'un pinceau et je fis mon entrée à la colonne.

— Nous étions au mois de septembre. Les Allemandes, mes futures camarades, me firent un accueil très froid et projetèrent immédiatement de m'expulser. Elles complotaient à longueur de journée,

prétendaient que mon inscription était illégale, menaçaient de me dénoncer, et le mot de Strafblock revenait périodiquement au cours de leur conversation,
en guise d'intimidation. Au cours du travail, ou bien
elles m'évinçaient complètement sous prétexte d'incapacité, où elles tentaient des opérations plus har-
dies : une poutre me tombait tout d'un coup sur
la tête, un échafaudage, solidement arrimé, s'effondrait brutalement, une échelle se dévissait au bon
moment... Mais le Dieu des innocents veillait et me
protégeait. Je me raccrochais toujours à temps et
évitais de justesse le seau qui se renversait comme
par miracle.

— Je commençai ma carrière aux W.C. et aux lavabos du Betrieb. Je fus naturellement chargée du travail le plus fastidieux : je faisais les « raccords ». Les
Allemandes s'absentaient pendant de longs moments,
et, le reste du temps, elles demeuraient immobiles sur
leur échelle sans donner un coup de pinceau. Si je
me laissais aller à me reposer quelques minutes, elles
vitupéraient, criaient, menaçaient. Je leur inspirais
vraiment peu de sympathie. J'avais l'impression de
me trouver en présence d'animaux féroces sur lesquels aucun raisonnement ne pouvait avoir de prise.
Quand j'étais trop exaspérée par leurs hurlements,
je criais plus fort qu'elles et, bien que je leur fusse
inférieure en gueule, elles se calmaient pour un
moment.

— Le chef de bande s'appelait Erna, un véritable
bandit. Il était impossib'e de ne pas imaginer qu'elle
n'eût pas tué père et mère. Hors du bagne, elle était
fermière. Une servante d'auberge appelée Hilda, ne
se lassait pas de raconter ses aventures grivoises avec
force démonstrations. Une future prostituée, Lis-
beth, âgée de dix-huit ans, portait sur son visage les
stigmates de tous les vices. Elle fredonnait constam-

ment des airs langoureux. Elle était l'adjudant d'Erna, qui la chargeait des missions de confiance, vols, passage à tabac, etc. Une sombre brute, Lotte, me détestait particulièrement; elle avait une physionomie basse et bestiale qu'accentuait une voix d'où sortaient des sons rauques et inarticulés.

— L'enfant chéri de la colonne était Francisca, dont les amours avec un « Jules » édenté, marqué au front de la « croix des vaches » (c'était un signe gravé au couteau, attestant la fidélité du « Jules ») faisaient l'attendrissement de ses camarades. Elle nous tenait régulièrement au courant de ses ébats sentimentaux. De toutes, elle était d'ailleurs la plus civilisée et n'était pas dépourvue d'esprit. Du haut de son échelle, Francisca jouait la comédie en se servant de son pinceau ou de sa brosse comme partenaire. Il y avait également la grosse Hida, que j'avais baptisée « Hida la terreur », sale, voleuse et brutale, mais qui, dans les circonstances tragiques de la fin, fit tout de même preuve d'une certaine compréhension. Elles étaient mes co-équipières les plus marquantes.

— Après l'entrée à la colonne de Suzanne Legrand (la première Française), Christiane de Cuvervilley avait été embauchée par les soins d'Hélène. Nous étions donc trois Françaises. Quand nous avions la chance de travailler sur le même chantier, nous ne nous souciions guère des interpellations haineuses de nos co-équipières. Nous chantions, parlions, et le curieux bétail humain qui travaillait à nos côtés faisait l'objet de discussions psychologiques interminables. Il est de fait que, même dans les couloirs du Palais de Justice parisien, où traînent cependant les éléments les plus déshérités de la société, je n'avais jamais rencontré de tels sujets. Nous tenions bon toutes les trois. Nous travaillions mieux qu'elles. Le Meister nous avait tout à fait adoptées.

INDUSTRIEHOF

Un camp [1] dans le camp. Rien ne vit, sauf les femmes transformées en machines. Les blocks de bois, les ateliers de ciment, les murs en ciment aussi, la terre recouverte de mâchefer et de sable : pas une plante, pas un arbre, pas un oiseau sauf ces énormes corbeaux gris et noirs, croassant sans cesse. Au loin, derrière les murs de ciment, quelques sapins démantelés et toujours tourmentés par le grand vent. La seule chose que nous avions souvent le loisir d'admirer était la beauté du ciel; les levers et les couchers de soleil, l'aube ou le crépuscule sont les seules choses superbes de la région.

Dans ce camp « Industriehof », il y avait cinq blocks. Les 1, 2, 3, et 5 étaient des blocks pour les ouvrières, le 4 était celui des « Kolonaufseherin » (chefs de chaque atelier), ainsi que les chefs de « bande » de travail. Chaque block était séparé en cinq chambres; dans chacune 120 à 140 femmes, deux à trois tabourets, une table juste pour le décor. Notre vie allait se dérouler ainsi : appel debout, travail, assise ou debout selon l'emploi, le reste du temps à quatre pattes, comme « l'ancêtre d'après Darwin, sur notre paillasse (nous y habiller, y manger, y dormir, y loger nos souliers, nos habits, etc.). Tout devait disparaître pendant notre sommeil de jour, car s'il y avait une visite officielle d'un « vert de gris quelconque », il fallait que tout fût net (toujours le tape à l'œil). Notre cher chef de chambre, « Marichou », nous disait aimablement : « Mesdames, décrochez tout ce qui pend » lorsque nos manteaux étaient accrochés à un clou, tandis que Russes

---

1. Manuscrit inédit Madeleine Perrin. Juin 1970

et Allemandes pouvaient tranquillement laisser leurs hardes accrochées.

Les heures de travail sont restées les mêmes jusqu'en janvier 1945. Je dois vous donner un aperçu du travail en 1943 quand je fus prise d'office pour la confection. Je fus désignée pour l'atelier n° 2 où je devais rester jusqu'en mars 1945. On me mit d'autorité à une machine à coudre électrique (que je n'avais jamais vue) et, sous la menace de coups, je dus m'efforcer à réussir le travail demandé. Je devais monter les poignets des chemises d'homme pour prisonniers, 240 manches de nuit ou de jour, la quantité augmenta presque chaque mois. En octobre 1943, je mis des poches à des capes blanches destinées aux soldats de la Wehrmacht au front russe. Je devais faire 120 poches ayant chacune deux rabats dans un tissu de soie artificielle. A partir de décembre 1943, on me montra à monter des manches de robes et de vestes pour prisonnières, les fameux uniformes rayés. Les deux premiers mois je dus monter 150 manches par nuit ou par jour, la quantité augmenta chaque mois. En juillet 1944, je devais monter 460 manches, toujours par nuit ou par jour; en octobre 1944, on descendit la quantité à 440, ce qui fit que j'ai dû monter plus de 150 000 manches pendant la durée de mon bagne. Si nous ne faisions pas le compte demandé, soit une panne de machine ou autre, toute l'équipe (la bande comme on disait) était punie : c'est ainsi que nous étions prises à partie par les prisonnières elles-mêmes, si une allait moins vite que les autres, car les punitions étaient toujours collectives; battues d'abord par l'Aufseherin de l'atelier, puis par le S.S.; nous étions punies de « pauses », une heure ou deux, ou plus debout, en rangs, bien alignées, à la porte de l'atelier, au lieu d'aller dormir. Si c'était plus grave, soit une pièce de machine cassée par accident, ceci

comptait comme sabotage, soit le vol d'un morceau
de tissu ou de fil, sabotage aussi, correction soignée
du chef de l'atelier, par ce sauvage de « Binder », ou
par cette brute de « Roslow », puis rapport au
commandant, punition : deux ou trois mois de
« Strafblock ».

Depuis le milieu de l'année 1944, nous avions un
supplément de nourriture se composant d'une tartine de pain et d'une rondelle de saucisse ou pâté
« ersatz », distribuées normalement à midi ou à
minuit, pendant notre travail, à condition toutefois
que nous ayions exécuté la quantité déterminée de
pièces finies à cette heure-là, sinon, nous touchions
cette tartine à la fin de la journée ou de la nuit si
le compte était atteint, sinon, elle nous était supprimée ou distribuée à une autre équipe.

Les camarades qui étaient à la confection des uniformes S.S. étaient encore plus malheureuses que
nous; les chefs d'atelier étaient aussi difficiles pour
les uniformes militaires que pour les uniformes des
prisonniers, mais le travail des premiers était plus
difficile que pour les autres.

J'ai vu des femmes frappées par les hommes d'une
façon barbare, à coups de bottes, de poings, de tabourets, cinglées au visage avec des culottes, des vestes.
Il fallait surtout éviter de tomber. De bien loin les
Françaises ont eu plus de cran que les autres prisonnières sous les coups de ces sales Boches; les Françaises ne pleuraient pas, même si elles souffraient
sous les coups reçus : elles pâlissaient de rage et de
douleur, mais serraient les dents et les poings au
lieu de pleurer.

J'ai vu dans les ateliers le furieux « Roslow » frapper une Polonaise qu'il avait appelée au contrôle des
pantalons pour prisonniers, elle n'avait pas réussi
les poches; il la frappa en pleine figure, si fort qu'elle

eut une hémorragie nasale, on aurait cru sa robe teinte en rouge; elle perdit connaissance et s'affaissa, il crut qu'elle jouait la comédie, la prit par le bras pour qu'elle se relève. Elle retomba. Il fit chercher un seau d'eau froide. La femme de service n'osa le verser. Il prit lui-même le seau et le déversa sur la Polonaise. Elle revint à elle. Il partit pâle de rage. La chef la fit conduire au « Revier », on lui mit un tampon noué autour de la tête, il était environ 16 heures 1/2. Elle regagna son block. Le lendemain matin, elle revint au travail. Roslow arriva très tôt et fila directement près de sa machine, regarda le travail, lui reprocha d'avoir été se faire panser « ... quand on travaille si mal... » et lui administra une paire de giffles. L'hémorragie reprit. Il lui défendit d'aller se laver...

L'atelier n° 1 était bien pire. Il employait 700 femmes au minimum en grande partie pour les équipements militaires S.S., pantalons, vestes, manteaux, vestes et culottes de camouflage, gants. Deux chefs à l'atelier en permanence et des S.S. secondaires contrôlant deux bandes chacun, en plus des Aufseherinnen qui avaient le droit de vue dans tout l'atelier. Elles tapaient selon leur bon plaisir. La vie pendant un certain temps n'était que transes du matin au soir.

— Au début[1] de l'été, j'entrai au « Betrieb », échappant ainsi au « sable »... C'était un minimum d'espace vital assuré, enfin ne plus manger bousculée par la cohue, échapper à l'angoisse des transports. Mon nouveau métier était celui d'une chiffonnière : découper des vêtements militaires, sales, poussié-

---

1. Marie-José Zillhard : *Témoignages Strasbourgeois*. Déjà citée.

reux, sanguinolents et pouilleux, parfois pire encore [1].
le peu de tissu où la trame tenait encore. J'étais
assise à une table d'Allemandes, avalant avec la
poussière les propos orduriers de ces filles. Deux
tables plus loin travaillait Geneviève de Gaulle, toujours courageuse et chic. A propos d'elle, une petite
histoire touchante : avec nous travaillait une brave
Lorraine, âgée de quelque soixante ans. Elle offen-
sait souvent la grammaire française, mais elle avait
un cœur patriote. Apprenant que cette petite ouvrière
pâle et frêle était la nièce du Grand de Gaulle, la
femme vint lui offrir spontanément sa soupe. Geste
naïf mais combien généreux qu'appréciera celui qui
connaît la valeur d'une soupe de là-bas. J'ajoute que
Geneviève fut très touchée, mais ne l'accepta pas.

Binder, qui dirigeait l'atelier le plus important, était
un ancien tailleur, entré dans la S.S. en 1933. Il restera comme l'exemple type du S.S. fou, brutal, sadique.
— Binder [2] était rude et brutal envers les femmes
de l'atelier. Il nous battait tous les jours et ne semblait se calmer qu'à la vue du sang. Un jour il a tellement rossé une Polonaise qu'il a fallu emmener la
malheureuse directement à l'hôpital. Elle n'est jamais

---

1. Témoignage inédit Madeleine Perrin : « *Il arriva directement du front russe des camions entiers de culottes, vestes,
capotes non désinfectées, maculées de sang, de poux, de boue
et d'autres ordures comme tout blessé ou mort au champ de
bataille peut laisser sur ses habits. Tout ceci arrivait pour
que l'on découse et découpe les parties de tissu pouvant être
récupérées, les boutons, etc. Quand nous entrions dans cet
atelier — calfeutré à cause des alertes — pour toute la nuit
une odeur de cadavre nous prenait à la gorge; nos robes en
gardaient l'odeur. Nous devions découdre quinze vestes ou
culottes par nuit. Le S.S. nommé Wim qui nous gardait frappait à tour de bras celles qui ne faisaient pas leur compte...
Ceci dura jusqu'au 20 mars 1945.* »
2. Témoignage d'une déportée Néerlandaise, recueilli par
Lord Russel of Liverpool.

revenue et l'on nous a dit qu'elle était morte. Quand nous n'abattions pas assez de besogne, il nous enlevait nos petits morceaux de pain, notre seule nourriture pour onze heures de travail, et il nous faisait coudre debout pendant des heures entières.

— Parfois il frappait les femmes avec un tabouret et je l'ai vu en tirer par les cheveux et les rosser. Quand il apercevait une femme la tête inclinée — nous étions tellement sous-alimentées et épuisées que cela arrivait souvent — il lui tapait le crâne contre la table. Il nous retirait également nos vêtements et quand il nous laissait toutes nues, il prétendait qu'il devait s'assurer que nous ne cachions pas de morceaux de tissu sous nos habits, car à cette époque nous n'avions pratiquement rien à nous mettre sur le dos.

— Une autre jeune Polonaise de l'atelier de Binder avait au bras une plaie ouverte causée par la dévitamination. Binder refuse de la laisser aller à l'hôpital et lui dit en arrachant son pansement : « Tu n'es pas malade du tout. »

— La fille s'écroule et quand elle se relève il lui lance de toutes ses forces un coup de poing en pleine figure. Elle s'affaisse sous le choc et il lui martèle tout le corps de coups de pied.

— Binder frappait les femmes à coups de ciseaux, ou leur lacérait le visage avec les boutons de métal des tuniques. Il a fait mourir un nombre incalculable de détenues en les obligeant à travailler quand elles n'en avaient plus la force ou en les laissant dehors toutes nues sous la pluie battante, souvent pendant plus d'une heure.

Une nuit [1] que nous peinions pour réaliser quel-

---

1. Témoignage Lily Unden : *Livre du Souvenir.* Imprimerie Bourg-Bourger. Luxembourg, 1965.

que peu le pensum exigé, Binder, les yeux injectés
de sang, se jeta sur une vieille dame polonaise, la
frappant sauvagement, sans doute parce que son
travail lui avait déplu.

N'étant embauchée dans ce « Betrieb » que depuis
quelques jours, je n'étais pas encore habituée à ce
genre de traitement et le fait de voir cette jeune
brute s'acharner des poings et des pieds sur la pauvre dame écroulée, me bouleversait et me révoltait
profondément. Nous n'avions pas le droit de nous
arrêter de travailler et de faire cesser de fonctionner les machines et nous savions que le rendement
était sans cesse contrôlé. Cependant devant une telle
cruauté, nos sentiments s'extériorisaient ouvertement
et chacune de nous exprimait la révolte de son cœur.

« Vreselijk! » murmurait Rika, la grande Hollandaise.

« Salaud! Abject puceron! », répétait Titine, et toute
une gamme d'épithètes puisés dans son argot du Nord
se succédaient sans relâche.

Vida, la douce Yougoslave, s'était un moment caché
les yeux derrière les mains et me dit émue : « Es
könnte meine Mutter sein. »

Et le regard limpide de Wanda, ma complaisante
compagne polonaise était devenu dur et farouche et
elle me chuchota : « Kommt anders, wird auf-
gehängt! »

Yvonne de Charleroi pleurait doucement.

Tamara, l'Ukrainienne, avait posé sa main sur mon
bras et me dit : « Weina conchista, tsepajede da
moï. »

Toutes, nous étions sidérées, glacées. Etait-ce possible, cette brutalité, cette violence vis-à-vis de cette
dame âgée aux cheveux blancs dont le sang coulait
sur les dalles de béton. Alors que Binder finalement
s'en était allé rejoindre ses comparses, nous trans-

portâmes la dame inanimée sur un tas d'uniformes. C'était tout ce que nous pouvions faire, hélas !

Une dame allemande, arrêtée depuis de longs mois pour ses opinions politiques, était préposée à la distribution des pièces de tissu. Elle était distinguée, cultivée, aimait la musique et les arts et nous aimions l'écouter quand, dans la pose, elle récitait un poème.

M'approchant d'elle pour approvisionner la chaîne, je lui dis : « War das nicht furchtbar ? — Dieser junge Kerl, der diese alte Dame so mi Bhandelte ! » La dame allemande me regarda étrangement et me répondit : « Nehmen Sie das nicht so; sehen Sie; ich hatte einen sehr guten Mann, aber er hat mich auch manchmal geschlagen ! »

Me rendant à midi au block 14 où étaient les Polonaises, je vis tout un groupe de femmes agenouillées devant la dame morte; elles récitaient à voix haute et claire le *De Profundis*.

Jugé comme criminel de guerre, Binder a été pendu.

XIV

LE PHLEGMON

— Je [1] travaillais à la forêt, au sable. Nous creusions des trous énormes dans la neige dure et glacée, et quand les kapos jugeaient le trou assez grand, nous le rebouchions! Nous avions froid — très froid. Nous avions faim. Nous avions peur, partout, toujours, de tout : des coups, des tortures, des chiens, des humiliations, des privations. La peur était toujours là, tapie au fond de nous.

— A la forêt comme partout, chaque groupe avait sa surveillante en titre, à laquelle nous avions attribué un surnom : il y avait la « Fauve », la « Vache », la « Chinoise » (qui était notre surveillante). Ces deux dernières se haïssaient cordialement et c'est cette haine qui m'a certainement sauvé la vie. Un jour, je souffrais d'un énorme phlegmon à la gorge, mais je continuais toujours d'aller travailler, tant était forte la peur du Revier. J'eus une sorte de syncope et m'affalai sur la pioche. En m'effondrant, je vis arriver sur moi, dans un tourbillon, la « Vache », la

1. Manuscrit Inédit Françoise Archippe. Juin 1970.

matraque et surtout le chien, terrifiant, énorme, qui enfonça rageusement ses crocs dans mon mollet. De peur plus peut-être que de souffrance, j'eus un hoquet terrible... et je crachai dans la neige un affreux paquet de sang et de pus. La « Chinoise », furieuse qu'une autre surveillante se mêla de mettre de l'ordre dans son secteur, éloigna le chien et sa rivale, et je me retrouvai, encore terrorisée, avec une belle morsure... mais mon phlegmon guéri !

XV

BLUETTE LA CLANDESTINE

Bluette Morat s'est souvenue, en arrivant à Ravensbruck, des conseils que donnait en France la Résistance aux jeunes gens requis pour le Service du Travail Obligatoire :

— Quand vous recevrez votre convocation pour la visite médicale, surtout n'y allez pas!

Bluette Morat s'est conformée scrupuleusement à cette règle et elle a échappé aux « transports » de Ravensbruck vers les usines de guerre :

— Je [1] suis devenue, dès l'arrivée au camp, réfractaire à tout travail. Après l'appel, une fois le compte dûment vérifié, la garde-chiourme du jour était bien sûre d'avoir devant elle, troupeau à sa merci, toutes les femmes du block. Rien de plus simple alors que de former la colonne pour la visite médicale. Sont appelés mon nom, puis le nom de ma camarade Mona, complice du même refus. Nous ne bougeons pas. Nous avions eu le soin de nous éloigner des autres Françaises dont l'impatience, les conseils réitérés,

---

1. Témoignage de Bluette Morat, daté du 20 février 1946 et publié en décembre 1946 dans *Les Cahiers du Rhône*. La Baconnière, Neufchâtel.

les regards inquiets auraient, sans qu'elles le voulussent, dénoncé notre présence. « Planquées » dans une masse de Polonaises somnolentes, nous attendions que leur esclave de service se lassât d'appeler. C'est un fait : ces gens puissants et si bien organisés (!) ne réussirent pas à extirper de quelques centaines de femmes les deux qui leur manquaient.

— Au retour du Revier, nos camarades nous dirent que nous avions été violemment réclamées par le médecin. « On verrait ce qu'on verrait. » On ne vit rien.

— Quelques jours après, reprise de la comédie. Appel, colonne pour le Revier. On hurle nos noms. Les brutes du block, Polonaises primitives, ne les reconnaissent point. A la dixième fois, elles se lassent. La troisième séance faillit nous être fatale. On nous appelle cette fois par les numéros inscrits sur nos manches et, dans toutes les langues du block. Notre planque au milieu des Polonaises ne servait plus à rien. Il fallut bien sortir des rangs, entrer dans la colonne pour le Revier, cinq par cinq, et contempler avec rage le magnifique lever de soleil. Une idée tout de même, c'est que, lorsqu'on est pris, on peut toujours tenter d'échapper. « Même du train, il faudrait encore essayer de fuir. » On l'avait assez dit aux « requis » de chez nous. Pourquoi pas ? Nous sortons tranquillement de la colonne. Il y a tant de femmes devant, derrière, de pauvres loques, bien incapables de toute réaction, que l'on ne s'aperçoit de rien. Et puis, d'ailleurs, comme il n'est pas prévu qu'on se dérobe au revier, les Lagerpolizei ne faisaient pas attention.

— Mais que devenir pour la fin de la matinée ? Notre présence au block est injustifiable, toutes les Françaises, une soixantaine environ, ayant été appelées. En avant pour le block 31 où nous trouvons Camille, soutien avisé et raisonnable de notre esprit de résistance. Elle approuve, nous rassure : jamais dans la pagaie de leur camp surpeuplé, ils ne s'apercevront de notre abstention. Suivent les conseils techniques : allées à emprunter, blocks à éviter, réponses à faire. Et nous commençons notre vie de réfractaires errant au fond du camp.

— Résultat : quand vint le premier transport, nos noms n'étaient pas portés sur la liste établie d'après les dossiers des visites « médicales ». Ils ne le furent pour aucun des convois nominatifs suivants.

— Ainsi la première manche était gagnée, par la seule fidélité aux règles établies chez nous, présence en nous de la Patrie.

— Il y avait pour l'ensemble du camp deux rafles organisées par jour : les appels du travail.

— Le matin quand on faisait cet appel sur le Lager, il fallait semer, en courant, les camarades du block, pour se glisser dans la colonne du Revier ou dans celles des tricoteuses. Bons moments où l'on retrouvait les autres réfractaires du camp : Camille, son amie Jeanne, la générale Ely, Suzy la Hollandaise, arrivaient du 31; Violette Maurice du 32; Andrée, Jacqueline Lelong, Jenny du 28; Pierrot, Marie-Louise, Renée du 15, pour ne citer que les « piliers ». C'est la chanson de Violette qui rend le mieux l'atmosphère de cette aventure quotidienne, sport au lever du soleil, très hygiénique pour les âmes ainsi réveillées du morne engourdissement où cinq heures de Zahlappell les avaient plongées.

Depuis que je suis Verfügbar [1]
A Ravensbruck, la vie est belle,

---

1. Verfügbar : disponible (« oisive ») qui n'est pas affectée à une colonne de travail, un atelier, un kommando et peut à tout instant être retenue pour une corvée ou un complément d'effectif.

Depuis que je suis Verfügbar
Pour me planquer, point de retard.
Tous les matins aux tricoteuses
Je m'achemine d'un pas lent,
Prenant des poses langoureuses
Le dos courbé, le chef branlant.
Avec mon tabouret sous le bras   } bis
Une fois de plus on les aura.

Si par hasard il y a contrôle
A Ravensbruck, la vie est belle,
Si par hasard il y a contrôle,
Je m'vois forcée de changer de rôle.
Vers le « Revier » d'un air tragique,
Entortillée dans mes haillons,
Comme malades authentiques
Sauve qui peut nous nous « taillons »
Le commandant passe la revue,   } bis
Une fois de plus, on les a eus.

Lorsque nous serons libérées
A Ravensbruck, la vie est belle
Lorsque nous serons libérées
Ne pourrons plus « Verfügbarer ».
Que l'existence sera grise,
Et paraîtra de mauvais ton
Pouvant tricher à notre guise
Sans crainte des coups de bâton.
C'est pourquoi, nous voulons rester   } bis
« Verfügbar » à perpétuité.

(Air : *Depuis que je suis louveteau.*)

Beaucoup plus difficile était la situation quand le piquage avait lieu entre deux blocks. L'appel général se faisait entre le 23 désaffecté et fermé et le 24.

Quelques instants avant la sirène de l'Arbeit Appel, les policières, « l'officerine [1] », une série d'ignobles filles de service polonaises, les « Zimmerdienst [2] » du dortoir avec le concours des « Jules » dont c'était l'unique travail de la journée, faisaient une chaîne, aux deux issues du block; ainsi toutes les femmes se trouvaient encerclées entre les deux bâtiments et les deux séries de gardes-chiourme. Le grand art consistait à deviner, d'après des riens, que ces dames se préparaient, et à filer à toute vitesse, on échappait à leur poursuite pour aller s'enfouir dans la cohue d'un block voisin; on risquait de tomber sur les « piqueuses » de ce block-là, mais il était plus facile de s'en tirer là où l'on était moins repéré. Technique difficile. Si on était coincé dans le rectangle, il fallait, pendant une demi-heure ou trois quarts d'heure, résister avec une attention acérée et une inépuisable obstination à une terrible partie de chasse. Que la « Zimmerdienst » préposée aux « toilettes » tournât la tête, et l'on sautait par la fenêtre de cet agréable réduit, au risque de s'effondrer dans le plus immonde mélange de boue et d'excréments, puis on se camouflait derrière une porte branlante et l'on attendait, le nez bouché; trois fois sur quatre nous voyions surgir une quelconque autorité qui nous tirait de là avec une bonne raclée et allait nous introduire de ses gentes mains dans la colonne de travail. Raclée d'accueil, et belle émotion. Après quoi, au hasard d'une bagarre, on sortait discrètement de la colonne pour s'aller glisser parmi les vieilles, petite troupe à part. Opération délicate, car ces vieilles

---

1. En réalité Aufseherin (surveillante portant l'uniforme S.S.) mais que les Françaises trouvaient plus commode d'appeler Officerine.
2. Zimmerdienst (transformé évidemment en Zemmerdeuses), déportée restant au block et chargée du nettoyage.

étrangères étaient minutieusement rangées cinq par
cinq, et une sixième risquait de compromettre la sécurité de tout le rang. Et nous étions d'autant plus mal
reçues que notre sport prolongeait les opérations et
retardait le moment où ces malheureuses rentreraient
au block. Délogées de là par les cris d'une vieille
ou la trique d'une Zimmerdienst, on tentait de se
cacher parmi les malades; elles étaient trop peu nombreuses. On ne pouvait s'y dissimuler qu'au moment
où les opérations de piquage touchaient à leur fin,
sinon c'était à nouveau la colonne de travail. Cette
fois, il ne fallait plus espérer échapper devant le
block. On partait donc avec la colonne, dans quelle
fureur! mais sans renoncer. Croisait-on des détenues
d'autres blocks, revenant du « Lager », une petite
bousculade et l'on se glissait dans le troupeau rentrant. Sauvé! Autre méthode, si l'on avait assez fait
traîner les opérations de piquage, les blocks 14 et 15
étaient ouverts et l'on se faufilait dans leurs « Waschraum » ou leurs waters en attendant que la colonne fût
fût loin.

— Au début de l'après-midi, les opérations étaient
généralement assez simples. Les « piqueuses » avaient
vite fait de former leurs colonnes avec toutes celles
qu' tirait le « soulag ». Les tricoteuses restaient longtemps devant leurs blocks; il suffisait donc d'aller
s'accroupir entre deux tabourets devant le 31. On n'y
risquait qu'une gifle de plus de l'ineffable Gerda.

— Certains blocks, comme le 26, n'allaient pas à
cet appel; c'était donc le moment où Violette et moi
allions visiter les chères amies qui y logeaient. Nous
étions accueillies par le sourire si doux, si serein, de
la générale Allard, les propos optimistes d'une brave
bouchère bretonne, nous escaladions les lits et, au
troisième étage, nous trouvions une magnifique équipe
de patriotes; il y avait, avec Odette, la petite para-

chutiste anglaise, Marguerite M., et Mme Gaby, qui
avait une si belle histoire, Mlle Jeanne, qui broda les
drapeaux du 11 novembre, Mme et Mlle Leminor, Mme
Parisot et d'autres encore, toutes réfractaires au
travail.

— Souvent aussi nous passions cet appel à nous
promener entre les blocks. On respirait, on parlait,
on riait. C'était l'heure la moins froide du jour. Nous
avions choisi ce moment, Pierrette et moi, pour qu'au
cours de notre promenade je lui apprenne du grec.
Au lieu de partir au « charbon » sous la trique, étudier, par choix, la langue de Platon, évoquer le som-
met de l'humain dans ces bas-fonds de la sauvage-
rie, c'est bien ce que nous avons inventé de plus
impertinent et nous en étions ravies. Pierrette sut
dire « liberté », elle atteignit la deuxième déclinai-
son. Puis nos leçons s'arrêtèrent, car mon block 27
fut mis en quarantaine de typhus. Quand je pus en
sortir, Pierrette avait été pendue.

— L'identité à Ravensbruck ce n'était même plus
le nom, vrai ou faux, de notre arrestation, mais un
numéro imprimé sur calicot blanc et ridiculement
plaqué sur nos manches. Voilà tout ce qu'ils nous
accordaient d'individualité et tout ce qui nous faisait participer à l'ordre du camp, comme dans le
monde la carte d'identité, nous accrochait à l'ordre
officiel (obligatoirement par temps de guerre). En
renonçant à une identité réelle, on échappait à Vichy
et à son armistice pour se consacrer, dans l'aventure clandestine, au seul service de la Patrie en guerre.

— Au camp nous eûmes deux moyens de persévérer
dans cette voie, la réserve de faux numéros et le rejet
de tout numéro. Nous cherchions à subtiliser et à
conserver quelques faux numéros pour le cas où nous
serions « piquées » en vue d'un transport, dans une
allée du camp, nos numéros relevés et nous-mêmes

renvoyées au block en attendant le départ. Cela pouvait toujours arriver si nous étions prises dans la « corvée de soupe » qui stationnait plusieurs heures devant les cuisines, à la merci d'un passage inopiné du « piqueur de vaches ».

— L'une d'entre nous fit mieux : venue au camp sous un faux nom, elle réussit à y vivre du 17 octobre au 3 avril sans aucun numéro. Ultime clandestinité. Ayant échappé aux « piqueuses » de son block 24, elle tombe sur celles du 21. Elle s'évade quatre fois de leur colonne, quatre fois est reprise avec force coups de poings, de pieds et de bâtons. Arrivée sur la « Lager Strasse », à quelque cent mètres de la porte du camp, une occasion se présente. Un remous, les gardes-chiourme sont attirées ailleurs. Nul ne la voit qui disposât officiellement de la moindre parcelle d'autorité. Mais une Allemande, détenue « politique » comme elle, victime comme elle des nazis, saisie par les mêmes moyens pour le même travail, jugea bon de courir après elle et de la ramener là dans la rangée de cinq, agissant sans obligation et pour aucun profit, par un stupide instinct d'obéissance passive à tout et au pire. La réfractaire aurait été bien perdue si elle n'avait tout à coup songé à ce règlement qu'on ne pouvait sortir du camp sans numéro. Elle arrache donc furtivement le sien et ce truc ultime réussit. Au dernier contrôle, pas de numéro, renvoi au block pour en coudre un autre. Inutile de dire la colère de la garde-chiourme qui l'avait cinq fois remise dans sa colonne et n'était pas dupe. Mais elle ne put faire comprendre l'histoire à la préposée aux vérifications! Quant à la détenue « boche », c'est le cas de le dire, elle en fut pour ses frais!

— Bonne méthode qu'il y avait donc intérêt à poursuivre. C'était, bien sûr, un délit très grave de se promener sans numéro, mais précisément la gravité du risque impliquait une extrême attention à ne jamais se faire remarquer.

— Il ne suffisait pas qu'un petit nombre de résistantes tard venues au camp se refusât à tout travail. Il fallait rallier à cette conception beaucoup de camarades. Nous nous heurtions d'abord au scepticisme des anciennes qui avaient connu un camp moins encombré, une discipline inéluctable. Il était facile de leur répliquer qu'on pouvait tenter en septembre 1944 ce qui était impossible à l'arrivée des « 27 000 ». D'ailleurs beaucoup d'entre elles quittèrent peu à peu leur colonne fixe ou leur Betrieb pour devenir de simples Verfügbar. L'as de ces sorties de colonne était Violette M., du 32. Expédiée d'office à maints travaux, elle arrivait toujours à décourager par son incroyable mauvaise volonté les chefs de colonne; lassées de taper, elles la renvoyaient.

— Aux arrivantes, suffoquées par l'horreur du premier contact avec Ravensbruck, on devait persuader que le travail en usine n'améliorerait pas tellement leur sort. On guettait, à cet effet, les femmes revenues de transport, et l'on colportait de block en block les sévices qu'elles relataient.

Les discussions, à vrai dire, furent multiples, éternelles, lancinantes. Malgré notre devise — une trouvaille de Miarka — « Rien faire et laisser dire », nous ne pouvions nous abstenir toujours de répliquer à nos censeurs. On nous objectait des considérations « réalistes » : que signifiait cette pauvre opposition? Le même travail ne serait-il pas réalisé, en définive? Il fallait renoncer à ces grandes prétentions, voir la situation comme elle était, se résigner pour se conserver. Rien ne nous agaçait davantage que ce genre d'argument, car rien n'était plus contraire à l'esprit du 18 juin qui inspirait notre attitude. S'il avait fallu en 1940 subordonner les efforts à leur efficacité immédiate, on n'avait qu'à suivre Vichy. Or nous étions, mes amies et moi, plus gaullistes que jamais. Nous l'étions avec l'intime ferveur de ceux du début, et d'une manière irrévocable. Pendant les quatre années de résistance, absorbées dans les besognes de chaque jour, nous avions, par le sacrifice d'une vie normale, et dans l'action, pratiqué l'espérance. Mais au camp, à nouveau, nous avions le loisir de penser notre foi et notre espérance du 18 juin, et d'en sentir la vertu. Au soir de mon arrivée, dans la vision macabre de cette première nuit devant les « douches », après avoir contemplé le défilé des bagnardes rentrant de l'abominable travail, après avoir été dépouillée de tout objet, de tout souvenir, de tout chiffon qui nous rattachât au monde extérieur — de tout, sauf de ma croix de Lorraine —, j'entendais, en moi, comme une obsession, comme un écho lointain, le mot de la première résistance : « L'Espérance, c'était de pouvoir rester fidèle à la Patrie toujours en guerre, de demeurer partout l'ennemi de ses ennemis et non pas seulement leur victime. Les premiers résultats montraient bien que c'était aussi possible que nécessaire.

— « Folie, mes enfants », disaient affectueusement de raisonnables « tricoteuses ». « C'est assez dur comme ça. N'allez pas augmenter les risques à l'envi. » Raisonnement de bon sens pour un monde de bon sens. Mais le bon sens, ici, c'était de comprendre, une fois pour toutes, que nous vivions hors du bon sens. Sans doute faisions-nous tout ce qu'il fallait pour aller au Strafblock, mais n'y allait-on pas pour rien? La raison, c'était de ne pas perdre la tête pour ne perdre point courage.

— Argument plus sympathique : n'était-il pas maladroit de se dérober au travail qu'on saboterait si bien et d'abandonner notre place à des Polonaises, esclaves zélées du rendement? A notre tour d'invoquer non certes le « réalisme » des politiques vichyssantes, mais cette simple réalité : notre nombre infime par rapport aux étrangères. Notre sabotage ne changerait pas la production ennemie. C'était seulement la deuxième ligne de combat qu'exigeât l'honneur si nous ne pouvions tenir la première, celle du refus absolu.

— Enfin, dernier assaut : il vaudrait mieux « se débrouiller » et entrer dans une colonne où l'on ne ferait rien pour la guerre, plutôt que de s'exposer, comme Verfügbar, à être brusquement saisie au tournant d'une allée pour un transport en usine ou l'embauche chez Siemens. Evidemment, c'était risquer de fabriquer de la poudre pour n'avoir pas voulu remuer du sable. Pourtant, cet argument, malgré sa portée sentimentale, ne m'a jamais complètement ébranlée. Car, au-delà de cette guerre de machines et de poudre, il y avait l'horrible combat du nazisme contre la personne humaine. Et nous voyions de nos yeux, nous éprouvions dans notre chair jusqu'à quel degré de bestialité ces monstrueux ennemis ravalaient leurs esclaves. Aussi pouvait-on considérer que la moindre sollicitation, nécessairement transmise par une quelconque Polonaise, détenant une parcelle de leur force, donc complice de leur crime, serait contraire aux exigences de la simple dignité humaine. Il valait mieux demeurer parmi les plus humbles Stücke toujours « disponibles » pour un sort pire, mais ne rien devoir à une organisation inique qui, pour l'honneur de la France, ne comprenait aucune Française.

— Toutefois, à notre exclusive religion de la Patrie, s'opposaient d'autres religions. Les catholiques et les communistes ont souvent été des réfractaires au travail et de bonnes propagandistes de cette conception de guerre. Mais, dans l'ensemble, elles eurent généralement un souci plus important : celui d'aider leurs camarades. Nous n'avions rien à objecter à cette louable volonté de solidarité. Nous étions seulement torturées de ne pouvoir, jamais, nous, rien pour les autres; ne jamais apporter une pomme de terre ou une écharpe, ne pas suivre une camarade épuisée partant pour le travail, lâcher le bras que l'on soutenait pendant le premier appel, quand sonnait l'appel du travail; c'est là, et seulement en nous-mêmes, que furent les vrais, les douloureux débats.

— D'un groupe à l'autre, il y avait solidarité morale et pratique. Je n'aurais jamais pu, sans les lainages de Monique, de Claire, de Lucienne, sans les « détritus frais » d'Ariane, avoir toujours assez de jambes pour échapper aux piqueuses. Et, dans cette désolation morale, tout geste désintéressé, allant contre la volonté nazie de nous abêtir, était une forme de résistance. Nous n'avions donc pas à discuter avec les fidèles des autres religions, nous les comprenions et leur demandions seulement de comprendre aussi notre attitude : le témoignage d'une liberté qui ne voulait pas capituler et la volonté absolue de demeurer jusqu'au bout dans un combat pour « Notre-Dame la France ».

— Une Verfügbar qui se refusait absolument à tout travail ne pouvait rentrer au block après l'appel, surtout à ces blocks de passage, 23, 24, 27, qui risquaient de se voir réclamer des colonnes supplémentaires au cri de « Arbeit », « Arbeit ». Force était donc de se réfugier dans les blocks aux travaux fixes qui ne redoutaient plus de piquage après l'appel. Ainsi, en octobre et novembre, Mona et moi, nous errions des couloirs du 31 à ceux du 26, du Waschraum du 30 à celui du 28. Parmi les vieilles accroupies à l'ombre des portes, nous nous cachions, anxieuses de ne point nous faire repérer comme étrangères au block; un regard inquisiteur et nous décampions. A vrai dire, ces vieilles exténuées, pitoyable fouillis de chiffons crasseux sous une vermine pullulante, restaient inertes. Nous nous mêlions à elles avec une sécurité qui triomphait de notre répugnance. A l'appel d'une corvée comme le Brotholen ou à l'arrivée de la soupe, le décor changeait : après la somnolente inertie un grouillement de jungle. Elles attrapaient la gamelle renversée sur laquelle elles étaient assises et la tendaient avec des gestes de bataille et d'avidité atroce. Et nous, nous courions à notre block pour voir s'il attendait aussi la soupe, loin de celles qui la dégustaient déjà.

— Dans les Waschraum le stratagème était de se mettre nue. Mais on ne pouvait rester des heures à grelotter dans les courants d'air autour de robinets avidement disputés.

— Les deux grandes difficultés de cette vie errante, c'était de ne pas manquer la soupe du block malgré la continuelle absence, et c'était aussi de trouver le moyen de « s'épouiller » quand on n'était jamais sûre de pouvoir jouir de cinq minutes de tranquillité dans une cachette.

— En février, changement de vie. Au fond du block 27, je restais allongée avec délices, rêve qui m'avait obsédée pendant l'automne lorsque, debout depuis trois heures du matin, nous n'arrivions pas à nous asseoir avant la tombée de la nuit. Maintenant c'était le lit toute la journée, dessus et dessous! Plus de fatigue, mais, hélas! plus d'air, plus de vraie lumière, presque plus de contacts avec les camarades des autres blocks. Le Zahlappel ne se faisait même plus régulièrement et nous n'allions point à l'appel du travail, mais, presque tous les jours, nous entendions le sinistre cri : Alles raus ! Le « marchand de vaches » allait venir « piquer » un transport, accompagné sans doute du médecin d'Auschwitz pour la sélection. Les malades seraient envoyées au 22 où viendrait les chercher le camion à gaz. A ce cri, je dégringolais du deuxième étage. Je jetais un coup d'œil aux environs et, à l'instant où personne ne me voyait, je me glissais sous le lit où venaient bientôt me rejoindre la générale et Jacqueline Lelong, Mona et Mme Tiran. Nous heurtions de la tête des boîtes de conserve au liquide douteux, nous rampions tant bien que mal à travers d'immondes guenilles, rebut de notre pouillerie. La paille des lits nous tombait sur le nez. Bras, têtes et jambes s'enchevêtraient laborieusement. Enfin casées, nous respirions, si l'on peut dire, à l'abri des opérations du dehors, sans trop penser au pire : une dénonciation qui nous ferait découvrir. C'eût été la bastonnade à mort. J'en ai fait l'expérience un des derniers dimanches de mars. Pendant que « l'Officerine » me tapait, au moment où je commençais à perdre connaissance, on vint par miracle la chercher, sinon elle eût continué à taper jusqu'au bout.

— Nous sortions de là-dessous plus Schmuckstuck [1] que jamais mais joyeuses un instant d'avoir réussi. Puis c'était l'infernal cauchemar : le compte de celles qui dehors avaient été prises; une fois les « tricoteuses » parties sans une crainte pour un appel matinal, n'étaient pas revenues, une autre fois des malades avaient disparu. Le « piquage » avait-il été important, on se dissimulait jusqu'au retour des travailleuses; alors seulement on circulait sans danger.

---

1. Schmützstück : ordure, désignant les déportées les plus misérables. Comparable au « Musulman » des camps d'hommes. Schmützstück était par dérision transformé en schmückstück : bijou.

— Mais un jour les travailleuses ne rentrèrent pas. Silence devant le block. Silence à l'intérieur. Nous nous risquons jusqu'à la fenêtre : des barbelés séparaient les blocks du fond de tout le reste du camp. Nos camarades camouflées dans le grenier redescendent. Conciliabule. Pourquoi ce vide total? Avaient-ils l'intention de mettre le feu à notre block, l'un des plus pouilleux, était-ce le début d'une évacuation totale? Une camarade découvre la blockowa enfin revenue et rapporte des précisions : le block était définitivement vidé de toutes les occupantes du matin. Ainsi nos camarades parties en colonne ne retrouveraient rien de leurs pauvres affaires et devraient, ce soir, disputer à des inconnues des quarts de paillasse dans un nouveau block.

— Nous pouvions encore rejoindre les colonnes de travail recrutées dans l'après-midi. Pouvions-nous rester? La Blockowa allait recevoir des Juives hongroises et des Gitanes dans la nuit. La Blockowa acceptait notre présence clandestine, mais ne pouvait nous garantir un ravitaillement régulier. Désormais, n'étant plus comptées dans le camp, nous devrions nous cacher toujours et nous contenter des restes glanés pour nous dans d'autres blocks. Toutes, nous acceptâmes exultant de joie et de liberté, la liberté de disposer un instant de sa personne malgré les barbelés. Se trouvaient là avec les habituées du dessous de lit, Jacqueline d'Alincourt, Rosine Déréan, Annie Renaud, Noélla Peaudeau, Sylvie Girard et trois camarades hollandaises. Notre liberté, à vrai dire, n'était qu'un symbole, et pratiquement le choix délibéré de manger encore moins. Mais autour de nous on s'ingéniait. Des bidons de soupe supplémentaires arrivèrent. On truqua les comptes pour nous donner presque régulièrement un morceau de pain. On nous l'apportait parfois la nuit, quand nous dormions déjà :

qu'il était bon, ce pain de réfractaire! Les autres
Françaises du camp nous avaient baptisées « le
maquis du 27 ». D'où le cri de Kiki, notre bonne Stubowa : « Le maquis à la soupe! »

— Malheureusement, les beaux jours des maqui-
sardes ne durèrent pas. Il fallut quitter le fond pouilleux, mais sûr, du dortoir pour être exposées au troisième étage du Tagesraum, en première ligne en
cas de « piquages » brusqués. Nous trouvions là, avec
quelques bonnes Françaises comme Mme Michel,
Mme Suzanne, Mme Noguès, quelques autres dont le
nom m'échappe, et une Russe de Paris, Ina; des filles
d'on ne sait quelle nationalité qui s'étaient aussi dérobées au départ, mais parce qu'elles avaient su qu'il
s'agissait d'un mauvais transport; d'incorrigibles
voleuses, des prostituées dont l'une au moins d'origine allemande, une fille qui avait travaillé avec la
Gestapo et fut arrêtée ensuite à Paris. La faim et
notre situation hors de la norme, même de la norme
du camp, développèrent les pires instincts; on vit des
femmes encore valides « chiper » le dernier morceau de sucre d'une vieille à l'agonie, des bandes de
pillardes se constituaient et se disloquaient, par dénonciation, sitôt le coup fait. Filles de cafés-concerts de
Bruxelles, de Bucarest ou d'Afganistan rivalisaient de
voracité, de poings et de ripailles, sous les invectives
alternées de Nadia et de Lydia, grandes vedettes des
sempiternelles bagarres.

— L'abri, en cas d'Alles Raus, était alors le grenier;
on s'y hissait à la moindre menace et l'on restait des
heures en équilibre sur des poutres de 15 cm de large,
souffle retenu, muscles contractés. Nous étions là plus
de trente et parmi nous des filles dangereuses dont
on pouvait toujours craindre une scène ou une
dénonciation. Nous dépendions de leur fantaisie
puisqu'elles étaient complices de notre Résistance.

— Finalement, on nous fit à nouveau figurer dans les comptes du block en grossissant un peu un fort contingent d'arrivantes. Bien des indésirables repartirent en colonne et je pus regagner le dortoir.

— Ce perpétuel camouflage, ce fut sans doute une épreuve nerveuse, et cette crainte quotidienne d'être prise pour la première fois une hallucinante obsession. Mais, comme si toutes les religions avaient leur Providence, toujours des hasards heureux vinrent me tirer des mauvais pas. La chance décupla les efforts d'une bonne volonté bien impuissante en pareils lieux, mais forte cependant du soutien d'un net impératif, impératif d'honneur et de dignité humaine par la simple pratique de la liberté : c'était toute notre mystique du 18 juin. C'est ainsi que je pus tenir, sans travailler, jusqu'au bout...

XVI

14 JUILLET AU BLOCK 21

Elles étaient arrivées le 15 juin 1944... Elles étaient hallucinées par cette découverte de Ravensbruck...
— ... Puis [1] ce fut l'infernal block... le 21... La salle commune où nous avions dû tenir 200. Nous y étions 600, dont 200 Françaises. Un tabouret pour 4... Une table de 8 pour 32... Il y avait des femmes partout (des fantômes de femmes!) sur les tables, sous les tables. Le moindre espace était âprement disputé et conquis sauvagement parfois. Nous avons vécu ces premiers jours dans un abrutissement total. Les plus vaillantes d'entre nous se taisaient, visage crispé, dents serrées. Un matin, Lise Ricol-London s'est approchée de moi. Ensemble nous avons regardé la salle, nos compagnes, leurs pauvres visages. Les plus âgées avaient lâché prise déjà et nous sentions qu'elles ne se raccrocheraient plus. « C'est la folie bientôt pour toutes, si ce régime continue. » Ensemble, avec quelques amies, nous avons décidé de reprendre, comme à Sarrebruck (Neûenbremm) le cycle des conférences. des causeries, des voyages décrits. Mais comment

---

1. Manuscrit inédit Lise Lesèvre. Juillet 1970.

faire taire les Russes, les Polonaises, les étrangères
pendant ces séances qui ne les intéresseraient pas?
Alors nous allons chanter!... Vite furent organisées
ces matinées chantantes (nous étions en quarantaine,
donc dispensées de travail). Il y eut les chants, les
beaux chœurs de France, ceux de Russie, de Pologne. Les Allemandes internées demandèrent à participer elles aussi à ces concerts, puis se vexèrent que
nous ne les laissions pas chanter les premières.

— Et ainsi, cahin-caha, « 14 juillet Ravensbruck »
arriva! Une grande matinée artistique était prévue.
Les répétitions allaient bon train dans le « Waschraum » (lavabo) pendant les heures de fermeture
obligatoire, et cela grâce à la complicité de notre
Blockowa, Hilda Sinkova, une Tchèque dont le mari
avait été fusillé. Elle donna toutes les possibilités pour
la préparation de cette fête et ferma les yeux pour
ne pas voir ce qu'elle devait ignorer. Denise Morin-
Pons devint monitrice des danses et des chants.
Juliette Duboc (notre Yvette) fut chef d'orchestre.
Il fallait voir le visage rayonnant de nos jeunes au
sortir de ces répétitions!...

— Matin de la Fête Nationale : il fut décidé que
« l'appel » se ferait dans le plus grand silence, chose
que n'avaient jamais pu obtenir nos plus sévères gardiennes. Notre tenue impeccable avait impressionné
nos camarades étrangères : elles firent silence elles
aussi. Cet « appel » extraordinaire nous avait rame-
nées chez nous... Le ciel était moins lourd... Il n'y
avait plus de corbeaux... Nous entendions les clai-
rons de chez nous, les canons de chez nous... Les clai-
rons, les canons des jours de fête et de délivrance!

— Pendant l'appel, « Radio-Bobards » avait fonc-
tionné. Qui avait pu l'entendre? Qu'importe, puisqu'on l'avait entendu... Ecoutez : « Paris est libéré...
Sept divisions sont entrées dans la capitale ce matin...

Le général Leclerc est à la tête de ses troupes... L'escadrille Normandie-Niemen est dans le ciel de Paris... De Gaulle est à Notre-Dame ! »

— « Radio-Bobards » n'avait pas menti.. Il avait devancé les événements... un peu... d'un grand mois seulement.

— Des tables furent poussées dans le fond de la salle pour constituer la scène. La fosse d'orchestre était sur le côté. Les parterres étaient vraiment par terre et il y avait là un tel entassement que, vous qui n'avez pas connu ça, vous ne pouvez l'imaginer : les prisonnières assises, genoux écartés, pour permettre aux autres d'en faire autant et de tenir plus nombreuses. Pitoyables maillons d'une chaîne de misère que nous allions oublier quelques heures. Les fauteuils « 1ʳᵉ série » étaient les tabourets — « 2ᵉ série », les tables. Les promenoirs étaient entre la cloison et les dos de la dernière rangée des spectatrices... et le spectacle commença :

— Guittou récita le poème de l'une des nôtres intitulé « Ravensbruck ». Il disait en vers savamment ordonnés ce que nous sentions toutes au fond de nous : la misère, la faim, la mort, l'épouvante... Mais aussi l'espérance en la résurrection de notre pays ! Puis ce fut le défilé des « Provinces françaises », avec leurs costumes, leurs coutumes, leurs danses, leurs chants... Ah ! ces costumes, comme ils nous semblèrent magnifiques (notre Blockowa avait donné beaucoup de choses). Le bleu, le blanc, le rouge de notre drapeau furent presque constamment en scène. Louise, une solide fille du Nord, a chanté « Le P'tit Quinquin ». Jacqueline Rigaud (Jacotte) et sa mère ont chanté en duo « Le temps des cerises », voix si harmonieusement accordées qu'elles avaient une fraîcheur de source. « Le cabanon de Marseille », par notre petite Dedou, à la voix pleine de soleil des filles de notre Midi. J'ai oublié vos noms, vos visages. Amies qui avez chanté « Ma Normandie » ; je ne me souviens que des pommiers en fleurs, doux mirage qui masquait la scène pour moi pendant que vous chantiez. Roberte, vous avez si bien chanté « La Morvandelle »... Et vous, petites vagues qui chantiez en vous balançant « Les Marins de Groix ». Et vous, frêles vendangeuses avec vos paniers et vos serpettes de carton... Où aviez-vous pris le carton pour « Les Vendanges » ? Et vous, compagnes charmantes qui avez dansé « La Bourrée ». Gardez-vous un peu de reconnaissance au Grand Reich généreux qui vous a fourni une partie importante de votre équipement? Les sabots!... Et vous Denise, Régine, Yvettou, Josy, le beau « Fandango » tricolore que vous nous avez dansé! « La Bourguignonne », chantée et dansée par quatre jeunes... Comme elle était jolie notre petite mariée de « La Noce Berrichonne », Francine Bonnet. Comme sa maman la regardait avidemment sentant peut-être que c'était une dernière vision de sa petite fille (pauvre maman, pourquoi aviez-vous les cheveux blancs puisque les S.S. n'aimaient pas ça?). Bisi, le cornemuseux, et Denise dans le vieux papa de cette noce, furent longuement acclamées, en sourdine, bien sûr, pendant qu'aux fenêtres quelques-unes faisaient le guet. Puis, nous avons rencontré : « Les quatre Filles de la Rochelle. »

— Et brusquement, une fille bleue, une fille blanche, une fille rouge sur la scène, et notre *Marseillaise* éclata en cantique que nous avons repris toutes ensemble au refrain, et que nous chantions, non pas à pleine voix, mais à plein cœur. Spectacle magnifique que vous ne pouvez imaginer vous qui ne l'avez pas vu! Je crois sincèrement que vous pouvez regretter de ne pas l'avoir vu... ce spectacle (pour le reste, bien sûr, je n'insiste pas).

XVII

LES INDÉSIRABLES

Ramdohr, chef du service politique de Ravensbruck, est fonctionnaire de la police judiciaire. Chargé des interrogatoires, il instruit toutes les « affaires » et même les S.S. n'interviennent pas dans ses décisions. Il est vrai que Ramdohr est un cadre qui a parfaitement assimilé le système concentrationnaire. Mis en place en 1942, il avait à la libération du camp torturé près de 1 500 femmes. Il ne fut mis en échec que deux fois.

Stanislawa Szeweczkova avait fondé un groupe clandestin de résistance composé d'une dizaines de jeunes Polonaises qui se réunissait, une fois par semaine. Dénoncée par une compatriote, Stanislawa est entravée, traînée dans le bureau du service politique et étendue sur une table, tête dans le vide. Ramdohr dépose une grande cuvette d'eau sur une chaise et glisse la chaise sous la tête de Stanislawa. Question. Pas de réponse. La tête plonge dans la cuvette.

— Le nom de tes amis?

Dix fois, cinquante fois la même question. Dix fois, cinquante fois le supplice de la « baignoire modèle réduit ». Lorsque la Polonaise s'évanouit, des coups de schlague la réveillent. Ramdohr est obstiné mais il a l'habitude de prendre son temps. Il condamne Stanislawa à douze jours de section disciplinaire « sans couverture et sans nourriture ».

Le 13e jour : table, cuvette, question, questions. Toujours pas de réponse. Nous sommes en hiver; Ramdohr n'a jamais encore expérimenté « le jet » au-dessous de zéro. Lorsqu'il quitte son bureau, il dit simplement : « Six douches. »

Le traitement est simple : on attache la prisonnière nue, dehors, à un poteau et on l'arrose pendant un quart d'heure en utilisant la lance à incendie à haute pression. A la fin de la séance « on laisse rafraîchir » une heure. Si la détenue n'a pas parlé... c'est qu'elle est morte. Stanislawa tient une séance... trois jours plus tard, deuxième traitement. Le supplice se prolongera trois semaines, à raison de deux « douches » par semaine. De nouveau table, cuvette, questions.

— Nous vous reverrons dans deux mois. Deux mois de section disciplinaire avec une soupe chaude tous les quatre jours...

Toute la colonie polonaise solidaire « gave » littéralement Stanislawa qui se présente en grande forme devant Ramdohr à la fin du temps de punition. Une heure plus tard, le corps de la Polonaise est une plaie. Elle n'a pas parlé. Ramdohr la croyant morte la fait porter au Revier. En un mois, Stanislawa est sur pied. Ramdohr préfère abandonner et oublier.

— Les prisonnières de l'Armée Rouge ne veulent pas travailler.

— Ce n'est pas de mon ressort !

— Elles disent qu'elles sont prisonnières de guerre et qu'elles doivent être traitées en prisonnières de guerre.

— Voyez le commandant.

Ramdohr, il le dira en 1947 au procès des criminels de guerre de Hambourg, trouvait le « morceau un peu trop gros ».

— Là, pour la première fois, j'ai senti que je ne devais pas mettre le nez dans cette affaire. Le morceau était un peu trop gros pour moi. Plus tard, on m'obligea à entendre certaines « soldates » qui avaient refusé de travailler en usine. Je me suis contenté de prendre note de leur déposition.

Tout avait commencé au début de 1943. Cinquante-trois « soldates » considérées comme indésirables à Maïdanek sont expédiées à Ravensbruck.

Nous passons[1] la visite médicale. Encore cette attente humiliante, nues, dans le couloir, l'examen du docteur...

Après une nouvelle vérification, nous apprenons que l'on ne veut pas nous reconnaître comme des prisonnières de guerre. On nous donne des numéros matricules comme aux civils russes. Nous refusons de coudre le « Winkel » russe (un triangle rouge avec la lettre R) à notre tenue, car les prisonniers de guerre n'en portent pas. Tout va bien au Block de quarantaine, mais la quarantaine une fois terminée, nous passons par le Arbeitseinsatz (bureau de répartition du travail) et là, c'est une autre affaire.

— Votre triangle?

— Prisonnières de guerre.

— D'où?

— De Lublin.

---

1. Témoignage Antonina Nikifovora : *Plus jamais*. Editions de Moscou, 1958.

— Nous ne vous reconnaissons pas comme prisonnières de guerre, ce n'est pas nous qui avons ôté votre uniforme. Revenez dans une demi-heure avec vos triangles.

— A d'autres!

Nous revenons une demi-heure plus tard.

— Alors, vos triangles?

— Nous sommes prisonnières de guerre, personne n'en porte dans notre camp.

— Vous reviendrez à sept heures du matin avec vos Winkels. Allez, ouste!

Nous nous obstinons, nous voulons lutter. Nous mourrons, mais nous ne nous rendrons pas.

Nous revenons le lendemain sans triangles. On nous mène vers la place de la chancellerie. Nous attendons. On nous envoie au Bunker, la prison. Nous avons peur. Le Bunker? Les « vingt-cinq coups » ? Après la quarantaine, l'air frais nous fait vaciller de faiblesse. Nous avons parmi nous deux vieilles femmes malades et Lisa, enceinte, qui est arrivée tout récemment. Elles ne supporteront pas les vingt-cinq coups... Que faire? On nous aligne par cinq devant la prison, pour nous punir. Nous nous tranquillisons quelque peu. Rien que ça?

Nous rions.

Les détenus regardent à travers les barreaux de la prison. Beaucoup portent l'uniforme allemand. Cela nous console : la présence de tant de militaires allemands nous confirme que le fascisme craque sur toutes les coutures. Il n'est pas si facile que ça de rester debout. Deux, trois, cinq heures passent. C'est l'heure de la soupe. Puis l'appel. Nous sommes toujours debout. Il fait chaud. Les jambes font mal et les reins aussi. Chourka-le-bourreau passe vers l'administration. Nous tressaillons. Encore pour nous? Elle nous rassure.

— Ne craignez rien, les nôtres, les Russes, je les bats moins fort que les autres.

— T'as beau être Russe, tu n'es pas des nôtres, salope, crie l'une d'entre nous!

— Tais-toi, tu oublies que Lisa et des malades sont avec nous.

Nous serrons les dents. Nous attendons. Il s'avère que Chourka-le-bourreau n'est pas venue pour nous. Nous demandons à l'Aufseherin de nous mener au W.C. Elle nous conduit par groupes au Block 12 de prisonnières de guerre. Les camarades nous accueillent amicalement. On cause avec l'Aufseherin, et pendant ce temps on nous apporte à boire et un peu de soupe. Ces quelques cuillers de soupe aux épinards nous semblent délicieuses!

Juste le temps de souffler et nous voilà devant le Bunker.

Il commence à pleuvoir, des seaux d'eau tombent des toits. L'Aufseherin est rentrée dans la maison. Nous sommes toujours là. Certaines se lavent les mains ou la tête, d'autres leur mouchoir, quelques-unes redressent leur dos fatigué. La pluie devient torrentielle. Nos vêtements transpercés sont lourds : l'eau dégouline du fichu dans le cou. Nos visages sont livides, nos lèvres bleuies de froid...

La sirène. Certaines sont rentrées du travail, dînent, d'autres sont parties avec l'équipe de nuit. Nous sommes toujours debout...

La pluie a cessé, le vent sèche nos robes. Le corps est rompu de fatigue. Nous considérons la porte de l'administration. A quand la fin? Les Aufseherinnen sont rentrées. Resterons-nous là toute la nuit? La sirène annonce l'heure du coucher. On nous laisse partir, nous promettant la même pénitence pour demain. Il semble que nous allons voler vers le Block, mais nos jambes sont de plomb et refusent de nous obéir.

Dans le Block nous sommes accueillies comme des héroïnes, on nous offre des escabeaux, on nous donne à manger... Maintenant, plus de différence : Polonaise, Russe, Allemande ou Danoise. L'important c'est que cinquante-trois femmes résistent. La Lagerpolizei Turi, se comporte bien envers les déportées, nous la prions d'arranger l'affaire. On appelle des témoins de Lublin, et toutes les prisonnières de guerre, anciennes et nouvelles, reçoivent un Winkel « S.U. » — Union Soviétique.

Un malheur est passé. Un autre arrive. Nombre d'entre nous vont être envoyées dans les fabriques à Leipzig. Tout notre groupe, ou presque, en fait partie, ainsi que nos trois filles : Véra, Lida et Zina.

Jamais je n'oublierai cette aube, la terre noire, les Blocks verts et les trois silhouettes en fichus blancs : elles nous font des signes de la main, partant vers des dangers et des malheurs nouveaux. Nous essuyons nos larmes.

Le Block 21 est évacué pour un nouveau convoi, nous passons dans d'autres.

Nous sommes près de 500 dans le petit Block 12 destiné aux prisonnières de guerre. Chacune a sa place, son placard, sa couchette. L'ordre et la propreté y règnent. L'équipe de jour s'en va, celle de nuit arrive. Les couchettes sont tout le temps occupées, c'est un perpétuel roulement de l'équipe de jour et de nuit, mais la tranquillité et les intérêts des camarades sont respectés.

C'est le silence. A peine quelqu'un élève-t-il la voix que l'on entend : « Chut, l'équipe de nuit dort. » Nous partageons scrupuleusement les rations de pain et de margarine. L'une se détourne, l'autre demande : « A qui ? » Il ne peut être question de vol.

⁂

Lioubov Sémionovna Konnikova refuse tout travail dans son kommando.

— Le 16 janvier [1], au matin, on m'enferma à nouveau dans le Bunker, sorte de remise de quatre pieds de long sur un pied et demi de large, sans air ni lumière. Je m'assis sur la banquette clouée au mur. Je ne pouvais dormir, j'avais très froid dans ma robe. Je distinguais la nuit du jour par le bruit des équipes allant au travail. On ne me donnait ni à boire ni à manger. Une puanteur épouvantable émanait du cadavre d'une femme gisant à côté et qui se décomposait. Le second jour, j'entendis un bruit de clefs, une lampe m'aveugla.

C'était le chef du camp. Il m'apportait du pain et de l'eau. Je n'avais pas faim, les muscles du visage me faisaient mal, les dents aussi, car je claquais des dents à cause du froid. Le 22 janvier arriva Bronning, le commandant du camp de Ravensbruck. Il commença son interrogatoire en m'attrapant par le col et en m'étouffant.

— Alors, tu ne veux pas travailler, saleté de Russe. Nous te l'apprendrons! Ce n'est pas comme au front, quand tu tirais sur nos soldats! Il me repoussa si violemment que je m'affalai contre l'autre mur. Tu travailleras, ou tu mourras, compris! Je te donne vingt-quatre heures de réflexion, ajouta-t-il.

— Je suis médecin soviétique. Je ne préparerai pas d'armes destinées à assassiner mes frères et mes sœurs.

On m'enferma à nouveau dans le Bunker. Vingt-quatre heures plus tard, l'Aufseherin me fit sortir et me parla plus humainement : je devais travailler, j'étais jeune, je ne gagnerais rien à ne pas travailler, seule m'attendait la mort par la pendaison.

---

1. *Plus jamais.* Dejà cité.

— Je ne crains pas la mort, répliquai-je. Elle marchait sur nos talons quand j'étais au front et nous sommes parents à présent. Comment osez-vous envoyer des prisonnières, vos ennemies n° 1, aux usines de guerre? Vous n'avez donc plus personne pour travailler?

L'Aufseherin m'assomma de coups.

Le lendemain, je fus envoyée à la fabrique. Je déclarai à l'Aufseherin de l'atelier, une femme grossière et stupide, que j'étais prisonnière de guerre et ne ferais pas de cartouches. Elle m'obligea à laver les tinettes. Je les lavai toute la journée. Le soir, l'Aufseherin en chef apprenant mon refus se remit à me battre et vint le lendemain à l'atelier pour vérifier ce que je faisais. La contremaîtresse et elle m'empoignèrent et me placèrent devant une machine. Jamais je n'avais pleuré, mais la vue de cette masse de cartouches à la chaîne me fit monter les larmes aux yeux, je n'arrivai pas à les retenir.

On ne me donnait pas à manger puisque je ne travaillais pas. Le soir, je revenais seule au camp, derrière la colonne, escortée d'un S.S. et d'un chien (de peur sans doute que je ne m'évade).

Pendant une semaine, on me fit ainsi changer d'atelier, voulant m'obliger à travailler. L'Aufseherin de chaque atelier acceptait la « maudite » et me battait à sa façon. Je ne fléchissais pas.

Le soir du 7 février, on m'annonça que le commandant du camp m'appelait à Ravensbruck. Je savais qu'on ne convoquait pas sans raison, j'étais prête à tout.

Je fus réveillée à trois heures du matin, et, comme il était tôt, l'Aufseherin m'emmena dans sa chambre. Un poste était sur la table. Je n'y prêtai aucune attention, ne pensant qu'à mon retour au camp, à mes amies, à notre rencontre... Je fus interrompue dans mes pensées par une musique, une musique connue... Croyant à une hallucination, j'entendis soudain une voix féminine : « Ici Moscou. Il est six heures. Voici les dernières nouvelles. » Quelle voix tranquille! Et comme deux ans et demi auparavant, comme s'il ne m'était rien arrivé, le speaker Lévitan dit : « Du Bureau d'informations soviétique... » Il communiqua la prise de certaines localités et de la ville de Rovno, mais l'Aufseherin débrancha. Je ne puis décrire ce qui se passa alors en moi... Durant tout le voyage j'entendis cette voix : « Du Bureau d'informations soviétique... »

A midi, j'arrivai au camp. Je pensais qu'on me remettrait au Bunker, mais on m'envoya dans mon block. Les détenues, ne sachant pas pourquoi j'étais de retour, me demandaient ce que j'avais eu et me regardaient curieusement. Ce n'est que dans le block que j'appris que durant mon absence avait eu lieu le « Himmel-Transport », l'« envoi au ciel », que l'on y avait emmené nos prisonnières et des femmes en bonne santé pour être gazées.

Je ne comprenais pas : d'un côté la voix familière de Lévitan, de l'autre, l'extermination de ces malheureuses innocentes, sans défense.

J'attendais chaque jour quelque chose, mais rien n'arrivait. Le 10 mars, après l'appel, on m'emmena derrière le camp vers un grand local avec un nombre de pièces incalculable. Le chef de la Gestapo locale, le bourreau Ramdohr, menait l'interrogatoire. Une Aufseherin dactylo et un interprète S.S. écrivaient. Voici le compte rendu de l'interrogatoire.

Ramdohr : Alors, tu ne veux pas travailler en Allemagne?

Réponse : J'ai travaillé tous les jours au camp; mais je refuse de travailler pour l'usine de guerre.

Ramdohr : On t'y forcera. Tu crois peut-être qu'on

prendra des pincettes. On aurait dû vous exterminer depuis longtemps, toutes. Et vous, qu'en faites-vous de nos soldats, de vos prisonniers?

Réponse : J'aurais bien voulu être à la place des prisonniers allemands en U.R.S.S.

Ramdohr : Vous leur offrez peut-être des pommes?

Réponse : Peut-être pas des pommes, mais en tout cas pas des rutabagas, et on ne les oblige pas à travailler dans les usines de guerre.

Je finis à peine ma phrase que Ramdohr s'approche de moi. Il me flanque des coups sur la figure, sur la tête. Si je ne m'étais pas appuyée contre le mur, je serais tombée.

Ramdohr : Je ne sais pas pourquoi les prisonniers de guerre sont au camp. Je regrette que vous soyez encore ici.

On me donne l'interrogatoire à signer. Je refuse, demandant la traduction russe.

Ramdohr : Tu ne veux pas signer, tu ne crois pas un officier allemand?

Réponse : Je demande la traduction russe.

On me poussa hors de la chambre et on me renvoya au camp. Je n'arrivais pas à me calmer. Le visage et la tête me faisaient mal. Le lendemain on me rappela chez Ramdohr. Une femme, qui connaissait mal le polonais, me traduisit. Je la comprenais à peine, mais j'étais dans un tel état que je signai.

Le matin du 16 mars, on m'envoya au block disciplinaire. C'était un local de dimensions réduites, entouré d'une palissade. Il s'y trouvait surtout des prostituées. Les portes s'ouvrirent, l'Aufseherin m'y poussa. Je n'eus même pas le temps de voir où j'étais qu'une main m'attrapa. C'était l'Aufseherin. Elle me demanda mon nom et pourquoi j'étais ici. Je voulus m'expliquer, mais elle cria :

— Ah, de l'usine de Genthin, je sais.

Une jeune Soviétique, Zoïa Savéliéva, s'y trouvait depuis deux semaines. Elle s'était enfuie du « Himmel-Transport ». Avant, elle avait passé un mois et demi dans le Bunker. Nous étions deux maintenant. On ne nous laissait pas travailler en dehors du camp. A quatre heures on nous chassait pour l'appel, après quoi toutes allaient décharger des péniches de légumes au bord du lac ou creuser la terre. Celles qui restaient, nettoyaient le block, et l'on se battait pour ce service, car on y recevait une louche de soupe supplémentaire.

S'il pleuvait ou s'il faisait froid, je gelais dehors; s'il faisait beau on m'enfermait dans les lavabos. Puis on me laissait rentrer au block où commençaient les « Schweig-Stunde » (heures de silence) qui se prolongeaient toute la journée. Je n'avais pas de place : les Allemandes étaient les maîtresses de la situation. Elles épiaient chacun de mes gestes, pour me provoquer et le rapporter.

Je ne pouvais ni m'asseoir, ni écrire, ni avoir un crayon. Il était défendu de se retourner pour ne pas rompre le silence. Il fallait être propre, mais il était défendu de se laver. On ne pouvait aller aux tinettes qu'à des heures fixes. Les Blockälteste, les Aufseherinnen, les Stubendiensten nous battaient à qui mieux mieux. N'importe quelle détenue pouvait me battre. La saleté, la syphilis, la gale. C'étaient les détenues qui servaient la nourriture. Il dépendait d'elles de nous donner notre ration entière, la moitié ou rien du tout. Je ne dormis pas la première nuit, les poux pullulaient, et puis ces cris, ces vols, ces batailles...

Je ne dis mot à personne durant trois mois et demi : c'était trop dangereux de parler aux Russes, sur le moindre soupçon on rapportait. Je ne savais pas l'allemand, et puis, d'ailleurs, qu'avais-je à dire à ces femmes? Elles se comportaient ici comme là-bas.

Des punitions sans fin, puis le « ohne fressen » (sans manger). Souvent, en guise de punition, on privait le block de nourriture pour une journée, parfois pour plusieurs.

Lorsqu'on nous envoyait au travail, la Stubendienst nous battait, ainsi que la Blockälteste et l'Aufseherin; les Aufseherinnen escortaient les kommandos accompagnées de chiens. Elles étaient aidées par des S.S. On nous envoyait aux travaux sans distinction. Les malades qui restaient en arrière de la colonne, risquaient d'être déchirées par les chiens. Et souvent, on les ramenait aux lavabos où elles mettaient fin à leurs jours ou bien on accélérait leur mort en les arrosant d'eau glacée. C'était une méthode très répandue.

Les douleurs physiques étaient effroyables, mais la douleur morale les surpassait. A chaque instant nous étions offensées et humiliées.

Les conversations avec les déportées des blocks ordinaires étaient rigoureusement interdites. Les femmes des kommandos devaient chanter des chansons allemandes; celle qui ne chantait pas était punie.

Le 16 juin, à l'appel, on m'envoya à la Schreibstube, l'administration, pour me donner vingt-cinq coups de bâton, mais je ne les reçus pas. Cela se répéta chaque mardi et vendredi.

Le 4 juillet, on m'emmena dans le sous-sol du Bunker. Une petite table occupait le milieu de la pièce. On y plaçait la détenue sur le ventre, les genoux appuyés sur un tabouret, les bras tendus en avant, puis on lui attachait les pieds, la poitrine et les mains. On enveloppait la tête d'une couverture. Impossible de respirer; si je me trompe, le bâton était en os formé de deux parties reliées de cuir et de caoutchouc. Après cette manipulation, le docteur vérifiait si la « prescription » avait bien été exécutée.

Le commandant du camp, l'Aufseherin Klein et le Dr Treite assistèrent à ma bastonnade. Je ne puis dire ce que je ressentis alors. Je ne pensais qu'à une chose : ne pas crier. Je crois que je n'ai pas crié.

On me fit parvenir une lettre de mes camarades et un petit poème écrit par une détenue. J'étais toute courbatue et je ne pouvais marcher. Mais mon âme était plus blessée encore : je ne voulais plus vivre. J'avais de tels moments de désespoir que, rassemblant toutes mes forces morales, je devais repousser l'idée du suicide.

— Quand [1] le tribunal des crimes de guerre de Hambourg condamna Ramdohr en 1947, à être pendu jusqu'à ce que mort s'ensuive, il se trouva beaucoup de ses parents et amis pour écrire que « ce cher Ludwig n'aurait jamais fait de mal à une mouche » ; que ce camarade « respirait le bonheur même » ; qu'il était le « protecteur des pauvres et des malheureux » ; qu'il lui arrivait « en se promenant dans la campagne de faire un drôle de petit bond de côté pour ne pas écraser un escargot ou un lézard » ; et que pour enterrer le canari de sa belle-mère, il « avait tendrement mis l'oisillon dans une petite boîte, l'avait recouvert d'une rose avant de l'enfouir sous un buisson de rosiers ». Il est difficile de superposer le Ramdohr brutal de Ravensbruck, la terreur du camp et « ce cher, brave, Ludwig ».

---

1. Lord Russel of Liverpool. Déjà cité.

NOËLS DE RAVENSBRUCK

XVIII

Ravensbruck, 24 décembre 1944 [1]. Au camp, chacune de nous pensait aux Noëls passés, Noëls de liberté. Pour chacune de nous, croyante ou non, Noël est joie et amour. Ici, au camp, ces mots semblent sortis du vocabulaire des anciens temps, temps passés, si lointains, où nous savions encore pleurer. Temps où nous étions libres... Toutes, nous avions la gorge serrée, pensant à ceux que nous aimions tant... Comme il est loin, comme il fait mal, le souvenir!...

Ce soir-là, Annick Pizigot, une Bretonne de Lociné et moi-même, nous sommes l'une près de l'autre au « Revier » block 10, contagieuses. L'une tuberculeuse et dysentérique, l'autre typhique. Nous unissons nos microbes et nos pensées.

Ce soir de Noël, nous étions deux gamines de vingt ans, deux N.N. qui avions le cœur lourd. Ici, nous savions que nous avions peu, bien peu de chances de guérison.

Un peu avant l'heure de la soupe, quelques compagnes du camp sont venues pour nous chanter quel-

---

1. Manuscrit inédit Monique Barbier.

ques chants de Noël. C'était le seul cadeau qu'elles pouvaient nous faire. La bonté de ce geste nous fit mal et bien à la fois car, en ce lieu, le rappel des joies passées est douloureux, et celui des joies futures... nous n'osions y penser.

C'est dans cet état d'esprit qu'au moment de la soupe nous eûmes la surprise d'avoir une distribution de cornichons. Oui, parfaitement, des cornichons!

Annick me dit : « Dans notre état, si nous les mangeons, c'est la mort certaine. » Quelques minutes, nous restâmes silencieuses, regardant ces quelques cornichons au fond de notre gamelle. Laquelle de nous deux exprima notre pensée commune? « De toute façon, nous ne pouvons guérir. Autant mourir le jour de Noël. »

A l'une comme à l'autre, il semblait que ce serait une grâce toute particulière de mourir ce jour-là.

Ainsi, nous décidâmes de manger ce qui devait nous achever. Avant de nous endormir pour toujours, comme elle fut sincère notre prière... Preuve que nous avions trouvé joie et confiance, notre « Bonsoir » fut un « Adieu » souriant.

Aujourd'hui encore, ce que je trouve extraordinaire fut que toutes deux nous avions la conviction profonde, absolue, indiscutable, que nous irions au Paradis. Là-haut, tout droit, nulle part ailleurs...

Emplie de cette certitude réconfortante, je m'endormis.

J'étais vraiment au Paradis puisque je baignais dans une débauche de couleurs éblouissantes, de couleurs jamais vues et jamais retrouvées. J'étais heureuse, entièrement, pleinement.

C'est dans cette joie toute neuve que j'entendis une voix qui criait : « Aufstehen!... Appell! »

En une fraction de seconde, une colère immense

m'envahit, la rage me saisit, l'indignation me sub-
mergea et, insultant Dieu lui-même, je m'écriai :
— Ah non!... Pas ici aussi!...
Imaginez l'effet que cela peut faire de retrouver
Ravensbruck au Paradis... C'est le comble de toute
horreur, non?
Criant mon indignation, le son de ma propre voix
m'a réveillée. Je revois alors le block, les paillasses,
mes compagnes et... Annick. Annick qui semblait
tâter son corps, ses yeux incrédules fixés sur moi. Je
me suis tâtée aussi. Oui, nous étions vivantes. Nous
n'étions pas au Paradis..., nous étions toujours au
camp!
Ce fut la seule nuit où, toutes les deux, nous avons
dormi profondément, la seule nuit de vrai sommeil
réparateur.
Est-ce cela le miracle de Noël?
Quoi qu'il en soit, j'ai parfois l'impression d'avoir,
par ma colère, perdu mon Paradis.
A ma place, qu'auriez-vous fait?

LETTRE DE NOEL

Mes petits chéris [1],
Vous avez [2] eu bien du chagrin n'est-ce pas quand
ce beau matin de mai (il faisait si beau en mai!) vous
avez vu partir Papa et Maman.

---

1. Bien entendu, cette lettre ne partit jamais. Je l'avais
faite attendant une « occasion » qui n'est jamais venue. Je l'ai
retrouvée par hasard dans la couverture d'un petit manuel
de prières confié à un travailleur Belge au moment de notre
départ fin février. Après l'armistice, ce Belge, que je ne connaissais pas, a eu la gentillesse de me renvoyer mon petit livre

Mais vous conserviez l'espoir de les revoir bientôt. Vos bonnes et gentilles tantes veillaient sur vous, vous entouraient; de graves événements ont surgi qui vous ont distraits et empêchés de trop penser à leur absence.

Le retour de Papa a dû être pour vous une grande joie, mais il revenait seul et l'absence de Maman vous a été peut-être plus sensible encore.

Que devenait-elle? Où était-elle? Vous le saurez bientôt; mais dès aujourd'hui Noël, qui est pour moi, semble-t-il, un jour comme les autres, puisque je l'ai employé comme d'habitude à éplucher des légumes, dès aujourd'hui dis-je, qui est pourtant plus que d'ordinaire plein de vous, où je désire vivre pour vous, je veux commencer à vous raconter l'histoire de mon absence.

Ainsi écrite, elle vous restera; tous même Pierric qui est si petit, vous pourrez la garder et la mieux comprendre plus tard. Vous ne l'oublierez pas.

Je ne veux pas vous inculquer des sentiments de vengeance, de haine, de rancune même, que je n'ai jamais éprouvés une minute ici, mais il sera bon que les petits Français comprennent et se souviennent.

J'espère aussi qu'en lisant l'histoire de votre Maman, vous aurez encore plus grande confiance en elle et que vous lui confierez vos petits et vos grands soucis comme elle va vous confier les siens.

Vous verrez combien elle a été protégée et mira-

---

avec trois canifs faits à l'usine et un cahier de recettes de cuisine.

2. Cette lettre « ouvre » un long manuscrit inédit de plusieurs centaines de pages, écrit à l'intention de Jean, Catherine, Marie-Claire, Pierre Marie, les enfants de G... H... arrêtée le 13 mai 1944 pour Résistance et déportée à Ravensbruck. Madame G... H... désire garder l'anonymat. Cette « histoire de leur maman » est, je pense, le plus beau poème d'amour jamais écrit par une mère pour ses enfants.

culeusement soutenue pas à pas, durant cette épreuve commune, voulue par le Bon Dieu, pour notre plus grand bien à tous — car il ne faut pas que Marie-Claire imagine Maman « en prison » pour avoir fait quelque chose de très mal. Non, humainement et même du point de vue allemand, je ne méritais pas cette « punition » [1]. Je sens bien que l'ensemble d'événements qui m'ont menée ici est une grâce, et je l'accepte comme telle. Je la sens aujourd'hui plus que jamais, à cette paix intérieure qui me baigne toute, malgré la profondeur de ma peine.

Je savais que l'épreuve d'une captivité chrétiennement acceptée est un puissant moyen de sanctification et une source de grâces, mais je n'aurais jamais imaginé qu'elle puisse donner une telle plénitude de joie surnaturelle.

Aujourd'hui Noël, je puis dire que je suis « heureuse » comme je ne l'ai jamais été, je ne m'inquiète de rien, je suis abandonnée comme un bébé aux mains de la Divine Providence, je me sens pardonnée, je suis presque au ciel et je voudrais que ces minutes durent toujours...

Jamais je ne remercierai assez le Bon Dieu de cette grâce dont je sens tout le prix, la plus grande qu'Il pouvait me faire...

Je vous livrerai toutes mes pensées, non pas pour que vous me jugiez — on ne doit jamais juger ses parents — mais pour que vous me pardonniez la peine que je vous ai involontairement causée.

On m'a reproché déjà, on me reprochera encore,

---

1. Punition équivalant à une condamnation à mort, puisque employées et couchant dans des usines d'aviation, nous ne descendions pas aux abris la nuit, même pendant les alertes grand danger; en admettant que nous ayons survécu aux bombardements, aucun prisonnier politique ne devait sortir vivant des camps de concentration, nous l'avons appris par la suite.

d'avoir méconnu mes obligations de mère de famille, d'avoir suivi un devoir chimérique, secondaire, au lieu de remplir mon devoir d'état. Un ouvrier volontaire, qui ne savait du reste, ni ce qu'était la Résistence, ni ce que nous avions fait, nous l'a dit sans ambages : « Nous n'allons tout de même pas vous plaindre, quand vous auriez mieux fait de rester raccommoder les chaussettes de votre mari! »; mon excuse est d'avoir pensé que je pouvais concilier les deux, le patriotisme ne devant pas diminuer avec le nombre d'enfants. Au contraire, plus on en a, plus il appartient de leur donner l'amour de la Patrie.

Je n'ai pas cherché des aventures, j'ai d'abord refusé nettement d'entrer dans un mouvement de Résistance. Il a fallu qu'on vienne me solliciter quatre fois avant que j'accepte de rendre les services que l'on me demandait et j'espérais bien que la modeste « aide à l'ennemi » apportée, ne serait jamais divulguée. J'ai fait tout simplement ce qui n'était, en somme, que mon humble devoir de Française, dans une petite sphère de province.

Si, en cellule, à A..., j'ai eu des remords, des scrupules, si j'ai eu la conscience torturée, je ne l'ai plus maintenant. J'ai rencontré des mères de famille de huit et neuf enfants, une autre, arrêtée comme otage pour son fils, en avait onze; j'ai connu des femmes chargées de parents âgés ou infirmes, indispensables chez elles. Je sais que parmi les hommes, il y a des prêtres qui avaient charge d'âmes et ont laissé un lourd ministère. Aucun ne s'est laissé arrêter par son strict devoir d'état, pourquoi l'aurais-je fait?

— Et puis, tant de femmes aussi sont là, ignorantes, innocentes, ne comprenant rien à leur infortune, ne faut-il pas mieux encore y être pour « quelque chose » ?

— Non vraiment, je ne regrette rien pour moi, j'aurais même pu faire plus.

Mon seul regret est d'avoir fait pression sur P..., de lui avoir arraché son consentement, de l'avoir entraîné à ma suite. Grâce à Dieu, il est libre maintenant et je suis sûre qu'il m'a pardonné les semaines d'A...; il a même été heureux, je crois, de les partager avec moi, mais en ce moment il souffre à cause de moi; si je ne reviens pas, il restera seul avec les enfants; leur vie sera assombrie et j'en serai la cause.

C'est là que réside mon seul chagrin — que résidait, veux-je dire — car maintenant, par la grâce de Dieu, je vois plus loin, je vois mieux. Je comprends que tout ceci, tout cet ensemble de circonstances a été *voulu* par le Seigneur. Il fait bien toutes choses. Il a décidé cette épreuve pour ma fille, comme pour moi-même, qu'il en soit remercié.

Et, puisqu'Il me donne cette paix, ce calme, Il ne les aura pas refusés aux miens. J'en suis certaine. Je sens que tous aujourd'hui, d'un même cœur profondément uni, nous chantons « Gloria in excelsis Deo et in terra pax hominibus bonae voluntatis ».

LA VIEILLE MARIA

XIX

C'est [1] une après-midi, au camp de Ravensbruck,
que j'ai rencontré la vieille Maria. Pour échapper au
travail, je m'étais cachée dans une baraque de Sla-
ves. Assise par terre, aux pieds des tricoteuses de
Dniépopétrovsk, je regardais vaguement leurs visages terreux encadrés d'un foulard sale. L'une d'elles
entonnait parfois une prière, et les autres répondaient
à mi-voix, abandonnant leur ouvrage pour regarder, au-delà des baraques basses, le ciel pâle et les
têtes noires des sapins.

Il y avait deux mois qu'arrivant au camp, par une
nuit d'hiver, j'avais foulé pour la première fois cette
terre dépouillée et misérable. Et, depuis, quelles découvertes dans un monde inhumain, où sur tant de visages rencontrés chaque jour l'âme était morte
ou mourante.

Car on ne tue pas les âmes d'un seul coup. Mais
elles vacillent longtemps avant de mourir. En soi-
même, malgré tous les combats, se glisse parfois ce

1. Geneviève de Gaulle : *Les cahiers du Rhône*, décembre
1946. La Baconnière, Neufchâtel.

souffle de pestilence : concessions à la carne qui n'en peut plus, révolte usée, volonté qui sombre.

Est-ce cette cheminée du crématoire qui libère avec sa fumée rousse et grise, panache sale sur le ciel baltique?

Près de moi est venue s'asseoir la vieille Maria. Très laide, les traits gros et lourds, le visage marqué de boutons. En parlant elle passe ses doigts maigres entre ses cheveux gris et rares.

Maria est Allemande et catholique. Elle était professeur dans un lycée de Berlin. Après la trahison du centre catholique, pour continuer à lutter contre le nazisme, elle s'est inscrite au parti communiste. Puis elle a connu dix ans de prison et de bagne. « Les nazis ne pouvaient rien imaginer de pire, me dit Maria, que de me séparer du monde et des hommes. Deux ans de secret sans un visage humain, sans un livre. Mais moi qu'ils ont cru retrancher des vivants, j'ai eu ici ma revanche. » Et elle me montre de la main les vieilles Russes aux yeux clairs. « Des femmes arrivent chaque jour en longs convois dans ce camp. Elles viennent de toute l'Europe avec leurs baluchons serrés, ou leurs valises. Et vous, maintenant, vous allez me parler de la France. »

Accotée à la paroi de planche, Maria ferme les yeux. Entend-elle au-delà des murailles la rumeur des peuples qui se délivrent?

J'évoque notre refus de servitude en juin 1940, notre combat pour la liberté. Maria m'écoute avidement, et elle m'interroge. Après la lutte, elle prévoit déjà l'avenir : échanges entre les peuples, construction de la paix, rôle de l'Eglise. Elle cite saint Thomas ou raconte son expérience de combat au sein du parti communiste, Maria, militante de la liberté.

⁂

Des heures ont passé. Le soir descend. Une « chef de block » vient secouer durement les vieilles Russes pour les obliger à aller chercher les lourds bidons de soupe. Je me sens dans l'ombre de Maria réconfortée et plus sereine. Et, cependant, dans quelques instants il me faudra rentrer dans ma baraque sordide, affronter les hurlements d'une mégère, l'indifférence ou la brutalité des autres prisonnières. Maria, Maria, où trouverai-je la joie?

*

Maria me tient la main et nous sortons ensemble dans les allées du camp. Les femmes rentrent du travail, lasses, usées, avec des figures grises.

« Comme le ciel est beau » dit Maria. « C'est comme un immense incendie au-dessus des murailles. Si j'étais allée travailler aux marais aujourd'hui, j'aurais vu cette étonnante lumière pourpre se refléter sur le lac. Demain il y aura de la brume, des mouettes rentreront vers les dunes de sable et peut-être entendrai-je la sirène d'un bateau qui à travers le brouillard cherche sa voie vers la Baltique.

« Et après-demain c'est dimanche. Le matin, si je puis échapper au travail, j'irai prier au block 15 où les Françaises lisent la messe. L'après-midi les religieuses polonaises chantent les Vêpres. Et le soir je retrouverai les soldates russes. Je sais déjà le polonais et j'ai appris assez de russe pour comprendre. Il y en a une qui raconte la bataille de Stalingrad. C'est la femme d'un colonel. Elle improvise des poèmes. Il faudra venir avec moi, dimanche, n'est-ce pas?

*

La vieille Maria me quitte au seuil de ma baraque. Elle est morte un mois après notre rencontre. De misère, d'usure, de tout. Une camarade lui a porté des fleurs les derniers jours. Maria, notre vieille Maria, Maria l'humaine.

XX

LA TENTE

C'est [1] du block 31 que nous assistâmes à la construction de la tente. Sur le terrain vague situé entre le block 24 et le block 26, aucun block n'avait jamais été construit, car le sol était, paraît-il, plus ou moins mouvant et ne pouvait supporter aucune construction solide. Comme les Zugegangenen [2] arrivaient à un rythme de plus en plus accéléré, comme il n'y avait plus assez de place devant les douches pour les contenir, elles se massaient derrière les bâtiments de la kammer, du Revier, du Bureau du travail. Là, Françaises, Hollandaises, Yougoslaves, Polonaises passèrent souvent plusieurs jours sans recevoir d'autre nourriture que quelques bidons de café.

— Alors s'éleva la tente.

— En guise de parquet, on posa des briques par terre. Puis on planta des piquets et l'on étendit une

1. Denise Dufournier. Déjà citée.
2. Nouvelles.

toile. On aurait dit un immense hall d'exposition.
Cela s'appelait le block 25 et était destiné à héber-
ger temporairement les Zugegangenen avant leur
passage aux douches.

— Environ trois semaines après notre arrivée au
block 31, Frau Louisa nous réclama au block 26.
Nous chargeâmes sans hésiter nos ballots sur nos
épaules et nous retournâmes à notre ancien domicile.
Nous étions en plein mois d'août. Nous pûmes alors
observer aisément les mouvements de la tente qui
ne désemplissait jamais. Il y faisait une chaleur torride. Les premières prisonnières qui l'occupèrent
furent les Polonaises de Varsovie. Fort élégantes, elles
étaient très étonnées de se trouver là. Elles avaient
été prises au piège, au moment où les Russes allaient
entrer à Varsovie.

— Les Allemands avaient encouragé la population
polonaise à se mettre sous la protection du troisième
Reich. De plus, ils l'avaient vivement engagée à se
munir de tout ce qu'elle possédait de plus précieux.
D'un seul coup de filet, ils s'étaient emparés à la fois
des personnes et des biens. Ils mirent sur la route
ce grand troupeau et le conduisirent sans plus d'explications à Ravensbruck. Là, il fut entassé sous la
tente. Il était interdit d'en sortir. On distribua de
vieilles boîtes de conserve pour la soupe, car il n'y
avait plus assez de gamelles. Et, comme il n'avait
été prévu aucune installation sanitaire, on posa,
tout autour de la tente, dans la rue, de grandes boîtes qui en tinrent lieu. Il y avait parmi ces « proté-
gés » du Reich des congrégations entières de religieuses. Des soldats armés et accompagnés de chiens
montaient la garde nuit et jour.

— Les abords de ce sinistre caravansérail étaient
soigneusement défendus. Mais, dès que les prisonniè-

res avaient subi la formalité des douches et avaient
été dépouillées de toutes leurs richesses, elles étaient
renvoyées sous la tente pour un temps indéterminé
jusqu'à ce qu'on pût les loger dans les blocks. La
garde devenait moins sévère. Nous pouvions les
approcher et elles-mêmes avaient la permission de
sortir. Leurs pauvres trésors, sauvés à grand-peine
et transportés à bout de bras en dépit de la fatigue,
leur avaient été retirés. Une fois de plus perçait,
chez nos gardiens, cet instinct de vol et de brigan-
dage que nous pûmes observer pendant tout notre
séjour. Le plus sûr moyen de se débarrasser au plus
vite de ce supplément d'habitantes était, évidemment, de les envoyer en transports. Les arrivages et
les départs se multiplièrent. Les convois se croisaient
sur les routes.

— Les huit jours passés [1] dans la tente furent des
jours de misère. C'était le début de février, et le
temps était froid et humide. La plupart d'entre nous
avaient la dysenterie; de coucher sur un pavé de briques humides ne faisait qu'aggraver notre état. La
nuit, c'était épouvantable, notre situation était inimaginable : une longue tente avec une seule petite
entrée tout au bout, une tente abritant plusieurs
centaines de pauvres femmes, la plupart malades de
la dysenterie — une maladie humiliante et énervante;
la nuit, toutes les femmes étaient obligées de sortir au moins une fois sans la moindre lumière pour
trouver leur chemin. J'étais éveillée plusieurs fois par

---

1. Virginia d'Albert-Lake : *Comité d'histoire de la Deuxième
Guerre mondiale — Tragédie de la déportation.* Hachette,
1954.

des femmes marchant sur moi en essayant de trouver la porte, et je sais que je faisais la même chose aux autres quand j'étais obligée de sortir. Je rampais par-dessus les corps, tâtant avec ma main pour trouver un endroit où poser mon pied, mais souvent je n'y arrivais pas, perdais l'équilibre et tombais sur l'estomac ou la figure de quelqu'un. Je m'excusais à travers mes sanglots. Si j'avais marché sur quelqu'un qui me connaissait ou reconnaissait ma voix, elle acceptait mes excuses, mais si c'était une inconnue, je recevais des ruades et des coups qui m'envoyaient tomber sur quelqu'un d'autre. C'était un cauchemar. En se dominant d'une façon extraordinaire, les femmes arrivaient généralement à gagner la porte, avant qu'il ne soit trop tard, mais, une fois dehors, rien ne comptait plus. L'espace entre les blocks se trouvait chaque matin dans un état indescriptible. Des prisonnières étaient désignées pour nettoyer. Durant le jour, de si longues files de femmes attendaient pour aller aux « toilettes », que beaucoup ne pouvaient se dominer jusqu'à ce que vint leur tour. Alors les Allemands firent creuser des trous d'environ trois pieds de diamètre, à intervalles réguliers entre les blocks. Là, sans aucun abri, on trouvait des femmes deux ou trois à la fois accroupies autour du même trou.

— Vivant dans des conditions aussi malsaines, sans médicaments d'aucune sorte, notre état empirait toujours. Le moral tombait de plus en plus bas. Quelques-unes n'essayaient même plus de quitter la tente, quand c'était nécessaire, et il devint intolérable d'avoir à y coucher. D'autres étaient si faibles qu'elles ne pouvaient bouger, mais, dispensées de l'appel, elles n'étaient quand même pas admises à l'infirmerie. Il y avait des décès toutes les nuits et tous les jours, mais on n'enlevait les corps que plusieurs heures après. Les voisines les recouvraient de ce qu'elles trouvaient. Je voyais toutes mes amies s'affaiblir de plus en plus, et je sentais que je faisais comme elles.

— De cette tente [1] sort une rumeur, des cris. On se demande ce qui se passe. Cette fois nous entrons. Ah! comment décrire la vision qui s'offre à nos yeux. Les mots n'ont pas assez de force pour décrire cette horreur. Peut-on imaginer cette « baraque » de toile, de dimensions énormes où s'engouffrent le vent, la pluie, le froid? La terre nue est recouverte de boue... et sur cette terre, vaincues par la fatigue, 2 000 à 2 200 femmes couchées, ramassées les unes sur les autres... une odeur affreuse nous prend au nez, ce mélange de vêtements humides et de... W.C. car ceux-ci sont des plus sommaires : de simples seaux exposés au fond de la tente dans la partie la plus étroite. Nous sommes là, trente-cinq Françaises. Nous regardons ce spectacle avec des yeux qui n'osent pas croire ce qu'ils voient. Ces femmes couchées là, est-ce bien des êtres humains? Nous en interrogeons : ce sont des Hongroises, des Slovaques, des Tziganes. Aussi un groupe d'Autrichiennes venant de Graz. L'une d'elles est sur un brancard, nous parlons longuement avec elle. Elle est paralysée, suite de coups reçus à la Gestapo. Elle faisait partie d'un groupe de patriotes. Il y eut une révolte à Graz et ils furent arrêtés. Le crime des premières : elles sont Juives et appartiennent presque toutes à la « société ». Les autres sont de races inférieures qu'il faut détruire. C'est terriblement édifiant. Avec deux de mes compa-

---

1. Manuscrit inédit H. Le Belzic.

gnes, nous passons la nuit à faire les cent pas. Nous sommes très lasses et nous avons faim. Nous sommes arrivées trop tard pour recevoir la moindre parcelle de nourriture, il faut attendre à demain [1]!

---

1. Au mois de février 1945 (l'avance russe se précisait), la tente disparut. Témoignage Denise Dufournier :

« La tente fut entièrement vidée. Les prisonnières qui l'habitaient (et parmi elles nos compatriotes revenues du Petit Koenigsberg) avaient été soit envoyées en transport, soit dispersées dans d'autres blocks. De même que nous avions vu s'élever cet abri, témoin de tant d'incommensurables maux, nous pûmes assister à sa destruction. Une fois la toile et les piquets retirés, il ne restait plus qu'un tas de décombres, au milieu desquels des cadavres pourris avaient été enfouis. L'on aurait dit le résultat d'un bombardement ou d'un incendie. En quarante-huit heures, on fit place nette. On ratissa le terrain. Ainsi il n'y avait aucun signe qui pût laisser soupçonner que sur ces quelques mètres carrés, des milliers d'êtres avaient souffert, d'une souffrance que nulle imagination humaine ne pourrait concevoir. »

XXI

RAVENSBRUCK, CAMP D'EXTERMINATION

Des médecins allemands se livrèrent à Ravensbruck, comme dans tous les autres camps de concentration, à des expériences médicales sur ce « matériel humain » mis gracieusement à leur disposition par Himmler. Aux côtés de ces médecins criminels, souvent sous le même toit du même Revier, d'autres médecins — médecins déportés — réalisèrent de véritables « miracles médicaux » en sauvant sans médicaments, sans instruments chirurgicaux, avec leur seule volonté, leur seul courage, des centaines, des milliers de co-détenus. A Ravensbruck, comme dans tous les camps de concentration, des enfants vécurent et moururent. A Ravensbruck comme dans le camp féminin d'Auschwitz des déportées, arrêtées alors qu'elles attendaient un enfant, accouchèrent. Je pense qu'il est inutile, dans ce dossier, de revenir sur les crimes du professeur Gebhart, sur les souffrances de ces soixante-quatorze étudiantes polonaises sacrifiées ou mutilées par les expérimentateurs, sur ces « antichambres de la mort » qu'étaient les Reviers, sur l'incroyable survie de Guy Poirot, Sylvie

Aylmar et Jean-Claude Passerat — tous trois Français — nés à Ravensbruck et seuls survivants de ces enfants oubliés, assassinés, plusieurs chapitres des *Médecins Maudits* et des *Médecins de l'Impossible*[1] étant consacrés à ces sujets. Peut-être, à propos des enfants de Ravensbruck, — le crime le plus atroce, même s'il est vrai qu'il n'existe pas de hiérarchie dans le crime — est-il nécessaire de présenter un nouveau témoignage, un dernier document inédit.

— J'ai accouché[2] le 25 janvier 1945 au camp de Ravensbruck d'une fille que je nommais Chantal. Dix heures après, nous avons été dirigées sur le block des N.N. (32) jusqu'au 13 mars où nous sommes parties pour Bergen-Belsen. Au début, je nourrissais ma fille, mais au bout d'un mois je n'avais plus de lait. Il a fallu lui donner des biberons. La tétée finie, il fallait déposer les enfants à l'entrée du baraquement, les aligner sur une planche inclinée recouverte d'une paillasse sale bien entendu. Il était interdit de les prendre avec soi et il n'y avait pas de feu et des carreaux cassés par-ci par-là. Aussi, chaque

---

1. Du même auteur, chez le même éditeur.
2. Manuscrit inédit Marie-Louise Ozon née Gigleux. Janvier 1972.
Une autre déportée, Jeanne Barsacq, m'avait signalé la naissance de Chantal (manuscrit inédit, mai 1970) :
« *Parmi mes camarades du convoi qui débarque à Ravensbruck le 1ᵉʳ septembre 1944, il y avait une toute jeune femme, née Marie-Louise Gigleux. Cette patriote née à Strasbourg le 25 avril 1925, parlait couramment l'allemand et le français le plus pur. Pendant son internement et sa captivité, elle refusa farouchement de s'exprimer dans la langue de nos bourreaux et laissa toujours ignorer qu'elle comprenait tout ce qui se disait autour d'elle. Elle refusa tous les postes : revier, cuisine, couture, bureaux. Elle attendait un bébé. Accroupie, pendant un appel interminable, elle se délivra d'une petite fille : Chantal.* »

fois que je pouvais le faire, j'allais prendre ma fille
et je me couchais avec elle pour la réchauffer un peu.
Je n'avais qu'une peur, c'est qu'elle pleure. Ce n'est
arrivé qu'une seule fois; heureusement il n'y avait
pas de surveillante à ce moment-là. Quelle chance
pour nous! Il me fallut troquer un morceau de pain
contre des vêtements pour ma fille. Pour laver son
linge, c'était toute une histoire; surtout sans savon
et le linge ne voulait pas sécher. Je le mettais au-
dessus de ma tête accroché au bois du châlit. Pour
finir, je couchais dessus et ainsi je pouvais changer
ma fille.

— Le 13 mars au soir, embarquement pour un
jour et demi de voyage : un seul biberon et l'eau
prise à la locomotive. Pendant le trajet, le fils d'une
Belge est mort. La gardienne l'a fait mettre dans un
réduit plein d'outils. A ce moment-là, le train faisait
une manœuvre. Les bras du bébé ont remué.
L'Allemande lui a dit : « Sale Française, ton enfant
n'est pas mort (hélas l'enfant l'était bien) ensuite tu
diras que c'est nous qui avons tué vos enfants. » Arrivées à destination, le 15 mars au soir, ma camarade
a dû reprendre son fils mort dans ses bras. Après le
passage à la douche, je ne l'ai jamais plus revue.

— Pour moi, je me suis retrouvée dans un baraquement où, naturellement, rien n'était prévu pour
les bébés. Nous devions coucher à même le sol. Pendant cette nuit-là, ma fille est morte contre moi. J'ai
senti sa petite vie qui s'en allait. J'étais désespérée
et je ne voulais pas qu'on s'en aperçoive. Je voulais
la garder. Mais vers midi, il a fallu que je la dépose
à la morgue. J'ai coupé une mèche de ses cheveux
(je les ai toujours ainsi que quelques pauvres vêtements) et je l'ai posée doucement. J'ai attendu dans
les parages en me cachant.

— Je l'ai vu mettre sur une grande pelle et jeter

au four crématoire. Et je suis restée avec mon chagrin et mes vingt ans.

LES FOLLES

Je [1] me souviens de maman Deshaies. Nous savions toutes, qu'après leurs derniers adieux à Romainville de son époux et de son fils, elle ne les reverrait jamais. Nous avions appris que le père avait été gazé dès l'arrivée et que le fils était mort quelques semaines après, au camp d'Auschwitz. J'avais une admiration pour son courage et son espoir de les retrouver après la victoire, mais hélas, elle est morte parmi les folles. La dysenterie nous rendait plus ou moins malade. Chez elle, la raison disparut et elle fut soustraite à notre block et jointe aux folles.

Parquées dans une pièce, nues, sans nourriture, sans eau, maculées des déjections de toutes sortes, une unique fenêtre grillagée, gardées jour et nuit par une Aufseherin qui interdisait à coups de schlague toute approche et menaçait d'enfermer celles qui insistaient, les folles criaient sans cesse. Chaque fois que nous passions devant le block, on entendait les plaintes des mourantes, des hurlements n'ayant rien de commun avec une femme. Une fois, profitant d'une courte absence de la gardienne, je me suis précipitée pour essayer de voir maman Deshaies. L'horreur me figea. Rien de ce que l'on peut imaginer ne pouvait ressembler au spectacle de ce cachot immonde, souillé de bas en haut : corps nus enchevêtrés, par des poses que la mort proche fixe, puis des bras et des jambes qui s'agitent, des yeux hagards qui me transpercent, des plaintes et soudain des hurlements pro-

---

1. Manuscrit inédit Simone Lampe. Juin 1970.

voqués par ma vue. Rien d'humain! Je suis tellement
effrayée... tellement que je me sauve en courant
Comment reconnaître quelqu'un au milieu de ces
spectres aux mêmes yeux, aux mêmes attitudes,
aux mêmes cris. Ce souvenir me hante encore aujour-
d'hui. Que faisait-on sur ces femmes? Que leur don-
nait-on à manger, à boire? Rien m'a-t-on affirmé car
l'objectif des bourreaux était : la mort pour toutes.

EXECUTIONS

Des exécutions[1] de femmes, il y en eut, à ma
connaissance, à trois reprises. Naturellement, ces mas-
sacres demeurent secrets, on en parle à ses risques
et périls, on les apprend après coup, les vêtements
reviennent au service de désinfection.

Quelques semaines après notre arrivée, pour nous
épouvanter, on nous met au courant : le soir, vers
cinq heures, dans les hangars à l'entrée du camp,
à cent mètres de nous, des Polonaises tombent fusillées — nous entendrons les coups de feu... derrière
nous.

Au début de janvier 1945, deux Tchèques, trois
Russes et une Polonaise sont mises à mort : Zofia
Lipinska a été exécutée un matin à l'aube. C'est l'une
des plus belles figures de Varsovie, une avocate distinguée, une femme de cœur simple, avenante, très
amie de la France. Stubowa au block 26, elle se
dépense comme aucune autre auprès de nos malades.
Oh! elle n'est pas de celles qui collaborent avec l'ennemi. Journaliste, elle a pris une part active à la
rébellion; le Boche le sait, Zofia ne sortira pas de
Ravensbruck! Rien ne lui fait peur, elle a pourtant
l'impression que la vie doit finir bientôt. Elle maî-
trise sa souffrance et ses craintes pour toujours récon-

---

1. Rosane : *Terre des cendres*. Déjà citée.

forter autour d'elle, elle ne recule devant aucune audace, car par elle nous captons de vraies nouvelles « magnifiques » — ce mot lui est familier, elle le prononce avec emphase et à mi-voix —, aurait-elle trouvé un contact avec l'extérieur? En octobre 1944, Zofia est appelée au bureau politique, le commandant lui a signifié son arrêt de mort, elle ne doit plus sortir du block pour rester à la disposition de ces messieurs. Les mois passent, en janvier on l'emmène au Bunker; Zofia garde un doux sourire, l'Allemagne sera vaincue. A la nuit, dans le hangar des patriotes, des femmes se déshabillent devant le peloton d'exécution.

Quinze jours plus tard, le 18 janvier 1945, le block français prend le deuil. Dès l'appel du matin, Pierrette Salinat et Marie-Louise Cloarec, nos petites parachutistes, ainsi que Suzy et Jenny, leurs compagnes radio, officiers de liaison en mission non loin de Paris, arrêtées et incarcérées à Fresnes, puis déportées en Allemagne, sont averties, suivant la formule d'usage, qu'elles doivent se tenir à la disposition du commandant avec l'interdiction formelle de sortir du block jusqu'à l'heure fixée — seize heures et demie.

Peu d'entre nous savent la nouvelle, l'on n'ose envisager le drame, il est prudent de se taire pour les petites et pour nous-mêmes. J'ai passé la journée avec elles. Pierrette et Marie-Louise sont des enfants. Pierrette, à vingt-deux ans reçut ses galons à Londres; elle aime l'Afrique où elle a préparé le débarquement américain. Marie-Louise est une vaillante Bretonne de vingt-quatre ans, elle fait la guerre; et Suzy, de Metz, est maman d'une fillette de six ans. Jenny adore le risque. Toutes quatre tombent aux mains des Allemands en avril 1944; seront-elles traitées en soldats?

Le coup fatal éclate, quelle stupeur s'empare de nous, des mieux prévenues. Le soir, nous attendons leur retour au block, sans espoir. Marie-Louise a imaginé mille conjectures; pleine d'illusions encore, elle a emporté plusieurs adresses. Pierrette n'a dit mot, elle pensait. Cependant, elles ont été fusillées. La nuit survient, le block ferme, les petites ne coucheront pas là. Le lendemain, nous faisons d'adroites recherches. Sur un registre figure à côté des quatre matricules la mention vague et classique : « transport » sans destination. C'est étrange; entre ses dents, une femme murmure : « C'est ainsi que l'on indique les fusillées. » Plus tard, nos amies tchèques parviennent à retrouver les vêtements et les matricules renvoyés à l'étuve. Notre enquête se poursuit. A six heures, elles ont quitté le Bunker, on les vit passer. Une colonne du dehors a vu la route barrée à un certain endroit, et dans le bois, près d'un hangar éloigné, des S.S. s'agitent. On a même perçu des coups de feu, un camion s'est dirigé vers le crématorium. C'est tout ce que nous recueillons de sûr, nous maîtrisons mal notre chagrin.

LE CAMP DE JEUNESSE

Une [1] simple circulaire signalant sans commentaire que la mortalité était trop faible parvint dans les bureaux dans la seconde moitié de 1944 (mais je ne peux exactement préciser la date, car à l'époque je ne prêtais pas au fait en question toute l'importance qu'il méritait). Elle était, cependant, beaucoup plus forte qu'au moment de notre arrivée, à cause de transports de Juives hongroises et des évacuations de camps et prisons de l'Est qui avaient commencé,

---

1. Germaine Tillion : *Cahiers du Rhône*. Déjà citée.

et qui amenaient au camp des convois de femmes
dans un état de misère jamais vue encore. La secrétaire qui avait vu cette lettre n'en avait tiré aucune
conclusion. Je n'ai pas eu connaissance d'instructions plus détaillées parvenues à ce sujet. Peut-être
le commandant en a-t-il reçu directement. La secrétaire avait ajouté que c'était la première fois qu'elle
voyait un ordre de ce genre, et que son chef avait
eu l'air contrarié qu'elle l'ait vu.

Un peu plus tard, la Schwester Martha vint un soir
visiter les malades du block 10 et proposer un som-
nifère à celles qui dormaient mal. Quelques dizaines
de femmes en demandèrent, dont la majorité ne se
réveillèrent pas le lendemain. Les autres furent malades mais survécurent. (Inutile de dire qu'il n'y eut
plus au camp personne souffrant d'insomnie.) Le
docteur S.S. Treite déclarant qu'il s'agissait d'une
« erreur » de dosage nous donna à réfléchir.

Vers cette époque, également, toutes les femmes
malades, vieilles ou fatiguées, furent invitées à se
signaler pour être envoyées dans un camp de conva-
lescence qu'on appelait le Jugendlager, à quelques
centaines de mètres du nôtre. Beaucoup le firent malgré la cruelle expérience qu'elles avaient déjà des
Allemands.

Un peu plus tard (fin décembre, début janvier) on
construisit un second four crématoire, et tous deux,
dès lors, flambèrent sans interruption, 24 heures sur
24, sans parvenir même ainsi à brûler tous leurs
cadavres, car la direction du camp fit augmenter la
température des fours, afin que les crémations se
fissent plus vite, au point que dans le courant de
février un des fours éclata.

Or, on se souvient peut-être que, six mois plus
tôt, alors que le camp de Ravensbruck était encore
un camp de travail simple, un seul four crématoire

était allumé deux fois par semaine pendant quelques heures à peine. La population du camp avait sensiblement diminué depuis lors (août 1944-janvier 1945), et même en tenant compte de la misère, qui était beaucoup plus grande, un seul four crématoire brûlant deux demi-journées par semaine aurait cependant suffi largement pour une mortalité naturelle.

La chambre à gaz avait commencé à fonctionner à partir de décembre.

Le camouflage des assassinats aura été, dans la perspective générale des camps allemands, la seule originalité de Ravensbruck; il ne fallait pas risquer de provoquer des paniques qui paralyseraient un groupe industriel modèle. Donc, au moment où fut créé le Jugendlager, toutes les précautions furent prises pendant les premiers jours pour donner confiance aux malades et aux femmes affaiblies qu'on y envoyait. En particulier, le camp fut doté d'un Revier qui devait être dirigé par une doctoresse prisonnière française parfaitement honorable et connue comme telle (5-10 décembre 1944). Bien entendu, la comédie ne dura pas, car on sut tout de suite que le Revier en question n'avait ni médicaments, ni chauffage et pas même de paillasses, et que les malades qui arrivaient au camp étaient immédiatement dépouillées de leur manteau et de tous leurs lainages et obligées de rester debout dans la neige pendant des journées entières, presque sans nourriture, principes qu'on retrouve dans beaucoup de camps d'extermination et qui semblent n'avoir aucune raison d'être, car les plus malades, précisément, étaient gazées chaque soir. Ce surcroît de souffrances était donc gratuit et ne servait même pas à économiser du gaz...

Les doctoresses et infirmières, au bout de quelques jours à peine, furent rappelées au vieux camp,

mais ce qui semble ahurissant, c'est que le Revier
fut théoriquement maintenu, avec comme personnel
médical deux S.S. dits Sanitätsdienst, nommés Rose
et X... (dont le rôle exclusif était d'assommer les
malades qui refusaient d'avaler le poison) et une prisonnière appelée Vera Salveguart, véritable monstre, qui était chargée de l'empoisonnement. Quand
un contingent de femmes arrivait au Jugendlager,
elles étaient réparties dans les blocks et soumises
au froid et à la faim intense, mais un petit nombre
d'entre elles, prises rigoureusement au hasard, étaient
réservées pour le prétendu Revier et là mouraient,
soit de misère, soit par le poison. Ce fut le cas d'une
de nos camarades agrégée de lettres, jeune femme
réservée et exquise, d'une culture originale et profondément réfléchie, qui mourut assommée pour avoir
refusé d'avaler sa dose.

La seule explication plausible de cette incohérence
et de cette complication apparentes est, à mon avis,
une ventilation de la mortalité, dont je présume
qu'elle est une invention du commandant Suhren.

Sur le registre du camp, les femmes envoyées à la
chambre à gaz figuraient sous la rubrique « parties
pour le camp de Mittwerda », ou « sana », ce qui fait
que, sur le papier, le Jugendlager était un camp
extraordinaire, où l'on ne mourait presque pas. Au
contraire, les femmes qui étaient empoisonnées ou
assommées au Revier figuraient comme mortes de
mort naturelle sur les registres, et il en fallait tout
de même quelques-unes pour la vraisemblance. Mais
vis-à-vis de qui ? Qui voulait-on tromper ? Les prisonnières, peut-être ? Mais celles-ci voulaient absolument
croire à l'histoire de Mittwerda, ne se souciaient pas
de statistiques, et risquaient d'être beaucoup plus
frappées par les horreurs qui transpiraient sur ce
simulacre d'hôpital que par une invraisemblance

dans les chiffres qu'elles avaient beaucoup de chance d'ignorer. Par fétichisme administratif? Peut-être. Le commandant rêvait sans doute d'une extermination totale des témoins, d'un nettoyage par la mort, et dans un camp totalement vide et impeccablement ratissé par la dernière prisonnière, de belles statistiques prouvant qu'on y mourait moins qu'ailleurs et que tout y était « parfaitement correct ».

Mais même de ce Jugendlager, qui était l'antichambre de la mort, il y a des femmes qui sont revenues. Et même de ce Revier du Jugendlager il y a des survivantes : une en particulier, très habile à l'aiguille, avait commencé je ne sais quel tricot ou quelle broderie pour la redoutable Vera Salveguart. Chaque soir Vera exigeait que le travail soit terminé le lendemain, mais la malheureuse inventait chaque matin une nouvelle fleur ou un nouveau feston et, entre-temps, étant nourrie, reprenait des forces.

***

A Ravensbruck [1] je n'ai jamais travaillé car j'avais une « carte rose », carte délivrée à toutes les prisonnières incapables, à cause de leur âge ou d'infirmités, d'exécuter les travaux durs imposés au camp.

A la fin de janvier 1945, on fit des « sélections » parmi les cartes roses et on les envoya au Jugendlager (traduction : camp de jeunesse), ancien camp disciplinaire de jeunes Allemands. Le 2 février, je fus désignée pour partir à mon tour et j'en étais assez heureuse car on nous avait assuré que les conditions de vie dans ce camp seraient plus douces pour nous, vieilles et infirmes, qu'à Ravensbruck.

Toutes celles qui, comme moi, ne pouvaient marcher furent placées sur un grand plateau roulant.

---

1. Manuscrit inédit Irène Bloncourt-Ottelard.

Celui-ci était tiré par des prisonnières au nombre de vingt environ, que les Aufseherinnen frappaient pour les faire avancer plus vite. Les malheureuses avaient bien du mal à traîner leur voiture très chargée, dans les chemins défoncés par la pluie. Elles avaient de l'eau jusqu'aux genoux dans certains endroits et les roues s'embourbaient à chaque instant. Jamais je n'oublierai ce voyage qui me sembla durer une éternité, bien que le chemin à parcourir ne fut que de trois kilomètres.

Enfin, nous arrivâmes au Jugendlager.

Au premier aspect, cela nous sembla mieux que Ravensbruck. Les blocks étaient bâtis dans les pins; à travers les barbelés on apercevait les champs et les bois. Cela nous changeait de l'éternel mur gris du camp. Mais, bien vite, nous devions déchanter. On nous ordonna de pénétrer dans un block sans lumière où nous devions nous installer à terre sans couverture, sur d'infectes paillasses. Il n'y avait pas de lavabo ni de W.C. dans le block; en pleine nuit il fallait aller dehors, quatre ou cinq blocks plus loin, pour trouver une grande fosse bordée de chaque côté d'une planche sur laquelle nous ne pouvions nous asseoir tant elle était souillée. Il est difficile d'imaginer ce lieu sans l'avoir vu.

Le lendemain matin, vers trois heures et demie, on vint nous faire lever toutes pour l'appel, ceci à notre grande stupéfaction, car on nous avait dit que cette terrible corvée nous serait épargnée dans ce nouveau camp.

Je restai une dizaine de jours dans ce block et durant ce temps je vis mourir dans la salle où je me trouvais vingt-cinq de mes compagnes, dans des conditions horribles. Etant épuisées par la faim et la dysenterie, elles ne pouvaient bouger et faisaient sous elles — tout au moins celles qui n'avaient même plus la force de faire dans leur gamelle. L'atmosphère était pestilentielle car on n'ouvrait jamais les fenêtres à cause du froid.

Mais je devais voir encore pire au block 6, où je fus envoyée par la suite avec environ cinq ou six cents femmes.

C'était une immense salle où régnait un violent courant d'air, car de nombreuses vitres manquaient aux croisées; les paillasses à terre étaient si rapprochées qu'il était impossible de circuler sans marcher les unes sur les autres. La nuit, on ne pouvait dormir à cause du va-et-vient continuel des femmes se levant pour sortir et qui, la plupart du temps, ne pouvant y parvenir, s'écroulaient dans l'obscurité sur leurs voisines et les souillaient au passage, ce qui provoquait des échanges d'imprécations entre les prisonnières et, dominant ce tapage, les vociférations et les menaces des Lagerpolizei (police du camp) ou des S.S. Beaucoup de prisonnières avaient résolu la difficulté en se soulageant dans leur quart ou leur gamelle qu'elles vidaient par les fenêtres ou calaient sous leurs paillasses en attendant le jour.

Pendant la journée, toutes celles qui pouvaient encore tenir debout posaient dehors en d'interminables et meurtriers appels, puis, de longues heures encore, défilaient pour recevoir la maigre soupe de rutabagas et ensuite le pain.

Nous n'avions pour toute boisson qu'un quart d'ersatz de café, le soir, et naturellement, il fallait encore faire la queue pour l'obtenir. Il n'y avait pas d'eau dans le block pour se laver et nettoyer les gamelles. La vermine régnait en maîtresse; le sol, les paillasses, les vêtements des femmes grouillaient littéralement de poux.

Dans la salle, il y avait un coin où on laissait mourir les prisonnières qui ne pouvaient plus se mouvoir;

elles finissaient là, sans que personne s'en occupât et, matin et soir, la « colonne des morts » venait enlever les cadavres.

Au cours des appels, les S.S. choisissaient des femmes au hasard. On leur enlevait leur mince bagage, on inscrivait leur numéro au crayon à l'aniline sur le bras et avec force coups et jurons on les entassait dans des camions qui revenaient à vide environ dix minutes plus tard. Par la suite, j'ai appris que ces malheureuses étaient parties pour la chambre à gaz. Tous les jours, ces expéditions avaient lieu. Un jour, une Aufseherin lasse de voir certaines femmes, celles qui ne pouvaient pas marcher, demeurer sur leur grabat, au lieu de se rendre comme les autres à l'appel, ordonna qu'on les envoie au Revier. Je faisais partie de ces impotentes et une de mes camarades vint me prévenir que dans ce Revier on achevait les malades par des piqûres. Elle m'exhorta à faire l'impossible pour éviter d'y aller. Mais j'étais dans l'incapacité absolue, malgré ma volonté, de me traîner jusqu'au dehors du block et, d'ailleurs, peu m'importait de finir par une piqûre. Je préférais d'ailleurs cela à la chambre à gaz.

C'est alors que je vis pour la première fois Vera Salveguart, la Schwester Vera comme on l'appelait plus communément, l'infirmière responsable du block. Elle fit des sélections parmi les malades qu'on lui envoyait et elle nous dissémina dans plusieurs petites chambres dont se composait le Revier. Celui-ci, au premier abord, avait un aspect assez engageant, comparé au block infect que je venais de quitter. J'aperçus même deux beaux lavabos et deux W.C. en céramique blanche. J'allais pouvoir enfin me laver un peu. Le block était divisé en petites chambres de sept à huit châlits, soit une trentaine de femmes seulement dans chacune. Toutes étaient toujours bien closes et il était interdit de pénétrer dans une autre chambre que la sienne. Avec une camarade, M** Gaby Hamouy, je fus destinée à la chambre 4. On me fit coucher avec une petite Allemande au rez-de-chaussée d'un châlit car c'était la seule place en bas restée libre et, comme je ne pouvais grimper au premier étage, je dus me résigner à me séparer de mon amie dont j'aurais préféré partager le lit — ce n'était guère agréable de coucher avec une étrangère, d'autant plus que la mienne était tuberculeuse au dernier degré et crachait le sang dans un bassin placé à côté d'elle. Elle était, de plus, couverte de plaies suppurantes où grouillait la vermine. Je ne puis oublier les heures de cauchemar qui furent les miennes lorsque la nuit je sentais les poux qui accouraient de elle à moi. Ma répulsion fut si forte que le lendemain je fis des efforts surhumains pour arriver à grimper près de M** Gaby préférant me rompre les os à escalader plutôt que de partager plus longtemps le grabat de cette contagieuse. La paillasse que j'occupais avec mon amie n'en grouillait pas moins, elle aussi, de vermine; mais du moins M** Gaby ne m'offrait pas cette promiscuité repoussante d'une phtysique au terme de sa vie, pourrissant sur sa couche.

La nourriture de ce Revier était réduite au strict minimum : un demi-litre d'eau chaude dans laquelle nageaient quelques rondelles de carottes et de rutabagas, une tranche de pain de cinquante grammes et, au soir, un demi-quart d'ersatz de café, le commandant ayant décrété que nous étions du « matériel pour le krématorium ».

C'est Vera qui nous avait rapporté ces paroles. De maigre, je devins squelettique, et souvent j'avais des étourdissements causés par la faim qui me tenaillait les entrailles.

Toute la journée se passait ainsi, affalées sur notre couche, mon amie et moi n'avions parfois même plus la force de nous parler. Pourtant, j'entendais parler les Allemandes et autres étrangères qui, dans les lits voisins, parlaient avec effroi de « spritze » (piqûre). Jusqu'à ce moment je n'avais rien constaté d'insolite dans notre chambre où on nous laissait relativement en paix, mais en me traînant chaque soir au lavabo, je fus surprise de trouver quatre à cinq femmes nues, couchées à même le carreau, geignant, râlant, visiblement en train d'agoniser. Je compris que ces femmes avaient certainement reçu la piqûre. En effet, un soir, de la porte vitrée de notre chambre, je vis passer dans le couloir, se dirigeant vers le Waschraum (lavabo), la Schwester Vera, une seringue et un garrot à la main : j'entendis des cris, puis le silence se fit et je vis ressortir l'infirmière. Quelques minutes plus tard, je me rendis au Waschraum où je trouvai un cadavre de femme. Cette scène se reproduisait presque quotidiennement et j'observai que les femmes que Vera achevait avec une piqûre provenaient d'une salle située au fond du Revier où il était interdit de pénétrer et que l'on connaissait seulement sous le nom de Tagesraum. Dans cette salle étaient envoyés les cas graves de typhus et on n'en sortait que pour aller finir sur le carreau du Waschraum. J'appris aussi que lorsque des prisonnières étaient désignées pour aller dans cette salle, on les mettait complètement nues et on leur prenait le petit bagage qu'elles pouvaient encore posséder.

Un jour, Schwester Vera vint dans notre chambre et elle nous dit, à Mᵐᵉ Gaby et à moi : de nous préparer pour nous rendre dans la Tagesraum. Nous étions atterrées. Toutefois j'eus le courage d'aller trouver Vera et lui demandai pourquoi elle nous envoyait dans cette salle effrayante puisque nous

n'avions pas le typhus. Elle me rétorqua que dans
les petites chambres où nous étions il ne devait rester que des tuberculeuses, que la Tagesraum avait
été nettoyée et assainie et que nous y serions mieux
car il n'y aurait plus de bacillaires ni de contagieuses.
Je lui demandai alors pourquoi on nous prenait toutes
nos affaires et j'insistai pour qu'elle nous autorise
à les garder. Devant mon insistance, elle y consentit
et nous pénétrâmes dans le Tagesraum où une vingtaine de femmes évacuées comme nous des autres
petites salles nous avaient précédées. Moins heureuses que nous, elles avaient été délestées de leurs
paquets et comme certaines protestaient que nous
avions conservé les nôtres, la Schwester Vera donna
pour raison que nous partions en transport, ma camarade et moi le lendemain matin. Cette nouvelle me
ravit car je vis enfin arrivé le moment de quitter
cet effroyable Jugendlager.

Le soir, la Schwester Vera entra dans la Tagesraum, tenant d'une main un paquet, de l'autre une
cuillère; elle était suivie de la chef de table, laquelle
portait un quart que je supposai rempli d'eau.

— « Certaines d'entre vous doivent partir en transport, nous dit-elle, je vais vous donner une médecine
afin d'avoir des forces pour faire le voyage. »

Elle commença de distribuer une cuillerée de poudre blanche à certaines femmes. Quand je la vis près
de moi, j'avançai la bouche pour ingurgiter ce que
je croyais être un médicament quelconque, mais, à
mon grand étonnement, elle me dit:

« Non, non, pas vous... Vous ne partez pas encore,
je reçois la liste du Dr de Ravensbruck, vous n'êtes
pas inscrite, mais votre camarade part... »

Mme Gaby avala la poudre qu'elle me dit trouver
très désagréable au goût. Une dizaine d'autres femmes, des juives, polonaises, russes, allemandes, rou-

maines, yougoslaves, prirent cette poudre en faisant force grimace de dégoût. Mon amie me dit soudain qu'elle se demandait si par hasard ce n'était pas du poison qu'on venait de leur administrer.

J'étais assez perplexe, mais je lui dis qu'à mon avis, si la Schwester avait voulu supprimer ces femmes, elle leur aurait fait des piqûres comme à l'ordinaire. Une seule chose m'ennuyait : pourquoi ne devais-je pas partir en transport avec les autres? Jamais je ne quitterai donc ce camp d'horreur? Mais bientôt toutes les prisonnières tombaient dans un profond sommeil. Au matin, quand je m'éveillai, elles dormaient encore. Ce sommeil qui commençait à me paraître étrange persista toute la matinée. Vers trois ou quatre heures de l'après-midi, les ronflements, un à un, s'éteignirent et, regardant de près mon amie, je m'aperçus qu'elle ne dormait plus mais qu'elle était morte. Horrifiée, je compris que cette « médecine » était un puissant narcotique qui finissait par tuer ces organismes affaiblis. Les quelques femmes qui, comme moi, n'avaient pas pris de poudre, regardaient les corps rigides d'un air ahuri et effrayé. Bientôt, « la colonne des morts » vint enlever les cadavres. Je renonce à décrire l'état d'esprit dans lequel m'avait plongée cette vision de corps nus et efflanqués, véritables squelettes, qu'on foulait aux pieds tout en riant et qu'on enlevait sans ménagements : la « colonne des morts » accomplissait sa macabre besogne avec une sinistre désinvolture, et manipulait les cadavres comme de vulgaires paquets.

Place nette étant faite, d'autres prisonnières vinrent dans la Tagesraum prendre la place de celles qui venaient d'être exécutées, et le soir, la Schwester Vera recommença sa mortelle distribution. Plus d'un mois je vécus dans cette atmosphère de crimes. Quotidiennement, des prisonnières arrivaient et le lendemain leurs cadavres allaient en rejoindre d'autres au crématoire.

Un jour une Française, Mme Ridondelli, fut amenée dans la Tagesraum. Depuis quelque temps, je n'avais pas vu de compatriote et la venue de celle-ci me permit de bavarder avec elle, bien que la pauvre femme fût dans un état lamentable. Elle m'apprit qu'elle avait été évacuée de Koenigsberg, qu'elle avait parcouru cinquante kilomètres à pied dans la neige avec d'autres camarades et qu'atteinte d'une phlébite et d'une terrible dysenterie, pouvant à peine se soutenir, on l'avait envoyée au Revier. Depuis quelques jours, la Tagesraum avait été dotée de plusieurs lits où les malades couchaient à deux ou trois. On donna une place dans l'un d'eux à Mme Ridondelli et le chef de table la prévint que si elle salissait sa paillasse, on lui ferait une piqûre. La pauvre femme savait ce que cela signifiait car dans le Jugendlager on commençait à connaître les piqûres du Revier. Malgré cette menace, elle ne put éviter de souiller son lit et la chef de table s'en étant aperçue l'obligea à se lever et lui ordonna d'aller au Waschraum chercher un seau d'eau et de quoi nettoyer sa « schweinerei ». La malheureuse, incapable de marcher, ne pouvait fournir un tel effort. Paula, la chef de table, la roua alors de coups avec une lanière de cuir en la traitant de « schwein ». J'assistai, impuissante, à cette horrible scène. La Schwester survint et Paula la mit au courant de ce qui se passait.

— « C'est bien, dit Vera, on va la mettre dans la Kammer (petite salle attenant à la Tagesraum où l'on plaçait les cadavres en attendant de les envoyer au crématoire), et ce soir, je lui ferai une piqûre. »

Paula poussa brusquement la pauvre femme qui résistait et suppliait dans cette antichambre de la mort.

Le soir, en effet, je vis passer la Schwester Vera, une seringue et un garrot à la main. Elle pénétra dans la Kammer. Aussitôt, j'entendis de nouveau des cris déchirants de Mme Ridondelli :

« Non, non, je ne veux pas... pas de piqûre... par pitié... » Puis elle hurla : « Irène, Irène... on m'a tuée. »

En repassant devant moi, Vera, sortant de la Kammer, me lança :

« C'est aussi bien qu'elle meure ainsi... elle était perdue, de toutes façons... »

Voilà l'excuse qu'elle trouvait à son forfait. Et je ne pouvais rien faire ni rien dire. Je m'attendais à subir le même sort, un jour ou l'autre. Jusqu'à ce jour, elle nous épargnait, quelques prisonnières et moi, car nous lui étions utiles. Certaines femmes, couturières de métier, se voyaient astreintes à lui confectionner des robes ou de la lingerie avec l'étoffe qu'elle volait aux magasins du camp; et moi... elle me faisait chanter, car elle trouvait ma voix agréable...

Les exécutions se poursuivaient à une cadence accélérée et des centaines de femmes périrent ainsi. Vera, armée d'une pince, récupérait l'or des couronnes et des dents qu'elle extrayait de la bouche des cadavres.

Enfin, le 5 avril, l'ordre arriva d'évacuer le Jugendlager et de ramener les quelques survivantes à Ravensbruck.

Je n'aurais jamais cru que je puisse éprouver une telle joie à revoir ce camp que j'avais quitté pleine d'espoir en un sort meilleur.

Quand je me suis retrouvée au Revier, entre les mains d'une doctoresse française, cela m'a semblé le Paradis [1].

---

1. Une autre rescapée, Emilie Fournial, a rédigé un long manuscrit sur son séjour au Jugendlager. Ce document recoupe parfaitement le récit d'Irène Bloncourt-Ottelard.

XXII

LA MORGUE

Un abri [1] sous terre, en ciment armé, quelques marches pour y descendre et, la porte ouverte : une odeur de désinfectant, mêlée à celle des cadavres amoncelés.

Une vision de cauchemar...

Un charnier sans nom, des corps nus ou, plutôt, des squelettes, de véritables momies sans bandelettes, jaunes parcheminées ou violettes et bleues, souvent déjà tachetées de vert... des ventres tuméfiés, les os du bassin si apparents qu'ils avaient percé les hanches... un bras coupé, une jambe sanguinolente, comme une viande de boucherie.

---

1. Ce chapitre est extrait du carnet de déportation de Denise Leboucher. Il m'a été confié en janvier 1968 par son mari, le Dr Marcel Leboucher (voir *Les Médecins Maudits* et *Les Médecins de l'Impossible*). Le Dr Leboucher, déporté à Oranienburg, a sauvé plusieurs centaines de ses compagnons et en particulier mon père, Robert Bernadac. Quant à Marcelle Leboucher, arrêtée le 4 novembre 1942, et surnommée à Ravensbruck « Croix-Rouge », elle fut, comme l'a écrit Simone Saint-Clair (*Ravensbruck, l'enfer des femmes*. Taillandier, 1940), « un constant exemple d'abnégation et de dévouement ».

Sur la table d'autopsie, un cadavre ouvert... ne saignant même pas... une doctoresse, si cela pouvait s'appeler ainsi..., coupant, déchiquetant et extirpant, à bout de bras, foie, estomac, poumons, cœur, toute cette affreuse tripaille, sortie au grand air, pour... voir ce qu'il y avait dans le macchabée; puis, l'inspection terminée, rejetant tout cela dans le pauvre ventre béant et recousant en vitesse ce morceau de « viande » humaine.

Les rictus affreux, les yeux grands ouverts, les expressions crispées des visages, les dents découvertes qui semblaient mordre la terre, car les corps étaient jetés pêle-mêle, n'importe comment.

Des femmes mortes en couches, avec le bébé encore attaché à elles par le cordon ombilical, le petit cadavre entre les jambes, assis comme une poupée et les yeux ouverts aussi.

Tout cela en plusieurs tas, pieds de l'une dans la bouche de l'autre, mains tordues, jambes en l'air ou recroquevillées, tout cela gardant, dans l'ultime défense, l'expression d'une souffrance affreuse, d'une détresse sans nom.

Les visages, trop souvent très jeunes, semblant quelquefois presque souriants, étaient bien rares; et, sur toutes les poitrines, on découvrait le numéro écrit à l'encre, seul nom qui restât, laissant à la pauvre dépouille ce semblant d'identité.

Nous n'étions qu'un morceau... ein stück, disaient les S.S.

Ce spectacle innommable était vraiment une vision d'enfer.

On ne pouvait même plus, après cela, avoir peur de quelque chose, toute sensibilité semblait annihilée : on évoquait sans efforts les vastes charniers des époques barbares.

Nous nous sentions bien peu de chose, dans ce camp

maudit; mais, dans cette morgue, sous terre, éclairée par une lampe électrique qui jetait son éclat si froid sur ces innombrables squelettes, on se sentait encore moins que rien. C'était l'idée du néant qu'évoquait ce macabre étalage.

Quand la morgue était trop remplie — et cela arrivait souvent en cet hiver 1944, cent cinquante femmes mouraient chaque jour —, on laissait alors les mortes dehors. D'abord le transport fut fait à l'aide de civières. Plus tard, le nombre de civières devint insuffisant, et des camions remplirent cet office.

Je me souviens de ces jours de janvier 1945, alors qu'un long cortège de civières venait de plusieurs blocks, avoir été obligée de poser mes camarades mortes, sur le sol, en pleine neige.

Je ne trouvais rien de plus triste que de laisser ces pauvres dépouilles, encore tièdes — certaines venaient à peine d'expirer — sur cette neige si froide...

C'était un sentiment de répulsion sans nom. Il me semblait sentir moi-même le contact du sol glacé sur la peau encore chaude de mes pauvres mortes. Et pourtant, hélas! cela n'avait plus d'importance, elles étaient déjà délivrées.

Mais je pouvais si peu donner de marques de respect à nos compagnes!

Dans les moindres gestes que j'avais pour elles, j'aurais voulu mettre tant de sollicitude...

Je remplissais auprès d'elles le pieux devoir des mains aimées qui auraient dû, là-bas, fermer les yeux aimants, chez elles, au beau pays de France qu'elles ne reverraient jamais plus.

Aussi, je voulais qu'elles sachent que, jusqu'au bout, je les accompagnerais, je les entourerais de tous mes soins pour que soit moins triste leur départ.

Lorsque je regardais sortir la fumée âcre et noire qui s'échappait de la cheminée du four crématoire, je savais ce que cela voulait dire, et j'ai bien souvent murmuré une fervente prière pour l'âme qui s'était envolée enfin libre, reprenant pour toujours son essor vers l'éternité.

Il m'est arrivé souvent d'être obligée, à l'aide d'une pioche, de décoller les mortes qui avaient pris trop fortement contact avec la neige, celle-ci les ayant recouvertes pendant la nuit du seul linceul blanc qu'il leur soit permis d'avoir.

La glace les avait congelées.

Le triste craquement produit par l'arrachement du cadavre était une chose très pénible. Il me semblait qu'on leur faisait encore mal.

Quand les agonisantes ne mouraient pas assez vite dans les Reviers, on n'attendait pas toujours qu'elles rendent le dernier soupir et, souvent hélas! quelques-unes terminaient leur agonie dans le groupe de cadavres entassés dans le Waschraum.

Il arriva un jour une horrible histoire :

Un matin, quand les croque-morts officiels y pénétrèrent pour y faire entrer de nouvelles « clientes », une femme hurlante, folle et nue, s'échappa de cet antre et s'effondra sur la neige. Elle avait passé la nuit sous le tas de cadavres, parmi les autres mortes, encore vivante elle-même. Elle s'était réveillée parmi ces corps glacés, glacée elle-même d'horreur et de froid. L'atroce peur la saisit, et, folle de terreur, elle était venue s'écrouler devant la porte. A peine sortie, elle tomba anéantie. On la porta en hâte à l'hôpital. Il ne fallait pas que cet incident fût connu.

Cette malheureuse vécut encore trois jours, puis, cette fois, mourut vraiment.

Il y avait aussi une affreuse besogne que faisaient les Allemandes. Quand les charrettes avaient déposé les cadavres, aussitôt les croque-morts se précipitaient, leur ouvraient la bouche, avec une grossièreté et une

brutalité inconcevables, elles leur arrachaient les
dents d'or, puis, leur sale besogne terminée, elles lançaient un coup de pied dans le ventre de leur victime et passaient à la suivante en jetant rageusement
des mots aussi malsonnants que : « Saloperie,
Schweinerei (cochonnerie)... », oraison funèbre aussi
inattendue que sinistrement déplacée.

Pauvres mortes parties sans pleurs...

Mais les nôtres ne sont pas parties sans prières,
grâce à une admirable Mère supérieure de notre
block.

Elles eurent les prières des agonisants et une petite
fleur dans les mains que nous n'avions même pas le
droit de joindre évidemment, quand on les enlevait.
A quoi bon...

Oh! les regards des mourantes et leurs dernières
paroles si tristes et si poignantes.

Souvent, aussi, elles déliraient. Aux mots sans suite
succédaient : « J'ai faim... », « Vous me donnerez un
bon poulet », « Maman », ou le nom d'un mari, d'un
être cher... Souvent, je leur ai répondu... leur faisant
croire que celui ou celle qu'elles appelaient était
auprès d'elles. Et le mensonge réussissait parfois à
éclairer le pauvre visage douloureux qui réclamait
une parole tendre, une carresse douce...

Oh! la tristesse de ces agonies, l'indéfinissable
angoisse d'être impuissante à guérir... Et le seul
moyen qui restait : essayer de consoler, sourire jusqu'au bout pour que dure encore la petite lueur que
soutenait l'espoir...

Quand, avec tant de mal, elles arrivaient à articuler : « Croix-Rouge, vous croyez que je reviendrai
quand même? — Mais oui... Vous la reverrez votre
belle France et vos chers petits... Et vous aurez du
bon pain blanc... »

Alors une pauvre grimace qui voulait être un sourire... une main qui essayait de presser un peu la mienne pour me dire qu'elles avaient entendu, compris... Le cœur semblait se ranimer. Faible indice de vie dans ces corps déjà froids...

Combien ces heures m'ont été douloureuses et douces à la fois.

Je comprenais qu'une goutte de ce baume que je venais de leur verser était un calmant immédiat. Mais je savais bien aussi qu'elles ne reverraient jamais notre douce France... ultime pensée de toutes!

Ceux qu'elles aimaient... et leur pays.

« Ceux qui pieusement sont morts pour la Patrie
Ont droit qu'à leur cercueil la foule vienne et prie. »

Hélas!... Pas de linceul, pas de cercueil, pas de tombe, aucune fleur, aucune croix...

Le four...

Un peu de fumée...

Ceux qui ont connu cela ne doivent pas oublier.

Il faut raconter... Il faut se souvenir [1]...

---

1. Antoinette Hugot déportée avec sa mère et sa sœur, pénétra deux fois à la morgue « clandestinement »; la première pour déposer le corps de sa mère « morte de froid » à l'appel, la seconde pour retrouver le corps de sa sœur morte au Revier. Au cours de cette seconde visite, elle fut horrifiée par « un grand mètre cube » de cadavres de bébés. Son témoignage, en février 1950, devant le tribunal de Rastatt, confondit le commandant Suhren qui avait toujours nié avoir fait tuer les nouveau-nés.

XXIII

IL FAUDRA QUE JE ME SOUVIENNE

Il faudra que je me souvienne [1]
Plus tard, de ces horribles temps,
Froidement, gravement, sans haine,
Mais avec franchise pourtant.

De ce triste et laid paysage
Du vol incessant des corbeaux
Des longs blocks sur ce marécage
Froids et noirs comme des tombeaux.

De ces femmes emmitouflées
De vieux papiers et de chiffons,
De ces pauvres jambes gelées
Qui dansent dans l'appel trop long.

Des batailles à coups de louche
A coups de seau, à coups de poing
De la crispation des bouches
Quand la soupe n'arrive point

---

1. Micheline Maurel : *La passion selon Ravensbruck.* Les
Editions de Minuit, 1905.

De ces « coupables » que l'on plonge
Dans l'eau vaseuse des baquets
De ces membres jaunis que rongent
De larges ulcères plaqués

De cette toux à perdre haleine,
De ce regard désespéré,
Tourné vers la terre lointaine,
O mon Dieu, faites-nous rentrer!...

Il faudra que je m'en souvienne...

XXIV

L'HORLOGE

— Pourquoi parlent-elles toujours d'horloge?
— Je ne sais pas, mais il y a longtemps que ça dure.
Probablement depuis leur arrivée à Ravensbruck.
Les triangles violets (sectatrices de la Bible) avaient pour habitude de lancer des anathèmes, de traduire leur pensée et leur enseignement en paraboles et de faire, le plus régulièrement possible, des prédictions. Le camp, dès 1940, se raccrocha à la première « prophétie » révélée par la secte :
— Quand les heures sonneront au camp, Hitler mourra et la guerre finira.
Mais Ravensbruck vivait au rythme des sirènes, des appels, du haut-parleur, des coups de sifflets. Un clocher! Une horloge! C'est ridicule!
— Comment[1] cette prédiction pourrait-elle se réaliser? Combien d'autres, annoncées, avaient donné un espoir fugitif jamais réalisé! L'étoile filante apparue à l'ouest le 13 du mois d'août 1944 n'annonçait-elle pas sûrement une proche libération!
— Cette prédiction, elle aussi, comme tant d'autres, ne serait peut-être qu'une désillusion, qu'un

1. Suzanne Busson. Déjà citée.

désenchantement succédant à un court espoir!

— Et ces Bibelforscherinnen au triangle violet furent tout heureuses lorsqu'en 1944 une tour carrée surgit au-dessus des cuisines et, sur une des faces, un cadran. L'horloge de Ravensbruck était née, elle apparaissait enfin dans le ciel gris du camp!

— Elle resta de longs mois sans aiguilles, sans mécanisme peut-être, ne sonnant toujours pas.

— En juillet 1944, deux jours exactement avant l'attentat contre Hitler, l'horloge commença sa marche, mais s'arrêta le jour même de l'attentat.

— Une partie de la prédiction se réalisait.

— Des mois, de longs mois passèrent; une année recommença; le camp se vida d'une partie de ses prisonnières. Elles partaient pour des kommandos différents; elles allaient renforcer la défense de Berlin, creuser des tranchées, travailler en usine; elles partaient à Mauthausen pour l'extermination et l'horloge ne marchait toujours pas.

— Les Russes pourtant approchaient. Les bruits du canon, des bombardements apportaient la certitude d'une libération, mais aussi une peur affreuse d'une extermination totale.

— Et le 23 avril 1945, l'horloge se mit à marcher, à égrener des heures d'espoir, si légères à vivre pour celles qui, pendant de longs mois, avaient vécu dans un hallucinant cauchemar. Les S.S. fuyaient, les Russes arrivaient. Ravensbruck ouvrait maintenant ses portes.

— L'horloge sonnait des heures de joie!

— La prédiction était réalisée [1]!

---

1. Les différentes « libérations » des déportées de Ravensbruck et de ses kommandos, les évasions des « Marches de la Mort », les échanges et les « enlèvements » réalisés par la Croix-Rouge suisse et suédoise trouveront place dans le dernier dossier de cette série consacrée aux camps de concentration.

XXV

JANINE

Janine Lejart est morte à Ravensbruck — la dernière morte — quelques heures avant l'entrée des
libérateurs.
Janine Lejart avait dix-sept ans.
Dix-sept ans, c'est aussi le temps que devront
attendre, à Dijon, ses parents pour « savoir » exactement, totalement. Au mois de décembre 1962, ils
recevaient une lettre de Belgique [1] :
   Chère Madame,
   ... Que votre cœur de maman trouve la paix et ne
souffre plus. Voici comment j'ai connu votre enfant.
En mars 1945, j'étais au revier, couchée, avec à gauche Hélène Reuderer de Charenay et Paulette Mul-
sade de Flers à ma droite. Le lit suivant était occupé
par deux autres jeunes Françaises, dont une, toute
jeune, aux cheveux très noirs et qui semblait très mal
en point : c'était Janine. Sa compagne la soignait, la

_____

1. Cette lettre m'a été communiquée par Ginette Vincent,
déportée à Ravensbruck par le même convoi que Janine Lejart
- inédit,

dorlotait, prévenait ses moindres gestes, la couvrait du mieux qu'elle pouvait.

Je remarquai que tous les jours des compagnes valides, bravant l'interdiction d'entrer au revier, apportaient à Janine un peu de nourriture volée car c'étaient des choses qui ne ressemblaient en rien à nos menus. Un jour, grand branle-bas : les Suédois revenaient pour la seconde fois au nom de la Croix-Rouge (25 avril 1945) et pour la seconde fois des Françaises pourraient quitter Ravensbruck. Les moins malades, au prix de grands efforts, furent emmenées. La compagne de Janine était parmi les heureuses. La pauvre Janine fut prise d'un tel désespoir que je fis comprendre à Paulette et Hélène que ma place était dans le lit de Janine. Inconsolable, Janine ne me regardait pas, ne me parlait pas. Le soir, elle eut besoin de mon aide et c'est d'une voix qui se voulait très fraîche qu'elle me demanda qui j'étais. Devinant encore l'espoir en elle, je répondis :

— « Une maman. »

— Mais ce n'est pas cela que je vous demande. Qui êtes-vous et de quel pays?

— Belgique, lui dis-je.

— Je ne veux pas de Belge, je veux une Française.

Et les grosses larmes se remirent à couler. Quand elle eut bien pleuré, je la pris dans mes bras en lui disant :

— Dors mon petit, je t'embrasse pour ta maman. Elle dormit toute la nuit. Pendant quelques jours elle se laissa soigner, laver. Elle acceptait la nourriture, un verre d'eau. La nourriture passait difficilement. Brusquement elle me demanda :

— Tu es du parti?

— Non, lui dis-je.

— Alors pourquoi me soignes-tu? Pourquoi m'aimes-tu?

— D'abord parce que tu es ma sœur. Comme moi tu as été créée et puis j'ai des enfants, et mon cœur est vide de leur présence.

Alors elle me raconta qu'elle habitait Dijon, elle me parla de vous, de son père, du milieu dans lequel vous viviez, de son appartenance au parti. Le soir, une compagne lui apporta un peu de riz et une jolie cuiller à café pour manger. Après deux bouchées, elle me demanda si elle était vraiment malade. Je lui dis qu'elle était simplement épuisée.

— Eh bien! prouve-moi que je ne suis pas malade et mange après moi.

Et ainsi nous avons mangé. Elle la moitié de la cuiller et moi le reste. Elle rayonnait. Ce fut son dernier repas.

Le lendemain, elle respirait très difficilement et étouffait sans cesse. Non assise mais accroupie, à cause du lit au-dessus de nous, je parvins à l'asseoir sur mes genoux. Le soir elle s'endormait en me parlant de la maison et de mes enfants, car doucement elle s'était identifiée à mes enfants.

Le dimanche, jour suivant, elle respira encore plus mal; elle gonflait rapidement. Une fois encore je parvins à l'asseoir sur mes genoux. Elle m'entourait de ses deux bras. La pauvre enfant étouffait, cherchant l'air. Subitement, elle m'étreignit fortement et les yeux pleins d'angoisse, elle me dit :

— Je ne vais pas mourir.

— Non! non ma petite, on ne meurt pas sur les genoux d'une maman.

Elle appuya sa tête dans mon cou. Brusquement ses doigts se serrèrent et elle se mit à me sucer le cou (j'en porte encore les marques) comme si ma vie devait passer en elle. En vain j'essayai de ne pas pleurer. Mes larmes coulaient dans ses cheveux — ses beaux cheveux — sur son cou. Et puis ce fut la fin. Le soir, deux compagnes vinrent; une était Marie-Claude Vaillant-Couturier [1]. Elles décidèrent de laisser le corps près de moi et de cacher ainsi la morte pour qu'on ne jette pas de suite le corps de Janine sur le tas. Et seule, je passais la nuit contre ce petit corps qui, brusquement gonfla, devint de marbre. Et je priais pour elle qui fut mon enfant de souffrance.

Chère Madame, ma lettre sera terrible pour vous. Elle est horrible pour moi. Je ne la relis pas... je laisse les ratures... Voilà pour aujourd'hui...

---

1. Qui refusa de quitter Ravensbruck par le convoi de la Croix-Rouge suédoise pour rester auprès des malades.

XXVI

SERAIT-IL VRAI?

Serait-il vrai qu'un jour prochain je revienne [1]
Vers toi, vers nous, vers ces chemins connus,
Que tout à la fois, fervente, il me souvienne,
Et que j'entende, au soir sonner notre Angélus?

Mon pas irait tout droit vers l'entrée familière,
Ma main reconnaîtrait, tremblante, le loquet.
Le cœur battant d'amour, entendrais-je ma mère,
Mon fils ou bien ma sœur qui sa joie me crierait?

Se peut-il qu'une joie humaine soit si grande?
Assez vaste mon cœur pour toute la tenir?
Habitue-moi, mon rêve et que, sage, j'attende
Instant après instant celui de revenir.

---

1. Dernier poème composé à Ravensbruck par Françoise
Babillot — Inédit.

XXVII

KOMMANDOS

Une autre histoire. Pratiquement inconnue. Avez-vous entendu parler de Abteroda? Holleischen? Ludwigfeld? Beendorf? Rechlin? Gartenfeld? Autres Ravensbruck. Dix, vingt, cinquante, soixante-trois — au moins — « autre Ravensbruck ». Ravensbruck de la mine, de la fabrique, de la chaîne, du chantier, de l'usine. Dépendances, sans qui Ravensbruck n'existerait pas. Oui, autres Ravensbruck du travail, de la faim, du froid, de l'épuisement total, de l'extermination. Femmes oubliées, camps oubliés. Kommandos plus sauvages, plus cruels que le camp-mère.

Ravensbruck, pour l'ensemble des survivantes qui n'ont vécu que l'incorporation, l'initiation, la quarantaine et quelques jours ou semaines de quotidien du « Grand Camp », c'est avant tout « l'ailleurs » des kommandos. Leur véritable camp de concentration n'est pas le gigantesque Ravensbruck mais le kommando extérieur. Dans un kommando tout est si étrangement pareil et pourtant différent. Les nuances, avec le temps, ont des reflets de caste :

— Oh oui, je connais Hélène... c'est une ancienne de Ravensbruck.

— Et Marthe?

— Marthe c'est une amie, une sœur de Torgau.

« Ancienne » de Ravensbruck, « sœur » du kommando.

Il est impossible dans le cadre de cette étude, de présenter l'ensemble des témoignages recueillis sur les kommandos. Les pages qui vont suivre, consacrées à Shoenfeld sont, je pense, la meilleure conclusion de ce livre. Ce monde des « travaux forcés » dans les vingt principaux camps extérieurs de Ravensbruck vous le découvrirez dans un nouveau dossier à paraître : « Kommandos de Femmes. »

XXVIII

SCHOENFELD

LA TROP LONGUE ANNEE [1]

Je ne vous parlerai pas de notre misérable vie au camp de Ravensbruck : je me reporte simplement aux deux derniers jours que nous y avons passés, les 18 et 19 juillet 1944, et qui ont consisté, pendant des heures et des heures, en visites médicales pendant lesquelles on nous laissait nues les unes devant les autres, dans une cour avec, au centre, un petit carré de gazon dont nous faisions, à tour de rôle, le tour pour montrer à ces messieurs les officiers allemands, notre dentition et nos mains. C'était tout ce qu'ils regardaient; puis, nous entrions dans une petite salle de gynécologie pour y subir un prélèvement.

Etait-ce un docteur ou une doctoresse qui nous recevait? Je ne sais, car nous avions devant nous

---

1. *La trop longue année,* manuscrit inédit de Juliette Colliet (dans la Résistance), aujourd'hui Janine Dennery. Il porte en sous-titre : Histoire d'une détention en Allemagne, d'une libération par l'Armée soviétique, d'un retour avec l'Armée américaine.

un être désagréable hybride, aux cheveux coupés très courts, à la voix grave et rauque, qui parlait un peu français et qui nous attrapait si notre position peu confortable ne lui convenait pas.

Ses gestes étaient brusques, et elle (car en définitive c'était une femme) nous faisait mal, ce qui lui occasionnait un réel plaisir.

Quelques camarades sortaient de ses mains en pleurant, d'autres étaient pâles, d'autres encore scandalisées et révoltées, tel était le cas d'une de mes camarades qui, tout près d'atteindre la cinquantaine, n'en avait pas moins conservé toute son innocence; elle était juste devant moi, et voici ce que j'entendis :

« Dites-donc, vous... » demandait le monstre, « quel âge avez-vous? »

« — Presque cinquante ans. »

« Comment! à votre âge! mais c'est une honte, ridicule, grotesque! » et d'un geste brutal...

Ensuite, douches, épouillages et enfin changement de tenue; nous troquions sabots, jupe et blouse portant de larges croix peintes, contre la robe que nous ne devions plus quitter jusqu'à notre délivrance. Cette tenue se composait d'une robe de toile grise fermée par trois boutons noirs, d'une chemise bleue foncée à rayures grises, et d'une culotte de grosse toile qui nous arrivait jusqu'aux genoux. Nous échangeâmes plus tard, entre nous, nos robes car elles avaient été distribuées sans tenir compte des tailles. Enfin, on nous donna des chaussures dont la semelle était en bois, le dessus en drap militaire, et qu'on avait à peine le temps d'essayer d'un seul pied. Une fois équipées, on nous laissa en rangs, environ quatre heures, en plein soleil...

Enfin, on nous distribua, pour les coudre sur notre manche gauche, le triangle rouge des détenues politiques portant la première lettre de notre nationalité, et un rectangle blanc portant notre numéro matricule.

On nous mit en colonne pour le départ, bien entendu, en séparant les mères des filles, et souvent même les sœurs; celles qui restaient dans le camp et qui devaient partir plus tard, dans un autre transport, voyaient, hélas! quelquefois pour la dernière fois, l'être cher qui s'en allait.

Vers quatre heures de l'après-midi, nous partîmes en camion vers le sud. Nous étions à quatre-vingts kilomètres de la capitale allemande. La traversée de Berlin où il restait encore quelques vestiges de ville, fut faite rapidement. Une population nombreuse semblait mener une vie relativement normale. Nous parcourûmes encore quinze kilomètres et arrivâmes devant un aérodrome sinistre qu'encadraient une douzaine de bâtiments appelés « Hall » qui devaient être tout notre horizon pendant neuf mois... Le camion s'arrêta devant l'unique hall entouré de fils de fer barbelés électrifiés et du plus sinistre aspect.

C'était le hall 7 des usines Heinckel de Schoenfeld. Ce hall était spécialisé dans la fabrication de l'aile gauche des Messerschmidt 109.

VIE A SCHOENFELD

Le hall 7 était un long bâtiment comme on en voit généralement sur les terrains d'aviation. Au centre, la chaîne des ailes montée sur rails, et derrière les rails, l'atelier de soudure et les machines. Sur la gauche, un dortoir, une pièce consacrée aux raccommodages, le bureau du kommandant S.S., puis l'infirmerie comprenant deux pièces, enfin une sorte de grande buanderie. Sur la droite, une pièce spéciale réservée aux ouvriers allemands, puis plusieurs pièces pour les ingénieurs de l'usine. La cuisine comprenant plusieurs salles, les W.C. et enfin des magasins contenant le stock d'outils. Au sous-sol se trouvaient les abris hermétiquement clos et le réfectoire de six cents places formé de deux grandes pièces éclairées et aérées par des soupiraux, ainsi que d'autres magasins. A un demi-étage, trois dortoirs sur la gauche, et sur la droite la galerie de manutention qui ne fonctionnait pas la nuit.

Nous étions cent cinquante Françaises et nous fûmes étonnées de trouver déjà installées dans ce hall deux cents Russes, une centaine de Polonaises et cent cinquante Gitanes, ainsi qu'une cinquantaine de Yougoslaves ou Italiennes, ce qui portait l'effectif à six cent cinquante femmes en tout.

Les dortoirs, au nombre de quatre, se trouvaient le long de l'usine. A notre arrivée, trois d'entre eux étant déjà occupés, on nous donna donc le quatrième. Il se trouvait au premier et unique étage, entre le dortoir 1 et le dortoir 3 et portait le numéro 2. C'était un ancien réfectoire que l'on avait transformé à cet usage et qui, par conséquent, n'avait ni eau courante, ni water, d'où obligation d'aller soit au « schlalfsaal ein » ou « drei » pour faire notre toilette car ces deux dortoirs étaient bien installés, avaient un lavabo sur toute la longueur de la salle et une petite pièce attenante où il y avait six douches et deux waters. Evidemment, pour nous, les Françaises, le dortoir 2 était tout à fait suffisant.

Si nous avions la possibilité d'aller dans les autres dortoirs pour faire notre toilette (toilette d'ailleurs toute relative, car pendant les trois premiers mois nous avons eu droit à un minuscule petit bout de mauvais savon), le nôtre était fermé à clef dès que nous étions couchées et les S.S. avaient mis à notre disposition deux ou trois seaux hygiéniques; or, qu'étaient trois seaux hygiéniques pour cent cinquante femmes dont la nourriture consistait presque uniquement en soupes claires?

Quand les Aufseherinnen nous ouvraient les portes pour nous faire lever, il y avait, bien entendu, des désastres, c'était inévitable, ce qui leur procurait l'immense plaisir de nous rouer de coups de pieds, de nous « schlaguer » et très souvent même ce prétexte était bon pour nous laisser en « appel » deux heures de plus.

Je pense que toutes mes camarades se souviendront de ce fameux jour où les Aufseherinnen, ayant renversé les latrines débordantes, obligèrent toutes les filles de ce dortoir à se rouler dans ces excréments, et profitèrent de cette scandaleuse brimade pour appuyer sur les têtes des malheureuses prisonnières qui s'enfoncèrent dans ces immondices.

Si ce dortoir pouvait avoir un agrément, c'était celui d'être clair; j'habitais le troisième étage d'un châlit et, de mon perchoir, je voyais, au-dehors des barbelés, un amas formidable de caisses noires portant des numéros peints en blanc, dont je n'ai jamais su ce qu'elles contenaient. Puis, plus loin, une voie ferrée qu'un petit train parcourait plusieurs fois par jour pour amener les « meisters ». Nous guettions le bruit de sa cloche, seule distraction qui nous parvint du dehors pendant ces longs mois, hormis la petite voiture blanche d'un laitier, tirée par un cheval brun.

A cinq cents mètres environ, on voyait un autre hall qui nous semblait terriblement sinistre; je crois que des prisonniers de guerre français y travaillaient; et, un peu sur la droite, le terrain d'aviation avec quelques avions qui décollaient et atterrissaient, c'était tout.

L'été, nous apercevions un peu de verdure au loin,

très loin, mais l'hiver, c'était horriblement triste et lugubre.

Le réfectoire était au sous-sol, dans la cave, et lorsque nous nous y précipitions à l'heure de la soupe, on avait l'impression de quitter l'usine au bruit infernal pour pénétrer dans un sombre cachot.

Ce réfectoire contenait vingt-quatre tables longues et étroites et des bancs. Nous étions douze à chaque table en nous serrant bien et en nous gênant terriblement.

Les abris faisaient suite au réfectoire. Quelques-uns avaient des sorties de secours, mais d'autres ne possédaient qu'une issue. Au bout de quelques heures, l'air venait à manquer car nous étions fort nombreuses (six cent cinquante femmes tassées les unes contre les autres). A partir de janvier, nous eûmes continuellement des alertes qui duraient quatre, cinq et même six heures.

Ces stations dans les abris étaient très pénibles, et surtout excessivement fatigantes, car il ne fallait pas compter pouvoir dormir. Il nous était interdit d'utiliser les latrines qui s'y trouvaient, et dès l'alerte terminée, nous devions encore stationner pendant plus d'une demi-heure avant de pouvoir pénétrer dans les quelques lieux d'aisance qui nous étaient attribués. Leurs murs étaient couverts de graffiti dont voici un exemple :

« Quand je viens en ces lieux, dans cet endroit char-

Soit pour y rêvasser, soit pour du plus urgent, [mant
Et que sur ces murs peints, je vois toutes ces virgules,
Je pense à ta moustache, O! vaincu ridicule!
Et quand mon postérieur, sur ce siège est assis
Je trouve que ton visage a beaucoup moins d'esprit
Et qu'au lieu d'un képi, sur ta tête, saperlotte,
Ta figure serait mieux, Adolf, dans une culotte. »

Quelques-unes de mes camarades, et moi-même, avions fini par refuser énergiquement de descendre dans ces abris, mais on ne saurait imaginer les frayeurs épouvantables que nous avons endurées, car nous avions plus peur de la « schlague » du kommandant et des « coups de crosse » des sentinelles, que de toutes les bombes, les fusées lumineuses et les combats aériens qui se déroulaient au-dessus de nos têtes. Mes camarades étaient cachées sous leurs couvertures dans l'obscurité, car le « blackout » était total, et lorsqu'elles entendaient les hurlements du kommandant qui provenaient d'un autre dortoir, les coups qui tombaient drus, les cris des femmes, les bruits des galoches qui couraient, leur sang se glaçait dans leurs veines et elles avaient peine à ne pas se trouver mal.

Quant à moi, j'ai eu la chance d'avoir une paillasse si peu épaisse, que je poussais de côté la sciure de bois qui la remplissait, et je me glissais en dessous de manière à ce que mon corps et la sciure puissent faire illusion et ne représenter que l'épaisseur d'une paillasse normale.

Le kommandant et ses sentinelles passaient, frappant tous les châlis de coups de bâton, en braquant leurs torches lumineuses. Malheur aux femmes qui se trouvaient prises...

— Dans [1] le dortoir 3, chaque fois qu'une Aufseherin passe, il faut se précipiter au bord de l'allée. C'est vraiment une course pour celles qui sont au fond de la troisième rangée de châlit. Il faut se mettre au garde-à-vous et crier à la suivante : « Aufseherin »

---

1. Manuscrit inédit Georgette Ducasse. Juillet 1970.

pour qu'elle se fige dans la même attitude respec-
tueuse. Or, un jour, alors que j'étais assise de biais
sur mon lit tournant le dos à l'allée d'où venait l'Aufseherin, je n'entends pas le signal que crient les rares
compagnes qui sont au dortoir à ce moment-là.
Furieuse de mon inattention, l'Aufseherin se précipite
sur moi. Je lève mon bras replié pour protéger ma
tête : Crime impardonnable !... Nous devons nous
laisser rouer de coups en nous tenant au
garde-à-vous. Elle continue de me frapper jusqu'à
ce qu'elle soit fatiguée; et puis furieuse descend au
bureau. Après son départ, mes compagnes d'infortune
me réconfortent, je suis en larmes... Le lendemain au
travail, je vois venir vers moi une grande Lyonnaise,
« Frédérique », qui me dit qu'on me demande au
bureau. Elle ignore pourquoi et me dit gentiment :

— « On va peut-être vous libérer !... »

J'arrive au bureau et j'entre passant devant une
rangée de Tziganes allemandes. Le commandant et la
commandante sont là. Mme Fusch également pour traduire. Elle est bouleversée.

« Vous vous êtes rebellée devant une Aufseherin
et vous avez esquissé un geste de menace... »

Je proteste et raconte comment les choses se sont
passées.

L'Aufseherin, qui est présente, ne veut pas démor-
dre et continue de m'accabler avec hargne.

— « Vous allez recevoir cinquante coups de
schlague! C'est la sanction et ceci sera inscrit sur
votre dossier.

La commandante demande alors aux Tziganes de
me frapper chacune son tour. Elles refusent catégo-
riquement et disent qu'elles sont prisonnières comme
moi. Ces malheureuses créatures dont beaucoup
étaient arrêtées depuis dix ans, se montrèrent plus
pitoyables que nos bourreaux.

Entre-temps on m'a fait monter sur une table à plat ventre. Et les coups commencent à pleuvoir inexorablement... Lorsque la commandante fut fatiguée de frapper, le commandant la relaya sans aucun remords.

Mes compagnes, Mmes Duteich et Arnaud, guettant ma sortie, me conduisirent aux douches pour me masser à l'eau chaude.

... Et puis les jours recommencèrent à passer trop lentement à mon gré.

Un jour... la Gestapo passa en tournée d'inspection à l'usine et malheureusement plusieurs dossiers furent ouverts. L'un d'eux tomba sur l'annotation qui avait été ajoutée à mon dossier : « Rébellion... »

Je fus à nouveau convoquée et je reçus encore vingt-cinq coups de schlague. Soixante-quinze coups de schlague pour un réflexe instinctif, c'est beaucoup !... et pourtant c'est ce qui m'est arrivé.

⁂

Notre [1] « cher kommandant » veillant à notre santé, avait également organisé nos « récréations » ; elles consistaient, les dimanches ou les samedis après-midi de repos, à nous faire, par tous les temps, marcher et courir entre les murs de l'usine et les barbelés électrifiés, le long d'un chemin si étroit que nous manquions de nous électrocuter à chaque faux pas. Accident qui, d'ailleurs, se produisit. Une jeune fille polonaise toucha malencontreusement un de ces fils et fut instantanément prise de soubresauts horribles. Ne pouvant lui porter secours, nous nous mîmes toutes à pousser des hurlements. Le courant fut interrompu et, je crois que cette prisonnière se remit lentement de cette terrible épreuve.

---

1. Manuscrit inédit Juliette Colliet (Janine Dennery).

Ces promenades s'effectuaient sous les hurlements des « Aufseherinnen » et des « kapos » qui scandaient notre allure par des « link, zwei, drei, vier », furieux, car nous, les Françaises, rompions intentionnellement la cadence des Gitanes qui, en tête de la colonne, chantaient à tue-tête les chants militaires allemands.

KOMMANDANTS, KOMMANDANTES, AUFSEHERINNEN, KAPOS

Nous avons connu successivement quatre kommandants.

Le premier, surnommé Arthur, était jeune, ne quittait jamais sa bicyclette, se moquait de nous, nous regardait ironiquement, et tournait en rond, toujours sur son vélo, comme un chien de berger autour de son troupeau.

ARTHUR
(sur l'air de « Malbrough s'en va-t-en guerre... »)

> *Arthur s'en va-t-en guerre,*
> *Pas à pied, toujours à bicyclette,*
> *Arthur s'en va-t-en guerre,*
> *Mais n'en reviendra point* (bis).

> *Va faire la guerre aux femmes,*
> *Pas à pied, toujours à bicyclette,*
> *Va faire la guerre aux femmes,*
> *Dans un camp de Berlin* (bis).

> *Il est grand, il est moche,*
> *Pas à pied, toujours à bicyclette,*
> *Il est grand, il est moche,*
> *Il a l'air d'un crétin* (bis).

Il a dit à Alice,
Pas à pied, toujours à bicyclette,
Il a dit à Alice,
Qu'il nous aimait toutes bien (bis).

Alors on lui demande,
Pas à pied, toujours à bicyclette,
Alors on lui demande,
De calmer notre faim (bis).

De bonnes soupes, nous donne,
Pas à pied, toujours à bicyclette,
De bonnes soupes, nous donne,
Et aussi du bon pain (bis).

On récupère, en somme
Pas à pied, toujours à bicyclette,
On récupère, en somme,
Un excellent crottin (bis).

Pourra dans ses parterres,
Pas à pied, toujours à bicyclette,
Pourra dans ses parterres,
Récolter du cumin (bis).

Mais bientôt sur ses terres,
Pas à pied et pas à bicyclette,
Mais bientôt sur ses terres,
Russes et Américains (bis).

Viendront lui faire la guerre
Tonnez canons et mitrailleuses!
Viendront lui faire la guerre
Et lui botter le train (bis).

Et dans la grande usine,
Finies les rondes à bicyclette,
Et dans la grande usine,
Arthur sera pendu (bis).

Au bout d'une cordelette,
Cher Arthur, adieu ta bicyclette,
Au bout d'une cordelette,
Tu ne pédaleras plus (bis).

Le deuxième, un S.S. hongrois, semblait plus âgé. Son aspect était peu sympathique, mais nous nous aperçûmes vite qu'il n'était pas foncièrement méchant et que, très souvent, il levait les punitions et les « appels » interminables que la kommandante et les Aufseherinnen nous imposaient. Malheureusement pour nous, il ne resta pas longtemps.

Celui qui lui succéda fut nommé « Schein » du nom qu'il nous donnait. Il avait une face hideuse, et c'était une véritable brute. Il savait manier « la schlague » avec dextérité et nous brutalisait. Sa spécialité consistait à donner des coups de pieds au derrière, et je ne crois pas qu'il y ait beaucoup de prisonnières qui puissent se vanter d'avoir pu échapper à ses coups; et, lorsqu'il frappait, il frappait dur.

Quant au quatrième, c'était le genre « gigolo ». Garçon coiffeur dans le civil, il ne savait prendre aucune décision. Il portait sur sa manche gauche l'inscription : « Adolf Hitler » dont il était très fier, mais il sut s'en débarrasser promptement à l'approche des troupes russes... Il se rendait intéressant en nous faisant presque chaque jour un laïus après l'appel du soir dont voici quelques extraits :

« Toutes celles qui ne voudront pas descendre aux abris avec leurs deux couvertures, pendant les alertes, seront immédiatement fusillées... »

ou bien :

« Vous devez obéir aux ordres des Aufseherinnen, et il vous est défendu de leur donner des surnoms, sous peine d'être pendues... »

ou bien encore (cela se passait début avril 1945) :

« Il y en a parmi vous qui ont dit à leurs camarades que dans une quinzaine de jours, les Russes seraient ici (les Russes avaient dépassé le fort de Kustrin qui se trouvait à soixante kilomètres, et effectivement entraient à Berlin le 23 avril).

« Sachez que c'est absolument faux », et ce simple d'esprit ajoutait : « Et même « *si cela devait être* », pas une de vous ne sortirait vivante de ces murs. »

Il était le maestro de la schlague. C'était lui qui, chaque soir, d'après les rapports des Aufseherinnen, distribuait de trois à trente-cinq coups, selon son goût.

Six sentinelles, mitraillette à l'épaule, gardaient les portes de l'usine et nous accompagnaient dans nos sorties, nous bourrant de coups de crosse de fusil lorsque nous allions dans les tonneaux ramasser des épluchures de rutabagas ou de raves. Lorsque nous travaillions la nuit, durant une semaine, et que nous avions absorbé notre soupe qui consistait en un litre d'eau, un envie incoercible nous prenait et nous n'avions qu'une pensée, celle de nous faufiler en fraude dans la cour, les Aufseherinnen, par méchanceté, ayant fermé les portes des latrines. Mais les sentinelles ne nous rataient jamais, et c'est pleines d'ecchymoses que nous retournions à notre travail.

Quant au « personnel » féminin, il se composait d'une kommandante et de douze Aufseherinnen.

Nous avons connu quatre kommandantes, aussi peu recommandables les unes que les autres. Elles nous ont quittées pour faire de la prison, car elles avaient volé des vêtements qu'elles revendaient au marché noir, ainsi que des rations de pain, saucisson, mar-

garine, etc. qui devaient être distribuées aux prisonnières.

Celle qui nous accueillit à notre arrivée à l'usine
était douée d'un physique peu sympathique, avec de
très grandes dents. Elle était brutale, avec des gestes vulgaires et distribuait claques sur claques. C'est
elle qui nous distribuait notre ration de pain, exactement comme si nous étions des animaux, et si, par
hasard, nous avions une demi-cuillerée de confiture
et une demi-rondelle de saucisson sur un morceau de
pain moisi, qui variait de grosseur selon qu'il était
coupé en sept ou en dix, nous pouvions être certaines de ne plus distinguer pain, confiture, saucisson,
car tout était intentionnellement mélangé.

Cette kommandante disparut un beau jour pour
remplir une fonction, paraît-il, importante dans un
camp. Je plains les malheureuses filles qui ont eu à
la supporter.

Voici la chanson que nous avons composée sur
elle, sur l'air de « son voile qui volait » :

C'était une fuhrerin
Qui n'avait pas trente ans,
Qu'avait une sale bobine
Avec de très grandes dents,
L'calot par-ci, l'calot par-là,
L'calot qui allait, qui allait,
L'calot qui allait tout le temps.

Qu'avait une sale bobine
Avec de très grandes dents,
Un pull-over marine,
Sur un chemisier blanc,
Le pull par-ci, le pull par-là,
Le pull qui allait, qui allait,
Le pull qui allait tout le temps.

Un pull-over marine
Sur un chemisier blanc,
Une jupe-culotte coquine
Sur du linge dégoûtant,
La jupe par-ci, la culotte par-là,
La jupe qui allait, qui allait,
La jupe qui allait tout le temps.

Une jupe-culotte coquine
Sur du linge dégoûtant,
Et des bottes masculines,
Sur des mollets trop blancs,
Les bottes par-ci, les bottes par-là,
Les bottes qui marchaient, qui marchaient
Les bottes qui marchaient souvent.

Mais notre fuhrerin
A aussi, mes enfants
De jolies mains câlines,
Pour nos minois charmants,
Les mains par-ci, les mains par-là,
Les gifles qui volaient, qui volaient,
Les gifles qui volaient souvent.

Et une voix divine
Et de grands cris stridents,
Quand elle baragouine
Ça fait un tremblement,
Les cris par-ci, les cris par-là,
Sa voix qui gueulait, qui gueulait,
Sa voix qui gueulait souvent.

Mais bientôt, mes amies,
Nous allons ficher le camp,
Revoir notre Patrie
Qui là-bas nous attend.

Mari par-ci, mari par-là,
Chantons, ne pensons qu'à la vie,
Chantons, ne pensons qu'à ça.

La deuxième kommandante était une véritable brute, mais, pour notre grande chance, nous l'avons subie en même temps que le deuxième kommandant qui était plus calme. Elle était forte, avec la tête d'une véritable Allemande, carrée et vulgaire. Elle passait son temps, aidée des Aufseherinnen, à nous battre et à nous laisser en appel, dehors, et bien entendu nous voyions notre malheureuse soupe supprimée. Ah! pourquoi sommes-nous ainsi faites qu'il nous faille manger...

La troisième kommandante était une blonde décolorée du type « écuyère de cirque ». Petite, elle portait toujours des bottes vernies, une casquette en drap militaire vert et un tricot de laine blanche qui lui montait jusqu'au menton. Quelquefois, elle arborait un horrible pantalon fait aussi en drap militaire et un gilet assorti, et paradait devant nous, se croyant certainement très séduisante, bien qu'à nos yeux elle passât plutôt pour un serpent. Son langage était inimaginable de vulgarité et de grossièreté. Les claques et les coups de pieds ont dégringolé pendant son règne et celui du troisième kommandant.

Je dirai peu de choses sur la quatrième kommandante car nous ne l'avons connue que fort peu. C'était une grande femme maigre, dont tous les os du corps, lorsqu'elle marchait, semblaient vouloir se détacher. Elle était loin d'être sympathique, tout en semblant être infiniment plus humaine. Elle est restée à peine un mois avec nous.

La première chose qu'elle fit, en arrivant, fut de convoquer notre kommando et de lui dire qu'elle nous considérait comme des ouvrières et non comme des prisonnières, qu'elle ferait son possible pour supprimer les appels interminables et les punitions de toutes sortes qu'on nous imposait. Je crois, personnellement, que cette kommandante se rendit compte que nous n'en pouvions plus physiquement, que nous nous traînions à peine, que nous étions totalement épuisées, que seuls nos nerfs et notre volonté nous soutenaient, que le travail et les privations étaient plus que suffisants, et que nous n'étions plus en état de supporter punitions sur punitions.

Maintenant, je vous dirai quelques mots sur les Aufseherinnen qui nous gardaient; elles étaient au nombre de douze, nous les avons à peu près toutes dotées d'un surnom.

La première « Miss Pipi » montait journellement la garde aux waters où le kommandant venait souvent lui prêter main-forte, je devrais dire pied-fort car, pour ne pas changer, c'est à coups de pieds qu'on nous en chassait. Miss Pipi avait un gros chignon tressé, était rougeaude, massive, tapait, tapait, tapait et était forte comme un cheval.

« Le Pou Volant » ou bien « Le Roquet » était la plus épouvantable : elle était petite, forte, ayant (ainsi que nous le disions) « le derrière à Paris et la poitrine à Berlin ». Elle était blonde, ne nous parlait pas mais aboyait. Les claques tombaient drues comme grêle; elle vous tordait le nez, le sang giclait.

C'était elle qui faisait l'inspection des dortoirs, et lorsque nous finissions notre travail de nuit, mortes de fatigue, il ne fallait pas espérer nous reposer un seul instant. Savez-vous ce que c'est que de travailler dans un bruit infernal nuit et jour, qui, pas une seule seconde ne cesse; que de ne pouvoir parler normalement, car il faut hurler pour arriver à se faire comprendre? Seule une mince cloison séparait les dortoirs de l'usine, il fallait même essayer de dormir au milieu de ce vacarme.

Savez-vous ce que c'est que de rester environ dix-huit heures debout, dans une glacière, sans pouvoir se réchauffer, en étant maltraitées, brutalisées, injuriées?

Savez-vous ce que c'est que de travailler comme des folles, à une vitesse de forcenées, de regarder l'heure sans arrêt, et de se dire : « La chaîne va tourner, je n'ai pas fini, que va-t-il m'arriver? »

Savez-vous ce que c'est que d'avoir la tête qui se vide, les yeux qui se brouillent, l'estomac, le ventre creux, et de sentir qu'on va tomber?

La lumière crue des projecteurs vous fait mal, elle est si crue cette lumière, si pénétrante, qu'elle vous donne l'impression qu'en entrant par les yeux elle vous traverse la tête pour ressortir derrière la nuque.

Non! Vous ne savez pas ce que c'est, heureusement. Mais vous pouvez facilement vous rendre compte qu'après des nuits pareilles on a vraiment besoin d'un peu de repos. Je ne parle pas de dormir, car avec le Roquet il n'en était pas question, mais de s'allonger un peu sur la paillasse, se détendre les nerfs, s'évader par la pensée, bien entendu, de cette galère, être auprès de ceux qu'on aime, de ceux qui vous sont chers et qu'on a laissés là-bas, dans cette belle France.

— Que sont-ils devenus? Où sont-ils? Peu importe! Ils seront sauvés, et l'on pense ardemment à eux...

Eh bien, non! non! non! Pendant des mois et des mois nous n'avons pas dormi, nous ne nous sommes pas reposées, car cette maudite Aufseherin S.S. nous faisait lever sans arrêt. Tous les prétextes étaient bons : robe mal pliée (on ne voyait pas assez le numéro), robe mal placée, pas exactement au pied du lit. Visite de nos paillasses afin de voir si nous y avions dissimulé quelque chose. Une de mes bonnes camarades nommée « Zozo » se sentant malade avait ramassé une bouteille vide dans l'usine, et y avait mis un peu d'eau tiède pour essayer de se réchauffer dans son lit. La malheureuse fut littéralement rouée de coups. Quant à mon amie « Samson », ma camarade de lit, elle fut, un beau matin, tellement battue et elle saigna tant que, pendant plus de huit jours, on vit par terre le sang coagulé de cette malheureuse.

Le « Pou Volant » disparut un jour. Elle était enceinte et se vantait, n'étant pas mariée, d'attendre un enfant.

— Je ne suis pas comme ces cochonnes de Françaises, disait-elle, qui, si elles étaient dans mon cas, feraient l'impossible pour faire une fausse-couche; moi, fille allemande, je suis fière de porter un enfant et d'en faire présent à mon pays.

Nous avons su plus tard que son enfant était né avant terme et était mort, qu'elle était clouée sur son lit en proie à des crises aiguës de rhumatismes, et qu'elle souffrait tant qu'elle demandait à mourir...

La troisième Aufseherin fut surnommée « La Vipère »; elle accourait comme un serpent, giflait, battait, nous injuriait. Sa figure devenait hideuse, ses cheveux pauvres et raides étaient secoués, ses bras et ses mains battaient l'air et venaient s'abattre sur notre visage. Elle fut terriblement secouée lors du bombardement d'Oranienburg, et, ayant eu très peur, elle se calma enfin.

La quatrième, « Maria », était toute petite. Son mari était mort à Stalingrad; elle était mère de cinq enfants. Celle-ci ne nous a jamais battues. Certaines de mes camarades osent dire « qu'elle était gentille »; pour moi, je la croyais fausse, mais, si fourbe qu'elle fut, elle n'était pas sadique.

La cinquième, « Nez au Vent » était une gamine d'une vingtaine d'années, le nez en l'air, les cheveux blonds; elle portait un tricot rouge sang, roulé autour du cou. Elle détestait les Françaises, nous faisait battre par le kommandant et se mettait à rire lorsqu'elle nous voyait souffrir.

Puis venait « Poupée d'Amour », petite fille blonde de dix-sept ans, qui apprit vite à nous gifler.

Puis « l'Ex-Future Kommandante », que l'on avait surnommée ainsi car, à chaque changement de kommandante, c'était elle qui assurait l'intérim pendant quelques jours. Sa fonction habituelle était la cuisine, et selon son humeur, on mangeait ou pas.

A la cuisine, il y avait environ une dizaine de prisonnières dont la moitié étaient des Françaises, et tous les jours on désignait quelques filles pour éplucher des légumes. Je dois dire que nous aurions bien voulu, à tour de rôle, y faire un petit tour car on pouvait en ramener un peu de ravitaillement, mais si les Françaises en rapportaient pour leurs amies préférées, elles ne tenaient pas à ce que les autres pénétrâssent dans ces lieux divins où l'on pouvait travailler assises et au chaud. Il y régnait une bonne odeur de nourriture due, non pas à la préparation de notre soupe, mais à celle des repas des Aufseherinnen et des kommandants. Nos camarades françaises de la cuisine n'ont pas souffert autant que nous, physiquement; elles sont toutes revenues grosses et grasses et, bien entendu, n'ont pas su se rendre compte de notre souffrance. Nous leur en voulons toutes un peu, car elles auraient pu nous aider infiniment mieux. Mais, je tiens à préciser que cette petite accusation ne s'applique pas à Mme de L... qui fut toujours pour nous toutes une camarade charmante, compréhensive et à qui nous devons beaucoup.

Mais revenons à « l'Ex-Future-Kommandante ». Une

des grandes satisfactions de cette Aufseherin était de nous distribuer la soupe au réfectoire. Lorsqu'il restait du « rab », elle emmenait le bidon au fond de la pièce, puis, sans servir, le tirait petit à petit vers l'autre bout. Les filles se levaient avec leurs assiettes, se bousculaient, se battaient. On entendait des « Aufseherin bitte » suppliants, larmoyants, et finalement c'était une bagarre générale où les trois cents filles du réfectoire s'envoyaient les assiettes à la figure et cassaient leur cuillère. Lorsque l'Aufseherin voyait que la bagarre était devenue générale, elle refermait le bidon et le renversait même; puis elle nous faisait sortir, à coups de pieds et de gifles, avec des hurlements, de ce réfectoire épouvantable.

Nous avons eu encore une demi-douzaine d'Aufseherinnen auxquelles nous n'avons pas donné de surnoms et qui ne valaient pas mieux les unes que les autres, mais cependant, je ne voudrais pas terminer ce chapitre sans vous dire quelques mots de « La Rousse », « La Roumaine », et de « Boucles d'Oreilles blanches ».

« La Rousse », comme son nom l'indique, avait une chevelure flamboyante et était de petite taille. De tous nos chiens de garde, ce fut certainement la moins mauvaise. Elle se disait de père allemand et de mère alsacienne. Lorsque à partir du mois de janvier 1945, nous fûmes obligées de travailler en dehors de l'usine, à construire des routes, à abattre des arbres et à creuser des tranchées, nous fîmes l'impossible pour nous faire accompagner par elle. Elle se rendait parfaitement compte que la partie était perdue et faisait de son mieux pour s'en tirer à meilleur compte. Elle portait à son poignet droit une petite chaîne d'or où pendait une breloque en émail bleu, blanc, rouge qui représentait la France. Un jour elle perdit ce bracelet et, malheureusement ce fut une Yougoslave qui le trouva et qui le lui rendit moyennant une ration de pain supplémentaire.

« La Roumaine » était exactement le type des dessins humoristiques de Dubout : grosse femme aux cheveux acajou, avec de grosses chevilles qui se terminaient par des petits pieds perchés sur des hauts talons. On la disait d'origine roumaine, et avant d'être Aufseherin, elle travaillait dans une usine où, ayant commis quelques excès, on lui donna le choix entre la condition de prisonnière et celle d'Aufseherin S.S. Lorsque nous fûmes toutes obligées de quitter l'usine avant l'arrivée de l'Armée Rouge, elle abandonna son convoi à Berlin au milieu de la bagarre, troqua ses vêtements militaires pour des vêtements civils et disparut.

Quant à « Boucles d'Oreilles blanches », c'était l'hystérique du lot. Un jour elle eut une crise devant nous; elle était dans un tel état que nous fûmes obligées de la transporter sur un brancard. Nous restâmes quelques jours sa‑s la voir mais, hélas! elle revint, non pas calmée nais dans un état croissant de méchanceté et de fo.ie. Elle buvait et nous l'avons vue, certains jours, marcher en titubant. Il lui arrivait même de tomber dans les tranchées que nous étions en train de creuser. Là, elle poussait des hurlements et nous tendait les bras et les mains afin que nous la sortions de ce trou. Alors, elle se faisait aussi lourde que possible en restant inerte comme une masse. Quelques filles étrangères riaient avec elle de ce manège ridicule; moi je m'éloignais le plus loin possible, trouvant cela odieux et moralement déprimant. Elle vous giflait sans raison, ou s'acharnait sur une malheureuse femme on ne savait pourquoi. Toute la journée on se sentait traquée, les coups pleuvaient! Elle vous interpellait en termes vulgaires, vous injuriait et, se mettant à rire, vous giflait avec violence. Elle vous renvoyait à votre travail en vous bourrant de coups de poings et de coups de pieds. Ce monstre portait un nom français, le seul d'ailleurs que j'ai connu; elle s'appelait Gertrude Lefebvre.

Enfin, toutes ces femmes étaient de mœurs épouvantables; elles recherchaient les contacts des ouvriers de l'usine ou des soldats allemands. La nuit, lorsque l'on descendait aux abris, et que tout était plongé dans le noir, nous pouvions entendre les Tziganes allemandes leur murmurer « mein lieber », ainsi que le bruit confus de baisers et des petits rires de filles vicieuses et excitées.

Je terminerai ce chapitre en vous décrivant « les kapos ». Heureusement parmi elles il n'y avait aucune Française. Ces êtres malfaisantes étaient au nombre de huit ou dix.

Comme Russes, il y avait « Edwidge »; c'était une volontaire venue en Allemagne pour y travailler et gagner de l'argent, et qui, par suite de malhonnêtetés, avait été transférée dans ce bagne. Parlant très bien l'allemand, elle avait, entre autres privilèges, celui d'être « Blockowa » et, de ce fait, se réjouissait de faire souffrir les femmes qui dépendaient d'elle. Lors du terrible bombardement d'Oranienburg, elle se trouvait en compagnie d'une jeune fille Yougoslave qu'elle devait mener dans ce camp, éloigné du nôtre d'une quarantaine de kilomètres. Ces bombardements avaient semé la panique et la terreur, et ces deux prisonnières en se mettant à l'abri se trouvèrent séparées du camp et des S.S. allemands. Cela se passait, si je m'en souviens bien, vers le mois de mars 1945, et des civils allemands les hébergèrent, leur donnèrent des vêtements civils car les leurs avaient été souillés et brûlés. L'évasion était donc excessivement facile, cette famille allemande ne demandant qu'à les aider. Mais, Edwidge ne voulut jamais profiter de cette occasion unique et contraignit sa camarade à la suivre, sous la menace de la dénoncer. Vous pensez bien combien cette ignoble fille fut félicitée à son retour par les S.S. allemands lorsqu'elle leur raconta son aventure. A partir de ce jour, elle devint si fière de son autorité que nous la craignions autant que la kommandante.

Il y avait aussi une fille nommée « Véra », vicieuse et voleuse, qui allait cafarder et qui nous faisait battre constamment. Or, un jour, ayant dépassé les bornes, elle se fit prendre la main dans le sac par le kommandant, et fut schlaguée. Elle perdit un peu de sa superbe.

Je terminerai ces lignes en vous parlant d'une épouvantable Gitane surnommée « Julot ». Elle avait les cheveux coupés à la garçonne, et grâce à des produits de beauté que devait lui remettre une des Aufseherinnen, elle se maquillait honteusement; mais elle plaisait aux Aufseherinnen et on la voyait constamment dans les bras de l'une d'elles. Elle avait une sorte de grain de beauté juste sur le bout du nez, ce qui la rendait encore plus écœurante mais cela charmait les S.S. qui l'avaient autorisée, dans les derniers temps, à porter des culottes masculines. Cette fille qui avait joué de l'accordéon dans une maison de passes en Pologne, ne savait ni lire, ni écrire, ni même compter jusqu'à cinq lorsqu'elle devait nous faire mettre en rangs. Ce fut elle qui fit assommer ma camarade « Zozo » qui, outrée de sa brutalité envers moi, lui avait un jour crié :

— Ein moment schmutz, Americain here in ein monat... (Un moment ordure, les Américains seront ici dans un mois.)

Ce qui devait, par la suite, se révéler faux car ce furent les Russes qui nous sauvèrent de justesse.

Nous aurions tant voulu pouvoir leur régler leur compte, mais, à l'arrivée des Alliées, elles se sont toutes, hélas! évadées ou camouflées.

LA VIE DE L'USINE

— Auf-stehen! auf-stehen! hurle l'Aufseherin.

Quelques coups de sifflet stridents, quelques claques pour les malheureuses filles qui ne sont pas descendues de leur paillasse assez rapidement.

Il est quatre heures et demie du matin.

On se presse, on se bouscule.

Celles qui couchent au troisième étage des châlits se dépêchent de faire leur paillasse afin de ne pas jeter des bouts de paille sur les lits des camarades du second. On plie vite ses couvertures. En se retournant, on marche sur les mains des filles qui se hâtent elles aussi. Nos galoches frappent leur visage. Puis, on court aux waters. Zut! Il y a la queue, et quelle queue! Jamais on ne sera prête à temps.

On se lave à peine, on ne retrouve plus ses affaires car, si on les abandonne quelques instants, elles sont immédiatement volées.

— « Appel », « appel », « schnell », « schnell », « bistro », « game », « appel », « appel », « schnell », « lost », « lost », crient les Blockowas.

Elles nous tapent, jettent tout le monde dehors, femmes, vêtements, tout sort du dortoir en pagaïe, il est à peine cinq heures.

Dieu! qu'il fait froid dans cette usine! Et dire qu'on va rester debout dans cette glacière, en appel, pendant au moins deux heures avant de commencer le travail!

Un tumulte formidable, une bousculade affreuse, on crie, on s'injurie, des coups de poings par-ci, par-là.

Enfin, on est en rangs, cinq par cinq, les plus petites devant, les plus grandes derrière. Les prisonnières
se rangent; on se pousse, on pousse sa voisine car il
y a un décalage. On se pousse vers la droite en faisant deux ou trois pas sur le côté, on se décale encore
et encore et encore. C'est fatigant, énervant surtout.
On est obligé d'abandonner sa camarade française
avec qui on avait l'espoir d'échanger quelques mots.

Enfin ça y est, nous voilà en colonne cinq par cinq;
on est entourées par une Gitane qui ronge un os qui
pue, par une Russe qui se mouche et crache par terre,
par une Polonaise qui croque des épluchures de rutabagas, qui mâchonne elle aussi, qui crache par terre;
cela sent mauvais, quelle horrible promiscuité...

Il est à peine six heures. Encore une heure à attendre. Les Aufseherinnen passent devant nous, derrière
nous, entre les rangs. Quelques camarades font le
signe de croix; elles prient. Moi aussi, je pense aux
miens; ma pensée s'évade malgré le bruit, les hurlements, la lumière crue des projecteurs. Je revois ma
petite fille me disant : « Au revoir » pour la dernière
fois. Comme elle était mignonne avec son petit manteau rouge, ses petits gants blancs, ses jolies boucles
brunes! « Embrasse bien fort papa, pour moi... » me
disait-elle.

Pauvre petite, son papa était arrêté; elle ne le savait
pas encore... Mon mari, qu'est-il devenu... Où est-il?...
Arrêté cinq jours avant moi, à Paris, qu'ont-ils pu en
faire?

Je ne l'ai jamais trouvé à aucun interrogatoire rue
des Saussaies. Pourvu, mon Dieu! qu'ils ne l'aient
pas tué!... Courage, mon chéri... aie du courage, toi
aussi... il faut tenir où que tu sois... quoi qu'ils te fas-
sent.. courage, courage, courage...

Imperceptiblement, une larme suivie d'une autre
et de bien d'autres me viennent aux yeux. Comme

c'est doux de revoir tous ceux que l'on aime à travers ce voile si fragile. Et doucement, on essuie son visage. Tout à coup, une gifle formidable s'abat sur votre tête, vous en tombez presque par terre car vous ne vous y attendiez pas. La kommandante vient de passer et vos bras n'étaient pas le long de votre corps décharné. En quelques secondes, vous revenez brutalement à la réalité.

Il est six heures et demie.

Devant nous, la chaîne des ailes d'avions, avec ses puissants projecteurs, ses tuyaux à air comprimé, ses marteaux pneumatiques qui font un vacarme effroyable, et ses perforeuses de toutes dimensions.

Nos camarades, celles qui ont travaillé toute la nuit, se hâtent, la chaîne va tourner dans une dizaine de minutes. Elles commencent à nettoyer par terre, à ranger les tuyaux, les outils. Sonnerie. La chaîne tourne.

Sept heures moins dix; les machines s'arrêtent. Quel silence!

Un coup de sifflet. Les prisonnières se mettent en rangs, toujours cinq par cinq; elles marchent. Elles sont moins nombreuses que nous, car pendant la nuit, la chaîne des ailes, seule, fonctionne. Elles se rangent toutes devant nous et, mortes de fatigue, de faim, de froid, elles se mettent au garde-à-vous impeccablement lorsque la kommandante passe la revue.

Alors un hurlement retentit : « Arbeit! arbeit! schneller mensch! »

Nous faisons un demi-tour sur la gauche et défilons en rangs jusqu'à notre travail. Les unes s'arrêtent aux ailes et reprennent immédiatement les places que nos camarades viennent de quitter. Les autres montent un petit étage composé de deux fois neuf marches : c'est la manutention; elle borde tout le plus long côté de l'usine. C'est là que se fabriquent les pièces détachées que l'on pose sur les ailes. D'autres encore se dirigent à l'extrémité gauche de l'usine, à la soudure; elles sont une vingtaine. Vite elles mettent leurs lunettes noires. Elles sont assises, un long fil de cuivre dans leur main droite tandis que de leur main gauche elles tiennent la pièce à souder. Une petite flamme venant du tuyau à gaz fera dans quelques instants une étincelle brillante.

Au-dessous de la galerie, des femmes et des femmes travaillent; elles percent de longs tubes, mettent des rivets, manœuvrent avec dextérité de lourdes machines fort compliquées, comme si elles n'avaient fait que cela depuis leur enfance.

Il est vrai que l'on apprend vite un métier avec les S.S. et cela vaut mieux pour les pauvres déportées dont la vie est en jeu si elles n'exécutent pas le travail qui leur est confié avec tout le soin qu'ils en attendent. Moi, je suis aux ailes. Les rails où glissent les ailes se trouvent au centre de l'usine et vont d'un bout à l'autre du bâtiment. D'un côté il y a dix-huit stands, du n° 1 au n° 18, puis l'aile pivote et revient à son point de départ en suivant le deuxième rail, du stand n° 19 au n° 36.

Il serait fastidieux d'énumérer le travail qu'on accomplit dans chaque stand; je vous dirai seulement qu'au stand n° 1, l'aile gauche des Messerschmidt 109 est réduite à sa plus simple expression. Il n'y a rien. Mes camarades françaises apportent l'arbre central de l'aile qui pèse plus de quatre-vingts kilos où, petit à petit, se trouveront fixées les pièces qui formeront l'aile de ces maudits avions.

Aux stands 6, 7, 8, 9, 10 marchent les perforeuses.

Une huitaine de prisonnières à chaque stand percent l'aile en tous sens; de petits filaments brillants s'en échappent en tourbillonnant. Si vous les recevez sur le visage ou les mains, cela vous brûle un peu. De temps à autre, une poussière de duralumin est projetée dans l'œil de l'ouvrière. On en profite pour aller au « revier ». Là, selon l'humeur des deux prisonnières qui, étant étudiantes en médecine, ont été choisies pour nous soigner, on se repose un peu, surtout si les Aufseherinnen de service ne nous ont pas accompagnées. Alors on profitera de ces quelques minutes de répit pour faire un brin de causette.

Du stand n° 11 au stand n° 18, on entend un vacarme épouvantable : on pose des rivets. C'est effrayant! Impossible de parler, même en hurlant. Tout le monde s'agite, se bouscule, s'attrape, on se fait comprendre par signes. On dirait une troupe de singes.

Du stand n° 19 au stand n° 28, on pose encore quelques rivets mais ils servent surtout à fixer les plaques de duralumin afin que l'aile soit totalement lisse et recouverte.

Dans les derniers stands, on procède à la pose des fils électriques, radio, chauffage, glaces transparentes en matière plastique.

Enfin, quand l'aile atteint le stand n° 36, elle est terminée.

Les ingénieurs allemands, les directeurs de l'usine qui, pour la plupart, ne valent pas mieux que les S.S., sont groupés autour de l'aile, promenant de droite à gauche leur lampe portative et leur petite glace qu'ils utilisent comme rétroviseur.

Ils caressent l'aile du bout des doigts, ces ailes maudites qui, pour eux, semblent être le bien le plus précieux qui soit.

C'est le moment de vous présenter « La Violette », car je crois que toutes mes camarades ne me pardonneraient pas si j'omettais de parler de ce triste individu. « La Violette », ainsi nommé parce qu'il répandait des effluves de ce parfum, fut pour nous un ennemi dangereux, méchant et sournois. Grand, mince, le regard froid et cruel, il nous terrorisait, nous faisait travailler sans relâche. S'il ne nous frappait pas lui-même, c'est que paraît-il, il n'en avait pas le droit, mais il se vengeait en nous faisant battre comme plâtre par les S.S.

Les S.S. étaient des brutes et des lâches mais ne connaissaient en rien notre nouveau métier, et dès l'instant qu'ils nous voyaient travailler, ils pensaient que nous faisions de la bonne besogne; ils ne nous harcelaient pas. Mais lui, « La Violette », l'ingénieur des usines Heinckel, lui, connaissait bien la question et ne manquait jamais de faire son rapport auprès des S.S. qui savaient bien nous faire comprendre que ce travail épuisant devait être fait consciencieusement, même s'il était au-dessus de nos forces.

Je vous laisse le choix entre les diverses punitions qui nous étaient irrémédiablement infligées : ou bien la « schlague » ou les « appels » debout dans le froid, qui, je vous l'assure, pouvaient durer dix heures, ou bien encore l'éternelle privation de la soupe.

Enfin, l'aile quittait le stand n° 36, et les rails où elle avait glissé parmi tant de mains, procurant tant de travail, de fatigue, d'émotions et surtout de claques à des centaines de malheureuses filles. Afin de lui redonner son équilibre, nous la montions sur une sorte de plateau à roulettes que nous poussions jusqu'à l'atelier de peinture. Cet atelier de peinture occupait la largeur du hall à son extrémité à droite. Le toit était une verrière et il y faisait assez chaud. Mes camarades plaçaient l'aile horizontalement et commençaient à la poncer énergiquement, puis elles l'enduisaient d'une sorte de mastic grisâtre. A ce moment, les ailes étaient attachées les unes aux autres à la queue leu leu. Elles étaient tirées par un câble, qui les faisait avancer tout doucement entre deux hautes plaques métalliques munies de projec-

teurs qui les séchaient. Quelquefois, bien rarement
hélas! nous arrivions à nous incruster entre deux
ailes, et nous profitions du quart d'heure que durait
cette trop courte promenade pour nous réchauffer.

Lorsque nous descendions de notre perchoir, nous
étions rouges et congestionnées, mais nous avions
enfin chaud. C'était si bon d'avoir chaud entre deux
heures et trois heures du matin, quand, depuis cinq
heures de l'après-midi, nous grelottions dans une
usine où plus une seule vitre ne tenait aux fenêtres,
et où le chauffage ne marchait pas (par suite des
bombardements massifs, il ne restait plus grand-
chose de ces bâtiments). Mais, à l'arrivée de notre
bain de vapeur, se trouvait une Aufseherin, la schlague à la main. Car, entre ces deux murs chauffants,
il nous était impossible de descendre de notre perchoir. Donc, à la sortie, toutes amollies de chaleur,
de faim, de fatigue, de sommeil, une raclée magistrale nous tombait sur le dos.

En quelques instants nous redevenions de pauvres
êtres mous et désarticulés qui se traînaient à terre
comme des pantins.

L'aile était ensuite peinte au pistolet. Les Allemands n'étaient pas difficiles quant à la couleur des
ailes. La Grande Allemagne n'était même plus capable
de produire de la peinture, et on utilisait tous les
vieux stocks. Les ailes étaient tantôt argentées, tantôt vertes; elles furent même bleues. Bien entendu,
une immense croix gammée les recouvrait, ainsi
qu'une inscription allemande. Elles étaient peintes
aussi de diverses couleurs disposées en vagues, dans
les tons bruns, afin de les camoufler.

Enfin, lorsqu'elles sortaient de l'atelier de peinture,
elles étaient terminées. Une grande grue les transpor-
tait dans le hall où, bien disposées, six dans un sens
et six dans l'autre, elles finissaient de sécher, sépa-

rées les unes des autres par des morceaux de bois et de carton. Nous avons pu voir cinq à six cents ailes entreposées dans le hall pour disparaître un beau jour.

Lorsque neuf heures sonnaient, nous avions une pose d'un quart d'heure. Pendant quelques mois, les Aufseherinnen et les Stubowas nous distribuèrent une demi-louche d'une sorte de liquide noirâtre que l'on appelait un café et qui avait le grand avantage d'être chaud. Les derniers mois, le café fut totalement supprimé; nous le regrettâmes sincèrement, car ce breuvage assez détestable nous réconfortait momentanément. Mais il fallait tellement se battre pour arriver à en obtenir, que beaucoup d'entre nous préféraient y renoncer. Une centaine de bols blancs étaient posés sur une sorte de tréteau qui formait, à lui tout seul, un problème sur l'équilibre des corps. Alors, imaginez une affreuse ruée de cinq cents filles environ... : que de fois les bols étaient projetés à terre, et les représailles tombaient...

Puis le travail reprenait. Une immense horloge sonnante était en somme, avec les quelques petits oiseaux qui vivaient là-haut, au milieu de ce qui restait des vitres, nos seules distractions douces dont nous avons gardé le souvenir de notre séjour en Allemagne. A midi, sonnerie. Le travail s'arrêtait jusqu'à une heure moins le quart. Les prisonnières se mettaient en rangs, toujours cinq par cinq, sous la garde vigilante et brutale des S.S. On ne comptait pas, mais c'était seulement une brimade pour nous faire comprendre que pas un seul instant nous n'avions notre self-contrôle.

Nous défilions au milieu de l'usine, jusqu'à son extrémité. Nous devions nous mettre en un long ruban deux par deux. Evidemment, du nombre impair que nous étions quelques instants plus tôt, au nombre pair où nous devions nous ranger, il se produisait des bagarres, les filles se battaient, s'injuriaient.

L'Aufseherin intervenait avec sa schlague. Nous savions bien que c'était l'heure d'aller à la soupe et qu'il valait mieux essayer d'arriver dans les premières afin d'espérer pouvoir s'asseoir sur un banc et en avoir une assiettée quasiment pleine. De toutes façons, il était plus prudent, à ce moment-là, d'ôter ses lunettes si on en portait, car si elles n'étaient pas brisées sous les coups, c'était un miracle.

Puis, la colonne s'ébranlait doucement. Il fallait descendre un étage, puisque le réfectoire était au sous-sol. Il n'était pas difficile, à l'odeur, de savoir qu'on allait avoir une soupe de rutabagas. Quelquefois, la soupe était aux choux, quelquefois à la betterave rouge; le dimanche, nous en avions une aux carottes.

Les Françaises, afin de se détendre un peu et de se sentir moins isolées, se groupaient. Cela facilitait infiniment le travail de distribution de la Blockowa car elle commençait à vider ses bidons du côté des « Françouzes », elle en remuait le moins possible le contenu. On nous versait à peine une louche de mauvais jus, vaguement gras, qui nous laissait un goût amer pour toute la journée, et, au fond, mais alors tout au fond de l'assiette, on rencontrait, par hasard, quelques légumes qui devaient vraiment se demander ce qu'ils faisaient là. Le « rab » bien entendu, nous était rarement distribué : nous eûmes quelquefois cette chance inespérée.

A une heure moins un quart, trois sonneries successives se faisaient entendre. A la troisième, l'usine se remettait en marche jusqu'à sept heures du soir.

A sept heures moins vingt, vite nous commencions à ranger les outils, les machines. Les « meisters » sortaient de leur tiroir leur inséparable serviette

de cuir, changeaient de chaussures et allaient à
la toilette qui leur était réservée, pour fumer quelques cigarettes. La chaîne des ailes qui, quelques instants auparavant, était parsemée de bouts de ferrailles, d'écrous, de vis, de rivets, de bohrers cassés, se
trouvait comme par enchantement rangée, nettoyée,
astiquée même.

A sept heures moins dix, autre sonnerie, et cinq par
cinq, impeccablement, nous nous rangions devant la
« fuhrerin » et le « kommandant ». Lui, restait immobile et nous toisait de son regard plein de morgue;
elle nous comptait et nous recomptait, suivie des Aufseherinnen. Puis la kommandante revenait près du
kommandant et, lui faisant le salut hitlérien, lui
remettait la liste des ouvrières qui se trouvaient à
l'appel du soir ou qui se trouvaient au « Revier ». Les
Aufseherinnen remettaient à leur tour le compte rendu
de la journée, c'est-à-dire les numéros des filles à
schlaguer. Enfin, la « Blockowa » arrivait, papier à
la main, où se trouvaient les numéros des prisonnières qui avaient mal fait leur lit (couvertures pas assez
tirées, ou bien refus d'obéissance). Lorsqu'il s'agissait d'une Française, puisque nous ne parlions pas
allemand, nous avions recours à notre « dolmetsche-
rin » (interprète). Ce métier, peu agréable, a valu bien
des tourments à notre chère amie Mme F., qui finissait par ne plus savoir ni quoi dire, ni comment faire
pour nous venir en aide. Elle n'échappait pas à la
fureur des S.S. et, bien que n'ayant rien fait de
répréhensible, elle recevait, en général, une bonne
distribution de claques.

Les filles appelées sortaient des rangs, se mettaient
les unes à côté des autres, devant nous, et attendaient
patiemment de pénétrer dans le bureau du kommandant pour recevoir les coups promis. Bien souvent,
elles n'échappaient pas à la suppression de la soupe.

En général, l'appel de sept heures terminait le travail des « tageschichte » équipe de jour, et commençait le travail des « nachtschichte » équipe de nuit.

Si, dans l'ensemble, le travail était satisfaisant, l'appel ne durait pas plus de vingt à trente minutes. Mais tous les prétextes étaient bons pour que l'appel durât plus longtemps, et souvent, très souvent hélas! nous restions là, plantées comme des piquets, pendant de longues heures. Puis venait la seconde distribution de soupe. On se remettait en rangs deux par deux, distribution toujours aussi pénible qui était fréquemment interrompue par des alertes. A ce moment, tout s'éteignait. Les sirènes se mettaient à hurler. L'équipe de nuit qui venait de prendre le travail courait dans les abris situés du côté opposé.

Quant à nous, nous nous bousculions comme des forcenées. Si une fille tombait, il était absolument inutile qu'elle cherchât à se relever car le flot ininterrompu ne pouvait plus s'arrêter. Il avançait corps contre corps, tâtonnant dans l'obscurité afin de pouvoir joindre l'escalier qui était fort difficile à descendre. Celles qui tenaient la rampe étaient sauvées, mais les autres se trouvaient poussées vers le mur opposé. Elles étaient affreusement écrasées, se cognaient au mur, perdaient la pauvre boîte qu'elles tenaient dans leurs mains salies par le travail. Le petit sac destiné à recevoir le minuscule morceau de pain, qu'elles avaient fabriqué avec tant de difficulté, leur était arraché.

On entendait des cris, des hurlements, quelquefois « au voleur », ou bien encore on sentait, dans sa nuque, le souffle chaud d'une fille qui vous murmurait des phrases incompréhensibles où revenaient de temps à autre des mots tels que « mein liebe », puis une main vous empoignait la poitrine. Que faire? On se débattait, et dans la bousculade on essayait d'envoyer à l'agresseur un bon coup de coude dans l'estomac; mais le coup portait à faux et, bien entendu, la fille qui recevait le coup inattendu, vous empoignait et, si vous aviez la chance de posséder un « kopf-tuch », mouchoir de tête, il disparaissait comme par enchantement. Si, au contraire, on ne portait rien sur la tête, le peu de cheveux qui vous restait ou qui repoussait vous était arraché.

Une fois dans les abris, il nous fallait attendre, car nous ne mangions jamais pendant les alertes. Nous étions fatiguées, mais notre fatigue n'était rien à côté de nos tourments. Pourquoi? C'est facile à expliquer : quand il y avait alerte, les lumières s'éteignaient; quand les lumières s'éteignaient, tout disparaissait.

Alors, qu'allait devenir notre soupe? notre pain? et notre ration de margarine et de saucisson? car c'était à la soupe du soir que l'on nous remettait — je devrais dire, nous jetait — notre ration de pain de la journée. Nous savions bien qu'au moins notre bon quart de la distribution se serait volatilisé... mais, que faire? attendre, attendre la fin de l'alerte. Si le vol n'était pas trop important, nous aurions notre soupe, mais si, au contraire, les bidons et le pain avaient disparu, il y aurait de nouveaux appels avec fouilles et, bien entendu, on ne retrouverait rien.

Tout à coup, les sirènes se remettaient à hurler. Quelques coups d'abord, pour annoncer que le danger était écarté, puis un dernier long hurlement qui signifiait la fin de l'alerte. Comme il y avait eu vol, on nous faisait de nouveau mettre en rangs, et après une pause d'une heure ou deux, ou même davantage, nous entendions, enfin, le « ab-treten » (fin de l'appel) tant attendu. Résultat : nous avions un quart ou une demi-louche de soupe, ou peu ou pas de pain.

Ensuite, nous allions nous reposer.

La kommandante suivie de ses fidèles chiens de garde passerait faire son inspection. Vite on arrangerait au mieux ses affaires sur son châlit et on attendait debout, au garde-à-vous.

« Achtung! achtung! » enfin la voilà. A cette femme qui semblait si heureuse de nous regarder, quel triste tableau nous devions représenter... avec nos pauvres chemises, nos cheveux ou rasés ou repoussants ou raides, encore pleins de duralumin, nos mains sales et dures, nos bras maigres, notre regard qui luttait continuellement pour garder un peu de sa vivacité, un peu de son expression. Rarement son inspection se passait sans drame...

Enfin, elle repartait.

Hop! au lit, dormons quelques heures en attendant la prochaine alerte qui nous prendra certainement en pleine nuit. Evidemment, cela nous ennuie bien un peu de nous remettre sur pieds dans quelques heures et d'aller grelotter dans ces abris sinistres, mais cela n'ennuie pas notre cœur, je vous l'affirme, car nous savons que lorsque les bombes tomberont drues comme grêle, il sautera de joie dans notre poitrine,

(sur l'air de Lili Marlène)

Quand l'alerte sonne
On descend la nuit
Faire un petit somme
Au fond des abris.
On entend les bombes tomber
Et ça nous fait bien rigoler
Que tout soit détruit
Dans ce maudit pays.

Le travail des « nachtschichtes » était le même que celui des « tageschichtes ». L'heure d'arrêt que l'on octroyait le jour se trouvait diminuée d'un quart d'heure la nuit car, étant moins nombreuses, la soupe de nuit ne durait qu'une demi-heure au lieu de trois quarts d'heure. Mais la nuit comme le jour nous semblait interminable.

Le deuxième et le troisième dimanche du mois, l'usine ne marchait pas, nous étions, soi-disant, au repos. Il en était de même pour deux samedis où nous travaillions de sept heures du matin à une heure de l'après-midi pour l'équipe de jour, et de seize heures à vingt et une heures pour l'équipe de nuit.

C'était ces temps de repos que nous redoutions le plus, et il ne se passait pas un seul jour où nous ne manquions de faire des commentaires sur ces futurs tristes moments.

Nous étions, ces jours-là, absolument livrées aux mains des S.S. Pas un seul civil présent pour, au besoin, témoigner des scènes qui se déroulaient dans le camp. Je sais que les S.S. se moquaient des avis des ouvriers civils mais, pour nous, c'était quand même un vague soutien, et puis l'usine devait tourner, nous étions là pour cela, nous le savions, et il aurait fallu un événement vraiment extraordinaire pour que l'usine s'arrêtât. Or, ces samedis et dimanches se passaient en corvées de toutes sortes : nettoyage des schlafsaals, nettoyage des paillasses, inspections des vêtements, fouilles de nos sacs. Cette dernière opération était une source de bien des émotions car, malgré la vigilante garde des Aufseherinnen et le peu de liberté dont nous disposions, nous arrivions à bricoler des tas de petites choses, des bibelots que nous voulions à tout prix ramener à nos familles.

C'est étonnant comme le manque de tout ce qui pouvait donner à notre vie un vague relief de civilisation, nous rendait ingénieuses. Et, en plus de notre livre de cuisine, nous nous étions fabriquées des peignes, des épingles, des broches. Nous avons fait encore des objets bien plus artistiques, des bagues taillées dans la matière plastique transparente qui était utilisée pour la fabrication des avions. Presque toutes mes camarades françaises ont ramené, parmi leurs souvenirs, une bague dont les formes, je vous l'assure, ne manquaient ni d'originalité ni d'harmonie. Nous avions fait, aussi des breloques. Sans me vanter, c'était ma spécialité : petits chiens, cochons, arbres de Noël, poissons, etc. Beaucoup de mes camarades françaises et yougoslaves en ont emporté en souvenir. Pour mon anniversaire, ma charmante amie Samson m'avait offert une adorable petite fourchette en bois qui fit l'admiration de toutes les Françaises et me combla de joie. Nous faisions aussi avec du duralumin, des cœurs où étaient gravées nos dates d'arrestation ainsi que le nom des villes parcourues pendant notre captivité.

Chacune de nous, bien entendu, possédait un petit couteau dont le manche était gainé de caoutchouc. J'ai fabriqué aussi, avec des ersatz de paille, de charmantes poupées que je peignais ensuite et qui représentaient des petites danseuses en tutu, des cow-boys avec leur lasso et leur cheval, des bouquets de fleurs tricolores, et j'ai même confectionné une paire de chaussons à mon amie Léa avec un outil que j'avais recourbé en forme de crochet.

J'avais trouvé dans un journal une carte de l'Allemagne que j'avais soigneusement recopiée; ainsi nous pouvions suivre les événements presque journellement. Or, ces fouilles, pour nous, étaient une véritable terreur. Où cacher toutes ces précieuses merveilles? Après bien des recherches, nous avions enfin trouvé une cachette idéale. Dans le dortoir qui nous avait été distribué par la suite, il y avait un immense lavabo, d'une largeur de quinze à vingt centimètres

et qui tenait toute la longueur de la salle; or, sous
cette toilette, il y avait un espace vide entre le mur
et l'évier. Alors, nous étions sauvées et c'est grâce
à cet espace que nous avons presque toutes ramené
nos précieux souvenirs. Les fouilles, une fois terminées, on nous faisait mettre en rangs, comme il se
doit, et, chantant des chansons allemandes, les Gitanes en tête, nous marchions durant des heures dans
la cour de l'usine en longeant les bâtiments par n'importe quel temps.

Nous avions aussi l'épouillage avec sa problémati-
que tonte des cheveux. Ou bien encore, c'était un
« appel » qui devait durer toute la journée, résultat
— paraît-il — d'une mauvaise semaine de travail...

Dans l'autre corps de bâtiment, on trouvait une
grande pièce où l'on faisait de la couture, des raccommodages. Là, se terraient les planquées dont
aucune n'était Française. Enfin, à côté, se trouvait
le « Revier », proprement tenu, largement éclairé
par une vaste fenêtre. Il contenait cinq lits peints en
blanc dont les matelas et couvertures étaient glissés
dans des enveloppes en tissu à carreaux bleus et blancs.
A côté de chaque lit, une chaise, et dans le fond, un
petit lavabo. Tous les jours, le kommandant et la
kommandante venaient passer l'inspection des malades. Si, au bout de dix-huit jours, les prisonnières
n'étaient pas rétablies, elles étaient évacuées automa-
tiquement sur le camp de Ravensbruck. Nous n'en
revîmes jamais une seule. Ces malheureuses filles ont
toutes été assassinées.

Je suis restée un mois au Revier. Lorsque je suis
arrivée à la fin de la deuxième semaine, je savais
que j'étais définitivement perdue car j'allais partir à
mon tour. Il arrive parfois, dans une existence, qu'un
miracle se produise; il se produisit à Schoenfeld. Il
y eut, à ce moment extrêmement critique, un change-

ment de kommandante, ce qui me sauva la vie. En effet, la nouvelle kommandante prit en compte les jours d'infirmerie au jour de son arrivée, ce qui me donna dix-huit jours de répit et la possibilité de me remettre sur pieds...

Ainsi, les jours se succédaient lentement, interminablement, des jours affreux où, en plus de notre épouvantable travail quotidien, un ordre pouvait surgir. Certaines d'entre nous étaient susceptibles de retourner au camp et de quitter notre kommando. Les larmes aux yeux, le cœur plein d'angoisse, l'âme chargée de peine, nous voyions nos camarades sortir des rangs, se mettre en colonne, et sans prononcer une seule parole, nous quitter, peut-être à tout jamais, en nous faisant avec un sourire forcé, plein d'un immense chagrin, le dernier petit signe de la main, et le simulacre d'un baiser d'adieu.

DESINFECTION

Une fois par mois nous subissions la désinfection où nous encourions, encore, des humiliations intolérables. La désinfection avait lieu dans un camp qui se trouvait à quelques kilomètres du terrain d'aviation où il n'y avait que des prisonniers de tous âges de nationalité russe. Après une attente de plusieurs heures, toujours en rangs autour des bâtiments, nous pénétrions dans une pièce surchauffée, pour nous déshabiller, nous débarrasser de nos vêtements et de nos couvertures que nous accrochions à des cintres suspendus à des tréteaux à roulettes qui étaient désinfectés dans une pièce spéciale, pendant que nous nous dirigions vers la salle de douches. Nous avions quelques minutes pour nous laver des pieds à la tête, et nous étions trois ou quatre sous la même pomme; puis, nous allions dans une pièce voisine attendre nos vêtements.

Là, il nous arrivait de stationner durant des heures, assises, nues, les unes contre les autres, pendant que, sans discontinuer, des Allemands vêtus de blouses blanches venaient nous examiner non pas pour nous soigner, mais pour leur satisfaction personnelle. Ils se moquaient des femmes maigres dont la peau flasque et desséchée pendait; par contre, ils faisaient venir devant eux les jeunes femmes ou jeunes filles dont les corps conservaient encore d'harmonieuses formes, et passaient volontiers leurs doigts écœurants sur leurs corps frêles, à la grande honte des prisonnières qui, elles, auraient volontiers claqué leurs doigts sur les figures de ces insolents. Ces messieurs étaient accompagnés de prisonniers russes qui ne devaient s'occuper que des vêtements et de la chaudière, mais, la tentation étant la plus forte, ils ne pouvaient s'empêcher de nous regarder longuement. Quelquefois c'étaient des jeunes garçons russes, d'environ seize ans, qui restaient avec ces deux cents femmes nues qui rougissaient de honte. Les fenêtres étant à hauteur d'homme, des dizaines de têtes surgissaient à chaque carreau, à la grande joie des sadiques allemands.

Enfin, on nous rendait nos vêtements; quant aux couvertures, elles étaient intentionnellement mélangées et, en général, on distribuait aux Françaises les couvertures les plus dégoûtantes, celles des Gitanes.

SOUVENIRS

Nous apprîmes aux étrangères de notre dortoir quelques coutumes de notre pays. Ainsi, le jour de la Fête des Rois, nous fîmes avec le pain qui nous était distribué, un peu de confiture ou de saucisson, des tartines habilement décorées, dont certaines représentaient des escaliers. Puis, toutes ces tartines dans lesquelles nous avions dissimulé des breloques en matière plastique, furent tirées au sort. Ce fut pour nous, quelques minutes agréables où nous pûmes, enfin, avoir le sourire.

Le 11 novembre, toutes les Françaises arrivèrent à se grouper afin de pouvoir respecter une minute de silence.

Par contre, une camarade Française et moi, avons eu, un jour, une belle bagarre avec une Gitane à qui les Allemands avaient donné un manteau d'un Israélite qui avait été passé à la chambre à gaz; ce manteau portait encore à la boutonnière deux rubans : ceux de la Légion d'Honneur et la Croix de Guerre 1918. Nous expliquâmes à la Gitane allemande ce que signifiait pour nous ces deux décorations, et nous lui demandâmes de nous les rendre. Elle ne voulut rien savoir et continua à se pavaner avec ce manteau. Quelques jours plus tard, j'allai la trouver et nous nous livrâmes à une bataille en règle; malheureusement, elle était plus forte que moi et je fus obligée de capituler avec de bons coups de pieds dans le ventre. Elle s'en tira avec un œil poché et des égratignures sur la figure. Mon amie fut beaucoup plus rusée et, la surveillant constamment, profita d'un moment où elle avait ôté ce vêtement, pour découdre rapidement les rubans. Le soir, au dortoir, elle me montra les deux rubans; nous les coupâmes en deux, elle en garda la moitié, moi de même. Evidemment la Gitane s'en aperçut et nous réunissant toutes deux contre elle, nous lui donnâmes une bonne raclée.

Le soir du 24 décembre 1944, après une pénible journée de travail où les Allemands déployèrent toutes leurs méchancetés, nous nous réunîmes au dor-

toir. Notre camarade Denise, charmante brunette
d'une vingtaine d'années, dont le fiancé fut passé par
les armes par les Allemands, monta au troisième étage
d'un châlit et, se mettant à genoux, nous récita d'une
voix adorable, le petit poème « Noël 44 », que notre
excellente amie Vonvon avait fait à cette intention et
qui nous émut profondément.

Schoenfeld vécut un événement probablement unique dans toute l'histoire des camps de concentration :
une grève de la soupe. Grève voulue, lancée, organi-
sée par le comité clandestin de défense des déportées
yougoslaves.

— Contactée [1] par les Yougoslaves, j'ai donné mon
accord à la grève. J'ai promis de suivre. Très éprou-
vée par la dysenterie, je me hâte autant que je le
puis en priant intérieurement : « Mon Dieu, aidez-
moi ! Aidez-moi à ne pas manger ma soupe, j'ai tellement faim. »

— Ecrasées [2] par une interminable journée de travail, en accord avec les Yougoslaves, nous avions
décidé, en raison des conditions inhumaines dans lesquelles nous vivions et travaillions, de faire la grève
de la soupe pour protester contre l'eau chaude pom-
peusement appelée « soupe ». Acte héroïque de la
part des déportées déjà aux trois quarts mortes de
faim. Après l'appel du soir, nous nous sommes dirigées comme à l'habitude dans les caves de l'usine
qui nous servaient de réfectoire. Mais là, une surprise
nous attendait : prévenu, le kommandant était là pour
nous recevoir revolver au poing, accompagné de nos

1. Manuscrit inédit Léa Chandelot. Octobre 1970.
2. Manuscrit inédit Simone Giraud et Thérèse Gauthier.
Septembre 1970.

gardiennes schlague en main. Toutes les issues étaient
gardées. La soupe était servie, mais nous sommes restées debout, aussi droites que cela nous était possible,
devant nos gamelles.

— Il [1] n'y a plus de place dans le grand réfectoire,
je me dirige vers le petit réfectoire. Une place libre
à une table entière de Russes; je m'y glisse silencieusement et adopte la même attitude. Elles sont debout,
bras croisés, tête haute en affectant de ne pas regarder la soupe.

— (Dans le grand réfectoire) le kommandant [2]
exige des explications. Nous répondons que cette
soupe étant de l'eau, le « repas » était insuffisant pour
nous permettre d'accomplir le travail de force qui
nous est imposé. C'est alors que le cauchemar commença : le kommandant, les gardiennes se ruèrent
sur nous et tapèrent dans le tas, au hasard. Certaines prisonnières passaient sous les tables, d'autres
sautaient par-dessus. Tout était renversé, une course
affolée s'ensuivit et, ne pouvant sortir, nous tournions
en rond. Combien de temps dura cette folie? Par suite
de cette cavalcade, certaines issues se trouvaient libérées, nous pûmes sortir et regagner le dortoir.

— (Petit réfectoire) nous [2*] entendons des cris, des
jurons, des clameurs en plusieurs langues. Nous
comprenons qu'on est en train de vider le grand réfectoire à coups de schlagues. Et soudain surgit une Aufseherin qui fait de vigoureux moulinets avec son
« goumi », frappe au hasard. Nous nous retrouvons
dans l'entrée, sorte de palier qui dessert les réfectoi-
res. Le kommandant est là, schlaguant au passage...
et il faut passer devant lui. Je m'aperçois, avec stupeur, que ma musette (qui contient tous mes « trésors ») est restée au réfectoire, par terre. J'hésite

1. Manuscrit inédit Léa Chandelot.
2. et 2* Manuscrit inédit Simone Giraud-Thérèse Gauthier.

car ce qui vient de se passer est tellement effrayant! Finalement, j'y vais. Ce que je vois par la porte ouverte du grand réfectoire me cloue immobile. Après avoir vidé les lieux, certaines prisonnières russes, polonaises sont revenues (il faut dire que leur dortoir était le plus proche) dans l'espoir de manger une soupe, puisque les bidons sont restés sur place. Et elles se battent les malheureuses, elles se volent les assiettes qui sont restées sur les tables et au moment où elles vont être obligées de lâcher prise, elles lancent les assiettes à la volée, brisent les ampoules électriques. Plusieurs luttent à même le sol. Ayant affaire à plus forte qu'elle, une Russe se sauve et me bouscule au passage, ce qui me rend ma lucidité. En courant, je récupère ma musette et retourne au dortoir glacée d'horreur par ce que je viens de voir.

— Si étonnant que cela soit, il n'y eut pas de représailles, la soupe ne fut pas meilleure et c'est tout.

⁂

— Chaque [1] jour, des prisonniers de guerre français viennent à l'usine faire des travaux d'entretien. Je ne manquais jamais de déchirer les rideaux noirs pour la défense passive puisque les prisonniers étaient chargés de les réparer... et de m'apporter les dernières nouvelles en même temps. Nouvelles que je transmettais immédiatement aux « émetteurs » de « Radio-Cabinets » — qui se chargeaient de les retransmettre aux Françaises à travers l'usine.

C'était le 15 août 1944... Mes amis arrivent pour la réparation quotidienne. Ils semblaient radieux... Ils me glissent en passant derrière moi :

— « Des nouvelles extraordinaires — vous confir-

---

1. Manuscrit inédit Lise Lesèvre.

merons demain — mais vous pouvez déjà vous réjouir. »

Immédiatement, je transmets la bonne nouvelle inconnue. Elle était sûrement bonne; chez nos amis prisonniers, « Radio-Bobards » n'avait pas cours. Au début, nous les traitions de pessimistes! Le lendemain fut long à arriver... Hélas! quand les deux prisonniers sont arrivés près de moi, une Aufseherin était là elle aussi! Je savais par expérience qu'elle ne partirait pas avant eux : les Allemands se méfiaient terriblement des contacts qui auraient pu se nouer entre Français et Françaises. J'avais brutalisé le rideau noir afin que la réparation fût longue... et les confidences aussi. J'avais compté sans la terrible bonne femme. Impossible de jeter un coup d'œil à mes amis grimpés et affairés sur cette grande échelle. Le travail ne pourrait durer toujours. Ils allaient repartir et je ne saurais rien! Ils allaient passer derrière moi... disparaître sans rien me dire... En effet, ils sont restés muets. Mais ils se sont mis à siffler tous deux avec entrain l'air célèbre et réconfortant : « Tout va très bien Madame la Marquise. »

Ouf! j'ai pu confirmer à mes camarades que la nouvelle était vraie... qu'elle était bonne! Mais laquelle?

Ce n'est que le lendemain que j'ai appris par les deux prisonniers le débarquement à Cavalaire et sur toute la côte de la Méditerranée.

— Un œuf [1]! Nous passons en colonne. Une poule vient de pondre. Un œuf dans l'herbe. Notre gardienne

---

1. Manuscrit inédit Odille Lambolle. Mai 1970.

le voit. Toute la colonne, tripe au ventre, défile devant ce malheureux œuf sans pouvoir y toucher.

⁂

ARRET DE TRAVAIL DANS L'USINE

Un jour [1], il y eut une panne d'électricité dans l'usine; elle dura plusieurs heures, nous étions vers la fin du mois de décembre 1944. Puis, dans la même semaine, les appareils à air comprimé s'arrêtèrent :
— « Nicht licht, nicht luft » (pas de lumière, pas d'air) nous dit-on.

Puis cela se répète; nous apprîmes quelques jours plus tard que les Russes, ayant pris Frankfurt-sur-l'Oder, l'usine ne fonctionnerait plus, car c'est de l'Oder que provenait l'énergie électrique. Depuis plusieurs mois déjà, le chauffage ne marchait plus, et trois braseros grotesques dans cette grande usine essayaient de dégager un peu de chaleur. Les Gitanes faisaient cercle autour d'eux. A voir leurs mains et leur corps sales, décharnés, retroussant les lambeaux de leur robe afin que la chaleur pénétrât plus profondément, on se serait cru à la descente d'une roulotte misérable sur le bord d'une méchante route. Elles psalmodiaient des chants, battant la mesure de leurs mains, de leurs pieds; leur bouche ouverte laissait apercevoir des dents jaunes disjointes, des chicots noirâtres d'où sortait une salive infecte qu'elles crachaient par terre, entre deux chansons. La promiscuité des Gitanes de l'usine était pénible. Ces femmes, pour la plupart d'origine allemande, ne savaient que voler; certaines étaient prisonnières depuis de longues années et elles étaient considérées comme une

---

1. Manuscrit inédit Juliette Colliet. Déjà citée.

race maudite au même titre que les Israélites. Elles furent arrêtées en même temps qu'eux, mais aucune ne fut envoyée au four crématoire. Elles furent faites prisonnières afin d'apprendre un métier et de se rendre utiles : le temps des roulottes et des manèges était révolu. Tout le monde devait se rendre utile à la Grande Allemagne. Or, parmi ces femmes qui parlaient toutes l'allemand, beaucoup étaient devenues les esclaves hébétées des S.S.; elles auraient fait n'importe quel métier pourvu que les Aufseherinnen S.S. leur donnâssent des rations supplémentaires; leur régime était moins dur que le nôtre; elles faisaient rarement des corvées. Leur vulgarité et leur mentalité les rapprochèrent des femmes S.S. qui nous commandaient, et elles avaient toujours des souvenirs communs tels que : vols, coucheries, et souvent assassinats.

Une seule femme parmi cette horde de Gitanes ne leur ressemblait point; c'était une pure Gitane native de Bohême, une fille racée qui souffrait de cette horrible promiscuité. Digne devant la souffrance, elle fut horrifiée de l'attitude d'un de ces monstres gitans qui, à la suite d'un bombardement massif sur Berlin, apprit quelques heures plus tard qu'une bombe était tombée sur la maison où vivaient les trois petits enfants qu'elle avait eus d'un Allemand, les tuant tous trois. L'attitude de cette femme fut révoltante : elle remercia les Allemands qui lui avaient transmis cette nouvelle et, rejoignant son groupe de Gitanes, se remit à chanter en tapant dans ses mains et en riant aux éclats...

Mais revenons à notre usine. Nous restâmes huit jours sans rien faire. Cela semblait incroyable! Ils passèrent, hélas! trop rapidement. Nous nous demandions ce que nous allions devenir; était-ce déjà la fin de notre supplice? Allions-nous de nouveau travailler? Hélas! Il n'en fut rien! Sournoisement on nous préparait le travail le plus exténuant que nous puissions imaginer... Les S.S. semblaient désœuvrés, mais on sentait chaque jour que quelque chose couvait, mais quoi?

Nous étions au mois de janvier 1945.

TRAVAUX DE TERRASSEMENT

Un matin, on nous fit mettre à l'appel à cinq heures; on nous compta et nous recompta. Puis, on prit les trois quarts des prisonnières que l'on divisa en trois groupes. Une angoisse nous étreignait : qu'allaient-ils faire de nous?

Nous trouvant toutes séparées les unes des autres, nous jetions à nos camarades des regards attristés. Les portes de l'usine s'ouvrirent et chaque groupe, sous la surveillance de plusieurs Aufseherinnen et de sentinelles, se mit en marche.

Pourquoi partions-nous accompagnées de sentinelles, leur mitraillette sous le bras? Etait-ce pour nous passer par les armes?... Non, ce serait trop horrible...! Et pourtant, nous savions que nous devions nous attendre à tout. Personne au monde pour nous protéger, personne pour nous réclamer, nos familles françaises savaient-elles seulement nos identités? Beaucoup d'entre nous avaient été arrêtées sous de faux noms (tel était d'ailleurs mon cas).

Qu'allait-il se passer?...

Nous allions bientôt le savoir. Nous commençâmes à marcher sur des chemins bitumés qui traversaient le terrain d'aviation. Cette marche cadencée nous fatigua très rapidement car depuis plus de neuf mois, nous n'étions pour ainsi dire jamais sorties. Enfin, nous nous arrêtâmes devant un petit baraquement où s'entassait tout un amas de pioches et de pelles.

Ah! Voilà! Nous avions toutes compris; nous allions faire des travaux de terrassement.

Alors, chaque jour, nous eûmes ce même rythme de vie, même lever de bonne heure, mêmes appels, même visite à ces baraquements pour y prendre nos outils, et toujours cette marche harcelante. Nous faisions chaque jour, une bonne vingtaine de kilomètres pour nous rendre au chantier. Nous eûmes à subir le climat rude de la Prusse, le vent, la pluie, la neige. Nos minces vêtements presque aussitôt trempés nous collaient à la peau pendant plusieurs jours. A partir du mois de janvier et jusqu'au mois d'avril, nous pouvons dire que nous n'avons jamais pu nous réchauffer un seul instant.

La nourriture ne nous tenait plus au corps, nous nous traînions lamentablement le long des routes, marchant dans la boue, la neige, par une température de moins 28°, en guettant avec avidité les quelques rares pissenlits qui auraient pu pousser sur notre chemin. Alors, rapidement, sans quitter la colonne, nous nous baissions afin d'arracher cette nourriture providentielle qui nous tombait du ciel, mais, quoique aussi rapide qu'ait été notre mouvement, il produisait un décalage dans le rang derrière nous, la pelle que nous portions sur l'épaule n'était plus à l'alignement; instantanément l'Aufseherin se précipitait sur nous et nous rouait de coups avec tout ce qui lui tombait sous la main.

Les travaux de terrassement étaient exténuants.

Nous avons fait des tranchées. Nous en avons même fait qui longeaient un petit bassin d'eau. Nos pieds trempaient dans l'eau glaciale qui montait plus haut que nos chevilles. Ce n'était plus de la terre que nous jetions par-dessus bord, mais de l'eau sale, de la glaise qui dégoulinait tout au lond du manche de la pelle, qui giclait sur nous. C'était à pleurer de rage, de froid, de fatigue, et ce manège continua pendant des heures et des jours...

Après les tranchées, nous fîmes des abris pour protéger les avions des bombardements. Ces abris devaient être recouverts d'arbres afin de les camoufler. Nous nous attaquâmes alors à un petit bois dont nous abattions les arbres que nous transportions jusqu'à ces nouveaux abris. Les filles russes internées avec nous, étaient de constitution beaucoup plus robuste que la nôtre et étaient, pour la plupart, habituées aux travaux de la ferme; bien que sous-alimentées, elles restaient très fortes, elles soulevaient un pin à cinq ou six et le transportaient facilement. On les sentait heureuses de ce nouveau métier qui nous réussissait si mal. Nous n'étions pas habituées à abattre des arbres, à creuser des tranchées et, au bout de huit semaines de travail, nous avions atteint la limite de nos forces, notre courage s'épuisait, notre bon moral lui-même s'amenuisait.

Il nous fallait être au moins quinze pour transporter un arbre, d'où fureur des Allemands dont les coups pleuvaient et antipathie incoercible entre, d'une part les Russes et les Polonaises, et d'autre part les Françaises. Ces prisonnières d'ailleurs ne s'entendaient pas bien; elles étaient de milieux fort différents, et nous sentions que le jour où elles disposeraient d'un peu de liberté, il y aurait des règlements de compte atroces.

Nous avons fait des routes car les Allemands, afin de protéger leurs avions, ne les laissaient plus sur les terrains d'aviation. Ils les remorquaient en les traînant par la queue et empruntaient nos routes et nos abris qui étaient remplis de munitions de toutes sortes.

Lorsque les Allemands furent satisfaits de notre travail, ils nous firent faire une voie ferrée, et pour cela on nous emmena à « Mittenwald ». J'ai eu la chance immense de n'être allée qu'une seule fois à « Mittenwald » : quel travail horrible !

Il fallait être à l'appel à trois heures du matin, puis prendre un petit train qui nous emmenait à l'est de Berlin; là, il nous fallait entasser des cailloux, puis mettre les rails, les fixer sur les tréteaux de bois. Les sentinelles nous donnaient des coups de crosse de fusil et se mêlaient elles aussi, de nous faire aller plus vite, toujours plus vite. Les Allemands devenaient nerveux, anxieux; les événements ne tournaient pas à leur avantage. Cette voie ferrée les exaspérait car elle devait servir à contourner les voies existantes afin d'évacuer leurs blessés de la région de l'Est dont le nombre allait croissant car, après une résistance acharnée, le fort de Kustrin était aux mains de l'Armée Soviétique. Nous étions arrivées à un état de fatigue tel, et étions tellement à bout de nerfs, que nous craignions de ne plus pouvoir tenir longtemps. Notre moral devenait mauvais, le poids sur l'épaule de nos pelles nous devenait insupportable, nos vêtements détrempés qui nous collaient au corps ne séchaient plus et restaient continuellement en contact avec notre peau. Notre corps même s'était transformé; nous n'étions plus qu'un amas de peaux mortes, desséchées, qui s'écaillaient comme celle d'un serpent; nos épaules se voutaient. Une toux sèche nous secouait. La dysenterie nous faisait souffrir et nous marchions en comprimant notre abdomen. Des coliques fréquentes nous secouaient et nous donnaient des malaises intolérables; il ne fallait pas espérer pouvoir s'arrêter quand la colonne était en marche, et nous mangions de la craie pour essayer de calmer nos douleurs. Notre désarroi était total, et nous commencions à envisager la mort avec sérénité.

De ma vie entière je ne pourrai oublier l'horrible journée que fut le Lundi Saint. Le matin, travail épuisant sur le terrain d'aviation, temps affreusement triste, un fort vent nous poussait dans tous les sens comme si nous étions devenues de minces tiges de roseaux. La terre elle-même, emportée par le vent, s'envolait à chaque pelletée et se rabattait sur nos vêtements trempés. Puis, l'après-midi, on nous mena à un petit bois de sapins; le vent s'était calmé, mais une pluie diluvienne s'était mise à tomber, nos robes de toile nous collaient à la peau, nous blessaient dans nos mouvements, car nous nous passions les unes aux autres et sans discontinuer de grosses briques pesant presque deux kilos. Notre colonne s'étirait sur une longueur d'au moins un kilomètre, elle partait du haut d'un petit bois et descendait auprès d'un étang.

Pendant des heures nous nous sommes passé des briques à une cadence si accélérée que, si nos mains glacées et meurtries en lâchaient une, instantanément nous nous trouvions en avoir trois ou quatre devant nous. L'Aufseherin arrivait furieuse, nous faisait sortir de la colonne et nous rouait de coups, et malheureusement il nous est arrivé bien des fois de lâcher ces maudites briques...

Je ne puis faire aucun commentaire sur le travail que nous avons fait en Allemagne car tous les mots que je pourrais employer seraient infiniment trop doux. Je crois seulement que si nous avons miraculeusement survécu à toutes ces épreuves, c'est parce que nous avons lutté de toutes nos forces. Nous nous sommes acharnées à vouloir vivre, coûte que coûte, nous avons essayé de garder un moral magnifique, la revanche devait arriver et puis, surtout, Dieu nous a protégées.

LE SAMEDI 21 AVRIL

Toujours dans l'usine de Schoenfeld.

Il est sept heures du matin, un silence inhabituel règne, pas un bruit, pas un seul hurlement. Les portes du dortoir sont toujours fermées. Nous entendons le bruit sourd du canon qui tonne. Cependant, il y a tant de mois que nous l'entendons que nous nous sommes peu à peu habituées.

Pourtant, aujourd'hui, en écoutant bien, le son du canon est nettement plus fort; nous montons sur le rebord du lavabo et nous voyons, au loin, une épaisse fumée. Toutes les prisonnières sont anxieuses, nous nous rendons compte que cette fois-ci il se passe quelque chose de vraiment anormal. Les bobards passent de bouches à oreilles. Les unes pensent que l'on nous a abandonnées et veulent tout casser pour pouvoir s'échapper, les autres croient (ce qui n'est vraiment pas réjouissant), que les S.S. sont tous partis craignant l'arrivée de l'Armée Rouge, et que s'ils nous ont enfermées, c'est que nous allons certainement sauter car l'usine est minée.

Enfin, onze heures sonnent, nous sommes toutes dans un état de surexcitation intense. Les portes du dortoir s'ouvrent :

— « Appel, appel, schnell, schnell! »

Nous voilà de nouveau toutes en rangs, dans ce hall triste et glacial. Le kommandant arrive en tête de sa troupe. Afin de paraître plus grand, plus noble, plus imposant, il monte sur un tas de ferrailles abandonnées dans un coin. De son perchoir il nous fait un admirable discours en allemand, nous apprenant que nous allons quitter d'un moment à l'autre l'usine pour nous rendre au camp d'Oranienburg, à moins que nous allions toutes dans une caserne de la Jeunesse hitlérienne qui se trouve sur la route et où nous serons toutes fusillées.

Au milieu d'une agitation fiévreuse, nous préparons nos bagages, préparatifs qui consistent à savoir ce que nous allons emporter de nos trophées. Certaines ont ramassé les quarts en aluminium, d'autres ont volé des morceaux d'étoffe à carreaux bleus et blancs du Revier dans l'espoir de s'en faire un jour de ravissantes blouses, d'autres encore rassemblent les modestes bricoles qu'elles ont confectionnées avec tant d'amour.

Puis, on nous rassemble, à nouveau, au milieu de l'usine et on nous distribue, chose incroyable, un pain entier par prisonnière, sur lequel on se jette littéralement, car depuis que nous sommes en Allemagne, il ne nous a jamais été permis de manger à notre faim, et jamais nous n'avons tenu, dans nos mains, une telle quantité de pain. Puis, nous descendons au réfectoire où on nous donne une soupe, la dernière de Schoenfeld, une soupe épaisse faite de tous les résidus qui traînent dans les cuisines de l'usine.

Enfin, nous sommes de nouveau en rangs, nous voyons les portes s'ouvrir, et le cœur léger, nous nous mettons en marche.

C'est par petits groupes de soixante femmes qu'on évacue l'usine !... arrêts... attentes interminables... commentaires...

— « Tu as vu, Christiane et Vonvon sont parties. Henriette et sa sœur aussi. Oh ! j'aurais tant voulu partir avec elles; est-ce que tu crois que nous les retrouverons ? »

Nous n'avons d'ailleurs jamais revu, en Allemagne, nos camarades qui nous ont quittées si brutalement et ce n'est qu'à notre retour en France que nous avons eu de leurs nouvelles.

***

Pour « celles de Schoenfeld » une nouvelle, longue et cruelle aventure sur les routes de la débâcle commençait. Pour Juliette Colliet, elle se terminera le 2 mai 1945, avec la rencontre des premiers soldats de l'Armée Soviétique; d'autres, beaucoup d'autres, ne connaîtront pas cette joie.

Celle qui croyait en Dieu et celle qui n'y croyait pas; celle qui savait pourquoi elle avait été déportée et celle qui l'ignorait; celle qui avait, dans son pays, une famille et celle que personne n'attendait; celle qui refusa tout abêtissement, toute compromission et celle qui, par hasard, par peur, par bêtise, collabora en acceptant de jouer un rôle dans la hiérarchie prisonnière; celle qui fit don de soi et l'égoïste. Et la Résistante. Et la criminelle. Et la raciale. Et la prostituée. Et la volontaire du Travail Obligatoire dans les usines du Reich, punie de Ravensbruck pour cause d'incapacité, de fainéantise, de « coucherie ». Et la religieuse. Et la servante. Et la femme du monde. Et l'ouvrière et l'intellectuelle. Et la paysanne. Françaises, Belges, Polonaises, Soviétiques... Femmes de toutes les races, de toutes les nations, de toutes les politiques, de toutes les religions. Femmes de tous les âges. Femmes. Toutes ces femmes de Ravensbruck et de ses kommandos. Vous, femmes déportées, vous connaissez le prix du bonheur et de la liberté.

La suite du *Camp de Femmes* paraîtra sous le titre *Kommandos de Femmes* et constituera le troisième et dernier tome des *Mannequins nus*.

TABLE DES MATIÈRES

Achevé d'imprimer
en juin mil neuf cent quatre-vingt-un
sur les presses de l'Imprimerie Gagné Ltée
Louiseville - Montréal.
Imprimé au Canada